一笑

古龍

盛期之風貌

臥龍生作品 帶動武俠風潮

《飛燕驚龍》開一代武俠新風

《飛燕驚龍》(1958)爲臥龍生成名作，共48回，約120萬言。此書承《風塵俠隱》之餘烈，首倡「武林九大門派」及「江湖大一統」之說，更早於香港武俠巨匠金庸撰《笑傲江湖》(1967)所稱「千秋萬世，一統」達九年以上。流風所及，臺、港武俠作家無不效尤；而所謂「武林盟主」、「江湖霸業」等新提法，竟成爲社會大眾耳熟能詳的流行術語了。

《飛燕》一書可讀性高，格局甚大。主要是寫江湖群雄爲覬覦傳說中的武林奇書《歸元秘笈》而引起一連串的明爭暗鬥；再以一部假秘笈和萬年火龜爲餌，交插敘述武林九大門派（代表正派）彼此之間的爾虞我詐，以及天龍幫（代表反方）網羅天下奇人異士而與九大門派的對立衝突。其中崑崙派弟子楊夢寰偕師妹沈霞琳行道江湖，卻如夢似幻地成爲巾幗奇人朱若蘭、趙小蝶之絕世武功技驚天龍幫，而海天一叟李滄瀾復接連敗於沈霞琳、楊夢寰之手；致令其爭霸江湖之雄心盡泯，始化解了一場武林浩劫云。

在故事佈局上，本書以「懷璧其罪」（與真、假《歸元秘笈》有關）的楊夢寰屢遭險難，卻每獲武林紅妝垂青爲書膽(明)，又以金環二郎陶玉之嫉才害能，專與楊夢寰作對(暗)爲反派人物總代表。由是一明一暗交織成章，一波未平，一波又起，極盡波譎雲詭之能事。最後天龍幫冰消瓦解，陶玉帶著偷搶來的《歸元秘笈》跳下萬丈懸崖，生死不明，卻予人留下無窮想像空間。三年後，作者再續寫《風雨燕歸來》以交代陶玉重出江湖，爲惡世間，則力不從心，當屬狗尾續貂之作。

在人物塑造方面，臥龍生寫男主角楊夢寰中看不中用，固然乏善可陳，徹底失敗；但寫其他三名女主角如「天使的化身」沈霞琳聖潔無瑕，至情至性，處處惹人憐愛；「正義的女神」朱若蘭氣質高華，冷若冰霜，凜然不可犯；「無影女」李瑤紅則刁蠻任性，甘爲情死等等，均各擅勝場。乃至寫次要人物如「賓中之主」海天一叟李滄瀾之雄才大略，豪邁氣派；玉簫仙子之放蕩不羈，爲愛痴狂；以及八臂神翁聞公泰之老奸巨猾，天龍幫軍師王寒湘之冷傲自負等，亦多有可觀。

與

武俠小說

摘自 葉洪生、林保淳著《台灣武俠小說發展史》

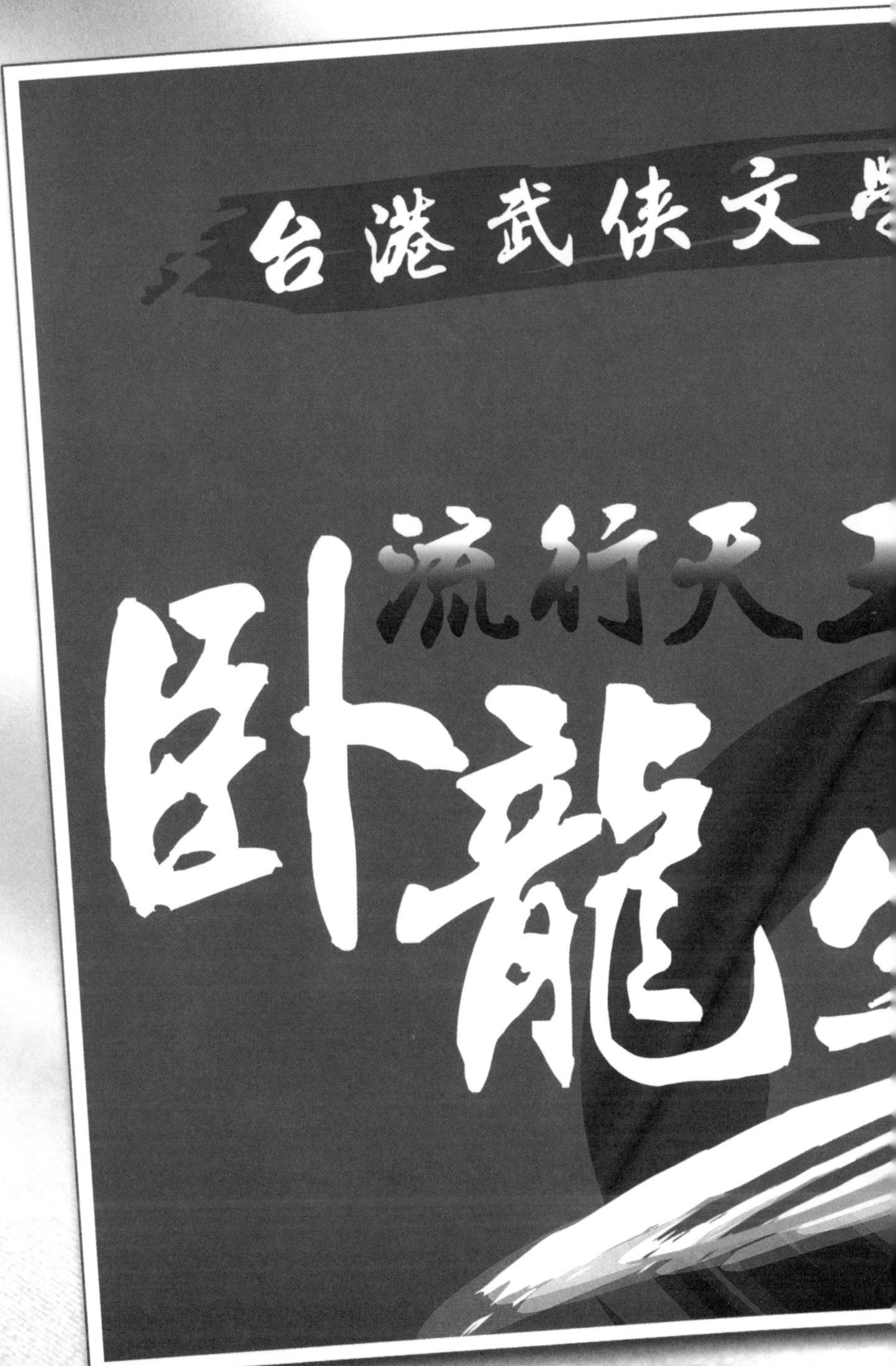
台港武侠文
流行天
臥龍

臥龍生是台灣最著名的武俠小說作家之一，自然也是海外新派武俠小說家中的重要一員。

在台灣武俠小說界，臥龍生曾獨領風騷被稱為「台灣武俠泰斗」。後來司馬翎、諸葛青雲脫穎而出，才與臥龍生並稱台灣俠壇的「三劍客」。那時候古龍還默默無聞。後來古龍名氣漸大，躋身高手之林，與「三劍客」合稱「台灣武俠小說四大家」，但臥龍生仍是深受讀者歡迎的武俠小說作家。

陳墨

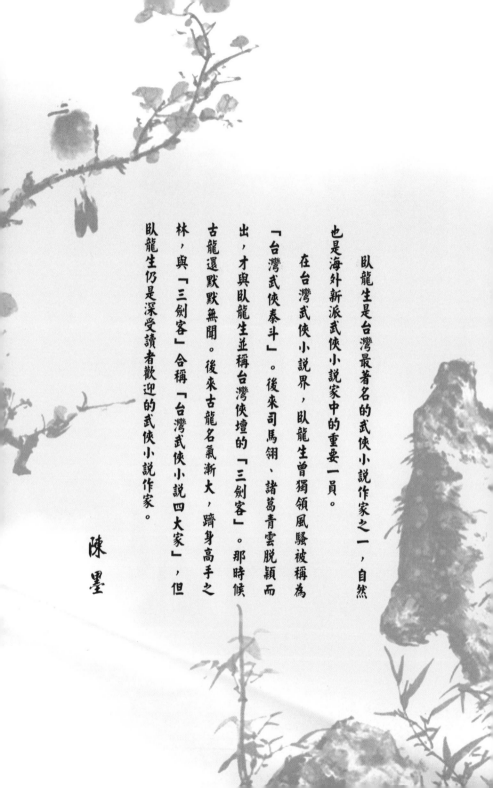

絳雪玄霜（三）

臥龍生

武俠經典珍藏版 11

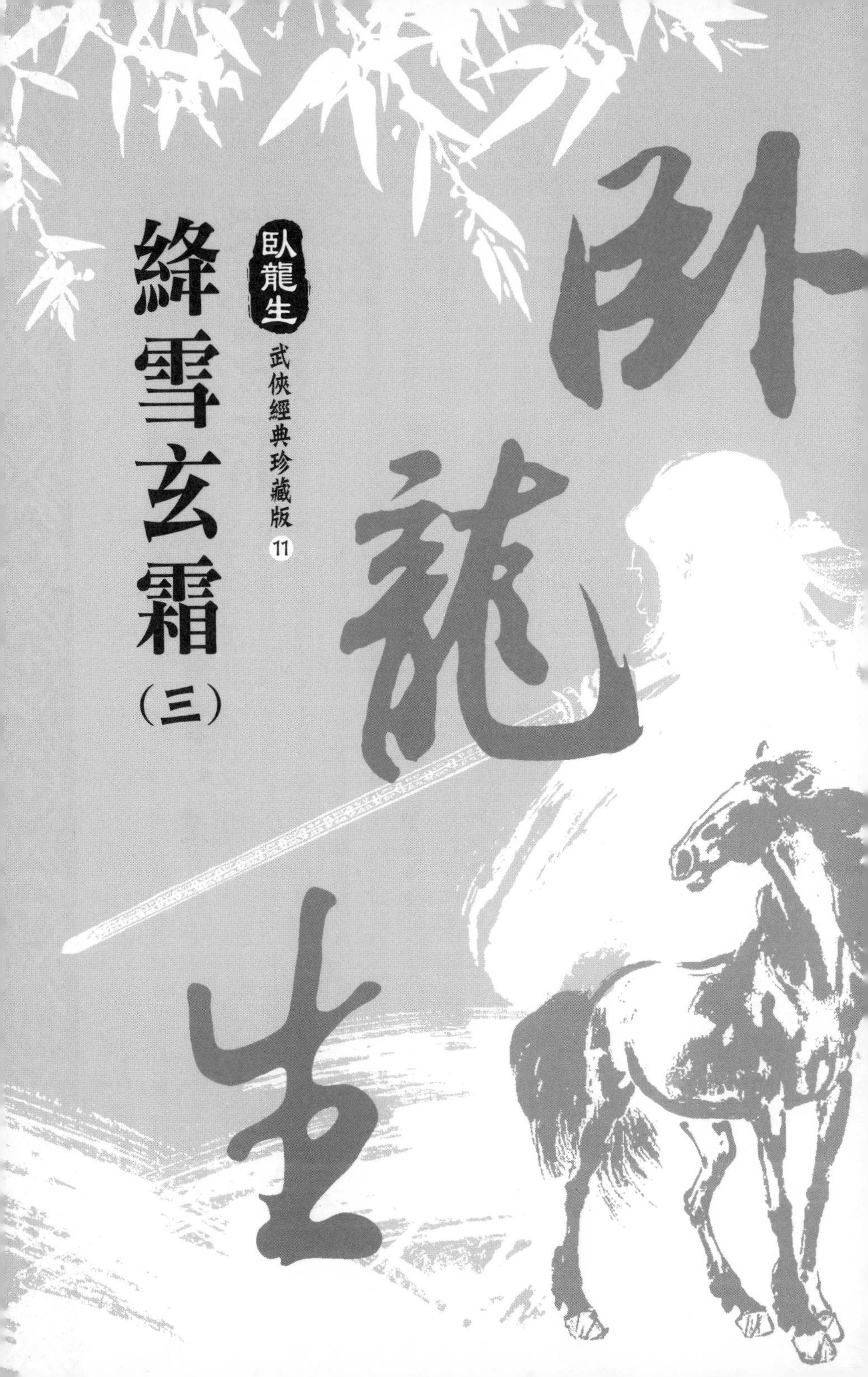

臥龍生 精品集 11

絳雪玄霜(三)

目錄

廿七　少林噩耗

寺門內顯然已有戒備，八個灰衣僧人，分排門後兩側，每人懷中都抱著一支禪杖。

那迎客寺外的中年僧人，突然加快了腳步，搶在方兆南前面，說道：「貧僧替施主帶路。」

忽然一個轉身，向旁邊一個小徑上走去。

那僧人奔行甚快，片刻之間已穿越那片青草、山花，直入林中。

眼見一片翠竹環抱著一座紅磚砌成的精舍。

灰衣僧人突然放慢了腳步，低聲對方兆南道：「這座精舍乃本寺接待上賓之處，方施主跋涉遠來，先請在此小息片刻，待貧僧通報之後，再來請進。」

說完，忽然向後退了兩步，合掌肅容，接道：「施主請進。」

方兆南略一猶豫，大步直向那紅磚精舍之中走去。

那灰袍僧人卻不肯隨他同入，站在翠竹籬外，道：「精舍之中早已備有茶點，施主如果饑餓，儘管食用。」言吧，急急退去。

方兆南暗道：「江湖上久傳少林寺乃武林中泰山北斗，寺中僧侶個個武功高強，清規森嚴，忌諱甚多，單瞧這待客之法，就叫人有種異樣的感覺。」

忖思之間，人已走近精舍。

抬頭看去，只見兩扇黑漆門上寫著四個金字，左面一扇寫著「迎賓」，右面一扇寫著「小軒」，舉手一推，兩扇門呀然大開，一股清香之氣，迎面撲來，不覺一怔。

香煙裊裊，就由那鼎中升出，鼎旁瓷壺、玉杯，排列得十分整齊，兩張竹椅之外，還有一張藤榻，但卻空無一人。

他忽然覺得有些睏倦，緩步走到藤榻上坐了下來，不知不覺中竟然熟睡了過去。

當他清醒時，景物大變，一個體軀修偉的高大和尚，端坐他的對面，室中燭火高燒，天色已入深夜時分。

他長長吁一口氣，皺皺眉頭，自言自語地說道：「這是怎麼回事？」

那對面和尚低沉地喧了一聲佛號，道：「老衲大悲，乃本寺達摩院中主持……」

方兆南突然跳了起來說道：「你們那『迎賓小軒』中香煙裡含有迷藥。」

大悲禪師搖頭笑道：「方施主但請放心，少林寺決不會存有綠林中下五門藥物。」

方兆南道：「那我怎麼會聞得香味之後，立時暈了過去？」

大悲禪師輕輕嘆息一聲，道：「小施主長途跋涉，身體早已有睏倦之感，迎賓小軒點燃的檀香，乃我少林中秘法調製之物，雖有助入眠之效，卻無遺害身體之毒。」

方兆南暗中運氣相試，並無異樣之感，心中怒氣消減了甚多，但仍以不屑地口氣，說道：「少林派乃武林正大門戶，此等方式接待客人，未免有失氣度。」

大悲禪師臉色微變，道：「施主如若不是從冥獄中來，敝寺絕不敢以此等方法，接待貴賓，實因其中有……」

他話至此處，倏而住口，長長嘆息一聲，默然不語。

方兆南奇道：「怎麼？難道已有冥獄中人，到這裡來過了嗎？」

大悲禪師點點頭，道：「這是我們少林寺數百年來最大一次挫折，我們以上賓之禮，接待遠客，卻被他暗施迷藥，迷倒我們一十八位護法弟子，取去敝寺中……」

話到此處，突然輕輕地咳了一聲，接道：「又讓他從容逃走。」

方兆南暗暗忖道：「聽他口氣，似是被人盜走了十分重要之物，人家既不願說，我豈能故意追問。」

當下嘆息一聲道：「唉！這就難怪了，在下日夜兼程趕來，想不到仍然是晚了一步。」

大悲禪師臉上突然變得十分莊肅，道：「老衲有幾句不當之言，不知該不該問？」

方兆南道：「大師有話儘管請說，在下知無不言。」

大悲禪師道：「方施主和玉骨妖姬俞罌花，有什麼關連之情，不知能否相告老衲一、二？」

方兆南搖搖頭道：「沒有啊。」

大悲禪師探手從僧袍之下，取出一枚形如短劍的金牌，說道：「方施主既和玉骨妖姬毫無關連，這面金牌，不知從何而得？」

方兆南目睹金牌，不禁想起了青梅竹馬的師妹，黯然一嘆，道：「這面金牌乃在下無意取得之物，此事已在胸中藏了甚久，從未告人，就是貴掌門大方禪師，晚輩也未相告……」

大悲禪師低沉地接道：「我們掌門師兄好嗎？」

方兆甫微微一怔，道：「怎麼？那冥嶽派來之人，沒有告訴老禪師嗎？」

大悲禪師道：「沒有，那人來去匆匆，老衲還未和他講起冥嶽之事。」

方兆南疑心忽起，問道：「來人是什麼樣人物？」

大悲禪師道：「長衫佩劍，年約五旬左右。」

方兆南急道：「他臉上可有什麼特別之處嗎？」

大悲禪師道：「這個老衲還未曾留心，不過，老衲已派遣敝寺達摩院上座三僧，各率十個弟子，分頭追查，只要他沒有離開中原數省，三、五日內定有回報。」

方兆南不再追問，輕輕嘆道：「在下先向老禪師傳達一個凶訊……」

大悲禪師身軀微微震動了一下，道：「可是我那掌門師兄有什麼？」

方兆南嘆道：「貴派掌門失陷冥嶽『迴輪殿』中，生死不明，隨行三十六位護法弟子，全都歸化。」

大悲禪師臉上泛現出憂傷之色，愕然接道：「什麼？三十六弟子無一生還？」

方兆南道：「與會天下高手，死傷無數，可算得全軍皆沒，生脫冥嶽的只有四人，但眼下還活在人世的，只有在下一個，另三人生死不知。」

大悲禪師合掌閉目，口中喃喃自語，不知他是在默誦經文，還是在爲死去的同門祈禱，神色間一片莊嚴肅穆。

過了片刻，大悲禪師睜開雙目，說道：「如果此訊確實，乃我少林開派以來，最慘的一次大變。」

方兆南道：「三十六位高僧殉難，在下親目所見，決錯不了，但大方禪師的生死，在下未曾看到，不敢妄作論斷。」

大悲禪師緩緩站起身子道：「老衲雖然暫代掌門之位，但此等大事，也不敢擅作主張，方施主如果自信見聞確實，老衲立時鳴鐘、擊鼓，召集寺中長老，共議大事。」

方兆南道：「此事千真萬確，一點不錯，縱是齊集天下武林同道，在下也敢暢談所見。」

大悲禪師拿起案上一支木槌，正待擊打桌案上放的銅缽，突然又停下手來。

他接著又道：「據老衲所知，少林寺中已三十年未傳過驚神鐘鼓，鐘鼓一響，茲事體大，誤傳了驚神鐘鼓，老衲也擔待不起。」

方兆南道：「大師儘管放心……」

大悲禪師滿臉莊嚴，又緩緩放下手中木槌，接道：「老衲不知方施主藝出何人門下，天下武林高手，大都埋身冥嶽絕命谷中，方施主卻能獨自突圍而出，自非絕世武功莫辨了？」

方兆南輕輕嘆道：「此等之事，也難怪大師相疑……」

當下簡略說出了自己出身，卻把大方禪師明月嶂大會群豪，冥嶽中交手經過之情，說得甚是詳盡。

大悲禪師雖對方兆南身世存疑仍多，但聽他訴說冥嶽激戰經過甚詳，自是不好再仔細盤問對方的出身，隨手提起了木槌，輕輕一擊案上銅缽。

銅缽餘音，仍在耳際繚繞，又有兩個小沙彌奔了進來，合掌垂首，說道：「師父有什麼大事吩咐？」

大悲禪師道：「傳下驚神鐘鼓。」

兩個小沙彌怔了一怔，才高聲複誦道：「傳下驚神鐘鼓。」

但聞室外一個宏亮聲音接道：「傳下驚神鐘鼓……」

聲音此落彼起，愈傳愈遠，漸不可聞。

大悲禪師慢慢站起身子，莊嚴的臉色上泛現焦慮，不停地在室中走來走去。

這位少林高僧顯然有著無比的煩惱，眉宇間憂苦重重，他突然停下腳步，回過頭來說道：「照方施主的說法，老衲掌門師兄，八成是凶多吉少了？」

方兆南道：「我們衝入迴輪殿後，一直都沒有見到大方禪師之面，對他的生死存亡，晚輩不敢擅作揣測。」

大悲禪師長長嘆一口氣，望著後壁一幅「達摩」神像，黯然說道：「少林派自我達摩師祖手創以來，已傳二十八代掌門，雖然其間有過不少風波，但像這等掌門人生死不明的挫折，還是從未遇到，看來縱然齊集寺中長老，只怕也難找出良策。」

方兆南忽然想起知機子言陵甫來，不知他瘋癲之症是否已經好轉，當下問道：「貴寺方丈在冥嶽明月嶂大會群豪之時，曾把馳名天下的神醫言陵甫遣人解送貴寺，不知此人現在何處？」

大悲禪師道：「此人現在靜居敝寺戒持院養心室中，他瘋癲之症，尚未痊癒，老衲不得不對他稍微限制並予防範。」

方兆南道：「晚輩想探望他，不知是否可行？」

大悲禪師道：「時已深夜，恐有不便，何況老衲已傳驚神鐘鼓，這是我們少林寺內最權威和緊急集會之令，不論何人，只要聽得那驚神鐘鼓之聲，均得即時趕往議事殿中……」

他話到此處，遙聞一聲悠悠鐘鼓聲傳了過來，大悲禪師接道：「驚神鐘鼓已起，咱們該趕往議事殿了。」

方兆南站起身來說道：「貴寺中這等隆重的集會，晚輩如何能夠參與？」

大悲禪師道：「我們這驚神鐘鼓，非重大變故，不能擅傳……」

只聽鐘聲悠悠，連鳴了一十二響。

緊接著鼓聲急起，也和了一十二響。

大悲禪師單掌立胸，莊肅地說道：「方施主到達議事殿後，望能就冥嶽所見經過，據實而言，老衲先走一步帶路了。」大步向前走去。

不知穿過了多少重庭院，到了一座高聳的大殿前面。

這時，殿中燭火高燒，照得一片通明，已有不少僧侶在殿中。

大悲禪師大步直向正中一座木桌走了過去，端坐木案後面一張松木椅上。

木案的兩側，共排有一十二個座位，都還空無人坐。

方兆南東張西望了一陣，忽然覺著這座大殿有著無比的莊嚴，每一個僧侶的神情，都無比的沉重。

大悲禪師神情雖是肅穆，但舉止言談莊嚴，仍甚和藹，欠身而起，單掌立胸，道：「方施主請過來坐吧！」

方兆南有一點受寵若驚之感，緩步走了過去。

他經過群僧面前之時，一個個對他合掌作禮。

方兆南不自覺地由心中升起來一股敬仰之感，暗暗想道：「看來少林寺不但武功馳名天下，被譽爲武林中泰山北斗，單是這些僧侶的莊嚴虔誠的態度，就足以使人自慚形穢。」

忖思之間，人已走近大悲禪師身前。

大悲禪師指著左面一排首位，說道：「方施主不辭千里跋涉，一路上餐風飲露，傳報凶訊，對我們少林寺，恩義甚深，不用謙辭，快請坐下。」

他這一說，方兆南果然不好再做推辭，依言坐了左面首位。

就這一瞬工夫，兩側座位上已坐滿了人。

方兆南暗暗驚道：「這些和尙們好快的身法。」

暗中留神向四面看去，只見殿中已站滿了和尙，每人似都有一定位置，行列整齊，隱隱構成了一幅悅目的圖案。

只聽大悲禪師低沉的聲音響蕩在耳際道：「這位方施主傳來凶訊，咱們少林寺二十八代掌門人，已陷落冥嶽生死不明，隨行三十六位護法弟子，盡都兵劫歸化我佛……」

此言一出，殿中群僧，神情大慟。

一個個雙掌合十，閉目垂下頭去，口啓動，似在祈禱，但卻聽不到一點聲息，方兆南也無法辨出群僧說的什麼。

沉默良久，右面首位上一個身著月白袈裟的老僧，突然站起身來，弓身說道：「掌門人內功深厚，英武絕世，遇難之說，只怕未確？師弟以兼代掌門人的身分，布此凶訊，想必已知道詳細經過，不知可否講給我們聽聽？」

大悲禪師對老僧似甚尊敬，欠身說道：「這位方施主千里跋涉，日夜兼程趕來，大概是不會錯了。」

方兆南站起身，抱拳一個羅旋揖，說道：「在下來自冥嶽……」

突聽左面席上一個蒼老的聲音接道：「老衲苦修行腳，走遍了天下名山，但卻不知冥嶽在何處？」

方兆南道：「冥嶽就在泰山群峰環抱之中，相距明月嶂，不過百里行程，只是地僻隱密，不知內情，決難找到。」

大悲禪師道：「有勞方施主就冥嶽見聞經過，再說一遍。」

方兆南點點頭，把群豪赴會冥嶽，大方禪師、袖手樵隱、蕭遙子三人追敵涉險，神鐘道長率群豪趕往解救，迴輪殿群豪中毒，少林寺三十六高僧遇難慘死，神鐘道人偽裝受毒不支，天下群豪各顯絕技，相傳葛氏兄弟等諸般經過之情，詳細地說了一遍。

其間卻把梅絳雪私授靈丹，陳玄霜身懷「血池圖」兩樁事情，隱了起來。

哪知少林群僧聽得十分仔細，方兆南剛說完，立時有一個和尚問道：「神鐘道人乃武當派中掌門之人，武功高強，天下馳名。葛氏兄弟服了武當保命金丹，解了身受劇毒，但不知方施主和那位陳姑娘，何以未受劇毒感染，難道兩位內功還強過神鐘道人不成？」

方兆南對此一問，雖早在意料之中，但因措詞甚難得體，不覺微微一怔，沉吟了一陣，道：「在下得冥嶽中一位高手相救，暗賜解藥靈丹，才保得性命！」

只聽一聲阿彌陀佛，接道：「那人何以要救兩位，暗送解毒丹？」

方兆南道：「她不滿冥嶽嶽主的殘暴素行，頗有棄暗投明之心，故而暗贈靈丹。」

那詢問的和尚，就在方兆南毗鄰而坐，滿臉紅光，身披鵝黃袈裟，年齡不過五旬上下，但看他座次，在寺中的身分，決不會低。

只見他面色一冷，低沉地說道：「那人既有棄暗投明之心，何以不救天下群豪，單單只救兩位？」

言下之意，無疑是說神鐘道人是何等身分，那人如棄暗投明怎不救他，卻救你們兩個藉藉無名之人。

這一番問話，登時引起少林群僧相疑之心，百道以上的目光，齊齊投注在方兆南的身上。

方兆南在群僧目光逼視之下，心中有些慌亂，急不擇言地說道：「那人是個女子！」

那身披鵝黃袈裟的和尚，微微一皺眉，欲言又止。

他乃佛門中有道高僧，這等涉及兒女燕婉之私的事情有些不願出口，但又覺方兆南的答覆難滿人意。

他沉吟了一陣，又道：「不知那位姑娘是何等人物？」

方兆南雖然胸襟豁達，但那時禮防森嚴，男女間私相愛悅之情，視爲大逆不道，這時當著眾人之面，也難以說得出口。

他沉吟了良久，道：「她是……是冥嶽嶽主的入室弟子。」

殿中群僧，微微起了一陣騷動，但不過瞬息之間，立時平靜下來。

只見右面排列的席次之上，站起了一個身披藍色袈裟的和尚，說道：「不知方施主和那冥嶽門下女弟子，何時相識？」

方兆南聽群僧問話口氣，分明對自己已有了相疑之心，不覺怒火大起。

方兆南站起身來，冷冷說道：「在下此次趕來，不過是傳報凶訊，並無相求諸位大師父相助之心，信與不信，悉聽尊便，在下就此告別。」

他抱拳一揖，大步向外走去。

兩排坐的和尙，都是寺中有地位之人，不是一院主持，就是寺中長老，雖對方兆南拂袖而去的舉動不滿，但並未出來相阻。

但那殿中排立的群僧，卻是不肯相讓，只見步履移動，排成了一道人牆，攔住了方兆南的去路，一個個合掌而立。

方兆南停下腳步，打量一下群僧排成陣形，除了出手硬闖出去之外，只有縱身而起，從群僧頭上飛越。

除了這兩條路外，別無可循途徑，不禁一皺眉頭……

只聽高踞正中首座的大悲和尙，喧了一聲佛號，道：「方施主再請稍留片刻，老衲還有幾句話說。」

方兆南雖然被群僧相詢之言激怒，拂袖欲去，但並無和少林僧侶動手之心，聽大悲禪師言詞謙和，回頭問道：「不知大師還有何教言？」

大悲禪師微微一笑，道：「方施主先請歸座如何？」

方兆南略一沉忖，重又走回原位坐下。

大悲禪師道：「少林寺開派迄今，從未有過掌門方丈生死不明的情勢，方施主帶來凶訊，乃我少林寺數百年從未有過的大變。此等大恥大辱的事，誰也難免激動，言詞之間難免有所疏失，還望方施主，別放在心上。事關武林間正邪消長，尙望施主能以顧全大局，知無不言，言無不盡，也好使老衲等了然全盤內情，免得算有遺策，造成大錯。」

方兆南道：「晚輩適才所言，句句都是所歷所見的事，並無一句一字虛言，其間雖然稍有隱遮之處，也是晚輩私人間一些瑣事，無關大局……」

他仰起臉來長長吁了一口氣，又道：「冥嶽中人、事都異常奇特，連服飾都是奇裝異服，隱遮去本來面目，似是那冥嶽嶽主，故意在她那秘境之內，布置成一處人間鬼域。奇怪的是，那些鬼面奇服的人，個個都有著甚高武功，晚輩曾和他們動手相搏數次，不論身受何等慘重之傷，都聽不到他們一聲慘叫和呻吟之聲。」

大悲禪師側目望了右面首座上，身著白色袈裟的老僧一眼，低聲說道：「師兄判事智謀，素爲掌門方丈推重，不知對此事有何高見？」

那老僧閉目沉思了片刻，說道：「就目下情勢而論，已非我等能力所及，看來只有設法恭請兩位師叔出山了！」

只聽大悲禪師輕輕嘆息一聲，道：「兩位師叔，三十年關期未滿，難道咱們能破關驚擾不成？」

那緊靠方兆南而坐，身披鵝黃袈裟的和尚，突然站了起來，說道：「驚擾二位師叔禪關一事，小弟之見，千萬不可。兩位師叔道行，雖極深遠，但擅破禪關，非同小可，如害得兩位老人家走火入魔，那就罪該萬死了！」

大悲禪師道：「如不驚擾禪關中二位師叔，不知師弟有何良策？」

身披鵝黃袈裟的和尚微一沉吟，道：「小弟之意，不如盡出咱們少林寺中高手，趕往冥嶽一探究竟，先查出大方師兄生死下落，再以羅漢陣，誘那冥嶽嶽主深入陣中，設法生擒……」

那身披白袈裟的老僧搖頭接道：「師弟自信比你大方師兄如何？」

那身著黃色袈裟和尚道：「大方師兄一代絕才，小弟萬難相比！」

那老和尚道：「這就是了，大方師弟在咱們這一代師兄弟中，成就最高，不論武道，佛經，咱們都望塵莫及，三十六位護法弟子，亦都是『達摩院』中一時精選……」

他兩道冷電的眼神，忽然逼視在方兆南的臉上說道：「如若這位方施主說得不錯，三十六位弟子盡遭屠殺，試問目下本寺三代弟子們，有幾個能和他們成就相比……」

大悲禪師緩緩點頭道：「師兄說得不錯。」

那老僧長長嘆息一聲，道：「大方師弟率眾遠征冥嶽，主盟天下英雄大會，臨去之時，似已預感此行凶多吉少，因此曾悄然走訪『戒持院』，和小兄促膝長談，那半宵剪燭夜話，使小兄更驚訝大方師弟的成就，遠在咱們意料之上……」

他目光環掃了大殿一周，只見群僧一個個面容莊嚴，凝神靜聽。

這才接口說道：「小兄曾和他談起冥嶽之行，相勸他不如改由小兄或大悲師弟率眾前往，當時大方師兄搖頭不允，小兄曾據理力爭，說他乃少林一派掌門之尊，豈可輕舉妄動。萬一有了什麼凶險，不但少林寺群龍無首，而且貽羞咱們少林門戶，哪知大方師弟，早已胸有成竹，竟然提出和小兄以比武決定的方法。

「得勝之人，就率眾遠行，不得再有異議，不瞞諸位師弟，小兄雖然早已佩服大方師弟在佛學經籍上的成就，遠勝小兄，但如單以武功而論，只怕未必能強得過我。心中暗暗歡喜，哪知十招相拚之後，大方師弟竟以雷音掌神功，破了我四十年苦練的金剛指、觀音足、羅漢七式三種武功，迫小兄落於下風……」

此等搏鬥經過，談與一般人聽，還沒有什麼，但眼下之人，都是少林寺中一時高手，對本門中的絕技，自是耳熟能詳，是以聽得大感驚愕。

只聽大愚禪師，黯然嘆息一聲，道：「大方師弟勝我之後，此事已成定局，老衲自是不能毀棄諾言，再予爭論，大方師弟話鋒一轉，不再議論赴約冥嶽之事。話題轉到了兩位閉關坐禪的師叔身上，他記憶清晰，把三十年前，兩位師叔閉關前的相囑之言，均能一字不漏地轉告小兄。」

方兆南吃了一驚，暗道：「佛門中閉關坐禪，和道家的入定，武林中的運氣調息大同小異，三月、五月，已是相當的成就，一年、兩年，更不容易，一坐幾十年，那可是從未聞見之事。」

但聞大悲禪師說道：「難道大方師兄臨行之前，已預留遺言不成？」

大愚禪師點點頭道：「他曾告訴小兄，眼下咱們這一代師兄弟中，武功成就能夠超過他的，只怕難以選得出來，他此行冥嶽，勝敗甚難預料。萬一有了什麼不幸，叫我勸阻諸位師弟，不可任性而爲，盡出少林寺中僅存的精萃弟子，趕去替他報仇，他說咱們少林寺一派的興亡，並不僅是咱們一門的盛衰。因爲千百年來，少林派一直是江湖上正大門戶的一個象徵，少林一門覆亡，武林間必將大亂，叫我屆時全力勸阻幾位師弟，務必依照他留言去做。」

只聽那身披鵝黃袈裟，年紀最輕的和尚高聲說道：「師兄之意，對咱們大方師兄的生死下落，不用再多追詢查問了，是嗎？」

大愚禪師道：「大方師弟留言，要待明年三月，兩位師叔禪關屆滿之後，恭請兩位師叔裁奪。」

方兆南插嘴說道：「冥嶽中一戰大敗天下武林同道餘威，只怕不會等明年，就找上貴寺了。」

大愚禪師突然站起來，對那身披鵝黃袈裟的和尚說道：「大道師弟，請陪這位施主，到『達摩院』中休息一下。」

方兆南心知少林寺僧侶們將有要事相商，不願自己聽到，當即抱拳一揖，大步向外走去。

大道禪師也緊隨離開了座位，跟著方兆南向外走去。

廿八　佛法無邊

達摩院內乃少林僧侶們習武之處，戒備十分森嚴。

這一夜，方兆南在心情紛亂中度過。

直到窗外曙光微現，他才心神寧靜下來，氣走百脈，身體漸覺舒暢，由清入渾，漸步入忘我之境。

待他運息一周醒來，已是日升三竿時分，大道禪師正焦急在室中來回踱著腳步，見他醒來頓現歡容道：「敝寺代理方丈大悲師兄，想請方施主到戒持院去找一位朋友。」

方兆南忽然一躍下榻，說道：「那人可是有些瘋瘋癲癲的嗎？」

大道禪師合掌作禮，笑道：「那人是否有瘋癲之症，貧僧未曾見過，但『戒持院』乃我少林寺中執法的所在地，大悲師兄在『戒持院』中約見施主，事非尋常，定是有要事請教。」

兩人離開了達摩院轉入了戒持院中。

少林寺每一座院堂，都是在廣大的寺院中獨成一座院落，「達摩」、「戒持」兩院，更是四面圍牆環繞，守望森嚴。

這座院落中植滿百年以上松、杉，綠蔭夾道，一派莊肅深沉的景象，使人一入這獨立的院落中，都不禁地生出一種森嚴的感受。

一座座山石砌成的堅牢房子，疏落地隱現在林木花草之中，那些獨立的石砌房屋，間間門窗緊閉。

穿行過幾條林木挾持的大道，到了一座廣大的佛堂門前。

這座佛堂中一色黃綾布幔，連那房子的牆壁、屋瓦都是一色深黃。

大道禪師在議事殿中慷慨陳詞，言來滔滔不絕，但此刻卻是一派拘謹，拂拭一下僧袍上的灰塵，合掌高聲說道：「方施主駕到。」

佛堂傳出大悲禪師低沉的聲音，道：「師弟請回去吧！」

大道禪師欠身答覆：「敬領法諭。」轉身大步而去。

佛堂內又傳出大悲禪師的聲音道：「方施主請進，恕老衲失迎了。」

方兆南道：「不敢，不敢。」緩步進了佛堂，只見大悲禪師身披黃色袈裟，和大愚禪師對面而坐，兩人的臉色莊肅中帶著憂悶，顯示心中正在為一件重大的事情苦惱著。

這是一座五間大小的廣廳，除了四周的黃綾布幔之外，別無陳設，兩人各坐一個蒲團，另外還空了一個，似是留給方兆南坐。

方兆南心神頓被一股莊嚴氣氛所懾，不自覺地輕輕咳了一聲，才大步走了過去，說道：「兩位大師相召，不知有何教諭？」

大悲禪師微閉雙目，突然一睜，道：「方施主請坐吧！」

方兆南依言坐了下去，大悲禪師忽然舉手互擊一掌。

一側黃綾重幔緩緩升起，兩個身軀偉岸的中年和尙，並肩而出，中間挾持一個蓬髮垂鬚，衣破百綻的老人，緩步而出。

大悲禪師道：「方施主可識得此人嗎？」

方兆南瞧了一陣，搖搖頭，道：「不識。」

大悲禪師道：「方施主再仔細瞧瞧，他久過囚居生活，也許神情已變。」

方兆南仔細瞧了一陣，道：「在下確不認識。」

對面坐的大愚禪師，突然一睜雙目，兩道冷電一般的眼神，逼視著方兆南道：「此人不是方施主口中的言陵甫嗎？」

方兆南道：「在下和知機子言陵甫已有數面之緣，不論何等情勢，一眼之下均可辨認出來，此人衣著形態雖像，但決不是他了。」

大悲禪師忽然站了起來，僧袍一揮，那兩個偉岸僧人，押著來人，重又退入那黃綾垂幔中去，目注大愚說道：「師兄，咱們走吧！」

大愚禪師應聲而起，合掌對方兆南道：「方施主請。」

方兆南不知兩人搞什麼鬼，茫然回顧了兩人一眼，跟在大悲禪師身後，向外走去。

三人似是都有著沉重的心事，一路上誰也不肯再說話，似是一說話，就會破壞了這莊嚴的氣氛。

行約一盞熱茶工夫，進入一片草花叢中，一座山石砌成的堅牢石屋，矗立在兩株高聳的古柏挾持下。

大愚禪師走近石屋，從懷中取出一把鐵匙，打開門上鐵鎖，用力一推，兩扇木門呀然大開。

出人意外的，這室中打掃得十分乾淨，一個白髮蕭蕭，長髯垂胸的老人，盤坐在石屋一角。

方兆南輕輕地啊了一聲，道：「言陵甫。」奔了過去，抱拳一揖。

他內心之中，一直對這位馳名武林的神醫，有著極深的抱咎之感，如若不是他送圖易藥，深入九宮山寒水潭上浮閣，這老人決不致身經這等慘變，一個專治疑難之症的神醫，變成了瘋瘋癲癲。

這短短的一段時日中，言陵甫又似老了甚多，但他的瘋癲之症，卻似好了些，靜靜地坐在一側，見三人走了過來，微微一笑，但卻端坐未動，默默不語，對方兆南以禮相見之事也不理會。

大愚禪師低聲道：「方施主請相諒老衲，情非得已，不得不故弄狡猾，一試方施主的來歷。」

方兆南聰明過人，已聽出弦外之意，剛才那兩位和尚挾持之人，乃大愚禪師故意安排的假冒之人，相試自己，當下裝作不懂，故意扳轉話題，說道：「這位言老前輩的瘋癲之症，不知是否好了一點？」

大悲禪師嘆道：「老衲等已盡了最大心力，以我們少林寺上乘的傳氣過穴之法，替他療治瘋癲之症，雖然好了甚多，但神智還未全復。」

方兆南黯然一笑，道：「目前江湖上能知冥嶽底細的人，只怕只有此老，如他的瘋癲之症能夠痊癒，對大局幫助甚多。」

大悲禪師道：「方施主傳來凶訊，乃我們少林創立門戶以來，從未有過的大恥大辱，昨夜老衲和諸位師兄弟研討的結果，深覺此事嚴重，非同小可，大局的成敗，關連到整個武林的存亡絕續。」

他輕輕嘆息了一聲，接道：「不瞞方施主說，大方師兄的成就，是我大字一輩師兄弟中，最傑出的一個，隨他赴約的三十六個護法，也是本寺中三代弟子中精萃高手。眼下敝寺中，雖尚有千人之眾，盡可再起高手，重赴冥嶽一戰，但此等匹夫之勇，智者不取，老衲和諸位師兄弟商討結果，決定把此凶訊，用擊節傳音之法，向敝寺中僅存的兩位長輩請示。」

方兆南接道：「貴寺中兩位長輩，不是還在禪關期中嗎？」

大悲禪師沉嘆了一陣，嘆道：「此舉雖有擾兩位前輩禪功，但事已至此，也無可奈何了。」

方兆南道：「在下已把訊息傳到，想就此向兩位告別。」

大愚禪師接道：「擊節傳音，能否得到兩位老長輩的回應，眼下還很難說，方施主請再多留半日，就可決定事情如何！」

方兆南暗暗忖道：「少林寺的武功，當真是廣博難測，傳氣過穴之法，已是聽所未聽，見所未見，擊節傳音，又不知是什麼樣的武功，打坐調息，一坐數十年，更是不可思議，這些事都是人生一世，罕能遇上的奇事，留在這裡開開眼界，也算不虛此行。」

心念一轉，當下說道：「既然只留半日，在下恭敬不如從命了。」

大愚禪師道：「言陵甫瘋癲未癒，勢難相助，咱們留此無用，不如去瞧瞧他們準備好了沒有。」三人一齊離開靜室，大愚禪師關上室門，魚貫離開了戒持院。

方兆南隨在身後，穿過了幾重殿院，轉入一條僻靜的小徑上，直向西北方向行去。

這是一條荒涼的小道，生滿了及膝的野草，幾株紅白山花，雜生在荒草之中。

少林寺雖然廣大，但無處不是打掃得乾乾淨淨，只有這一片地方，野草叢生，像是無人打掃。

方兆南心裡雖然甚感奇怪，但見大愚、大悲兩人神態誠誠敬敬，愈向前走，臉色愈莊重，幾次想出言相詢，均為兩人肅穆的神情所懾，只好強自忍下。

忖思之間，已到了一片翠竹林前。

這片竹林，種植得十分奇怪，每株竹子相隔似都有一定的距離，縱橫之間，各成一種格局。

大悲禪師合掌，垂下頭去，喃喃祈禱了一陣，然後才舉步走入林中。

大愚禪師口頭說道：「方施主請緊隨在下身後，免得走錯方向。」

方兆南暗道：「他這般相囑於我，這竹林定非平常之地，也許是一個奇陣，或是林中埋伏過多，怕我誤中機關。」心中甚想找個機會試他一下。

大愚禪師似是窺透他心中之意，不時轉過臉來查看，這一來，方兆南倒是有些不好意思了。

走過翠竹林，眼前是一道殘垣斷壁的磚牆。

兩扇黑漆剝落，黑白雜陳的大門，緊緊地關閉著。

大悲禪師走了過去，輕輕地把木門叩了兩下，合掌站在門外，等了很久不見動靜，忽然回過頭來，低聲對大愚禪師道：「咱們好幾年沒有來了。」

大愚禪師沉思了片刻，道：「大概是三年前吧！和大方師弟來過一次。」

大悲禪師道：「三年歲月，幾番生死幾番劫，那送果老猿，不知是否還活在世上。」

大愚禪師道：「師弟再舉手叩一次門吧！如果仍然不見動靜，咱們再自己進去不遲。」

大悲禪師依言又舉手在門上叩了兩下。

但聞一陣啵啵之聲響過，那兩扇緊閉的木門，仍然毫無動靜。

方兆南暗忖道：「自踏進這條僻靜的小道之後，這兩人的神情，莊嚴誠敬，想來這座荒蕪的院落中，可能就是兩位少林高僧的坐禪所在，兩人是少林弟子，自是應處處循規矩，我既非少林門下，大可給他個裝作不知。」

心念一轉，突然振袂而起，飛落在那堵殘牆之上。

抬頭望去，只見三座茅屋，一字相排，每一座都有三間房子大小。

匆匆一瞥之下，已可看清那茅屋檐前，窗檻之間，蛛網塵封，這一座荒涼得使人驚怖的茅屋，廣大院落中，鋪滿了白色鵝卵石，野草由石隙中長了出來。

目光觸處，忽然發覺了一隻白毛猴子，學人盤膝打坐的姿勢，依靠在一株虬松的分叉所在。

大悲、大愚，並沒有喝止方兆南的行動，但合掌站在門外，垂首閉目，對方兆南的舉動恍如未見，不理不睬。

方兆南重重咳了一聲，飛下殘牆，開了大門。

大悲禪師霍然睜開雙目，狠狠地看了方兆南一眼，目光微蘊怒意，似是對他這等越牆而入舉動，十分不滿，但卻沒有出言相責，低低地唸了一聲：「阿彌陀佛」，緩步而入。

大愚禪師也是一語未發，緊隨大悲身後而入。

兩人一進大門，立時發現了那效人打坐的白猿，微一錯愕，慢慢地走了過去。

方兆南已看出大悲禪師的不悅之情，暗道：「寺中規戒繁多，不要再犯了別人的忌諱。」當下舉步而行，跟在大愚身後，不再亂闖。

大悲禪師走到那虯松下面，抬頭望那盤坐在松樹上的白猿，微微一皺眉，欲言又止。

方兆南仔細望去，敢情那白猿，業已乾枯，不知已死了多少時間，但因牠皮毛未損，不留心很難看出來。

但見大悲、大愚肅容合掌，面對白猿而立，口中喃喃自語，似是在誦背經文，超度亡魂。

心中暗暗忖道：「以這兩人的身分，對這死去猴子如此敬重，我豈可失了禮數。」慌忙抱拳一個長揖。

一陣山風吹來，搖動了虯松枝葉，和幾人的衣袂，但那盤坐分叉處的白猿，卻文風未動。

方兆南心中忽然一凜，暗暗地道：「難道這白猿事先預知牠的死期，才選擇這樣一處穩固牠屍體所在，盤膝而坐？」

留神看去，果然發現那白猿盤坐叉枝所在，四面都有酒杯粗的松幹，牢牢地箝住了牠的屍體，頭頂上枝葉密茂，可遮蔽日晒雨打，而且松枝盤錯交叉，似是事先經過了人工編排。

大悲禪師輕輕嘆息一聲，緩步向正中一座茅屋走去。

一排矗立的三座茅屋，都緊緊關閉著窗門，大悲禪師走到那正中茅屋前面三、四尺處，突然停下，屈膝跪在地上。

大悲禪師低聲禱告道：「弟子大悲，冒死驚擾兩位尊長，心中萬分不安，實因少林寺遇上前所未有的大劫大難，已非弟子等所能排解，大方師兄，以掌門之尊，陷落冥嶽生死不明，武林殺機瀰漫，浩劫不遠，弟子身受大方師兄重托，暫代方丈之位，愚質庸才，難當大任，爲天下蒼生大劫，爲武林正邪消長，爲我少林門戶存續，千百弟子生死，不得不驚擾兩位尊長。」說完大拜三拜，起身推開那兩扇緊閉的大門。

一陣積塵，落了下來，灑了大悲禪師一身。

大愚禪師突然低聲對方兆南道：「這座茅屋之中，就是老衲等兩位長輩坐禪之地，施主舉動之間，望能再稍微留心一些。」

突然一晃身子，舉步進了茅屋。

方兆南心知對方仍然對自己翻過圍牆之事，耿記於懷，但卻無可如何，只好淡然一笑，舉步走進去。

這座茅屋，大約有三間房子大小，而且陳設不多，景物一目了然，除左邊依壁處，有一座木榻之外，別無他物，壁角之處，蛛網橫繞，榻上地下，積塵逾寸。

方兆南暗暗奇道：「這茅屋之中，又無複室、暗門，不知那兩位禪關老僧，現在何處？」但又不願啓齒向二僧追問，只好悶在心中。

兩個和尚，倒是異常沉得住氣，負手而立，目光不停在室中打量，似是要從那蛛網積塵中，找出一些昔年記憶往事。

等待了片刻工夫，八個身披袈裟的和尙，魚貫進入茅屋。

方兆南留神打量來人，似都是那晚議事殿中，設有座位的和尙，這般人中，包括了大道禪師，每一個和尙，都拿著一捆竹子。

方兆南暗暗忖道：「這些竹子，難道就是用做擊節傳音不成？」

大悲禪師目光環掃了後來群僧一眼，大步走近茅屋一角，拂開積塵，舉手一推，壁間忽然裂開一扇小形圓門。

群僧魚貫走了過去，把懷中竹子，一節一節地銜接上，直向那圓門之中伸延進去。

這些竹節都經嚴格選擇，大小相若，每一節銜接之處，都用刀子刻好連扣，接將起來，十分迅快，不大工夫，群僧帶來的竹節，全都接完。

方兆南暗暗估計，這銜接竹子的長度，大約有二十餘丈長短。

只見大悲禪師，面對竹節，口齒啓動，說了一陣，揮手對群僧道：「諸位師弟請回，由小兄和大愚師兄，守候此處，已經夠了。」

群僧一齊向那圓門合掌作禮，紛紛告退，片刻之間，茅屋中只餘大愚、大悲、方兆南三人。

大悲禪師探手入懷，摸出一個玉珠，投入那竹子銜接孔中，然後盤膝坐在地上，閉目養息。

方兆南初時，爲一片好奇之心所動，瞧了一陣之後，暗自笑道：「原來這就是擊節傳音之法。」

每隔一頓飯工夫左右，大悲禪師就從懷中，摸出一顆投入那竹節中，然後就地盤膝而坐，閉目等待，毫無焦急不耐之色。

方兆南一看大悲禪師一連丟下五顆玉珠，將近兩個時辰之久，仍然不見一點反應，心中暗自發急，忖道：「看來今日之局，有得等待了，不如借這機會，運氣調息一陣，養養精神。」

當下運行真氣，血循經脈，氣走百穴，由清入渾，漸至忘我。

待他醒來，已是太陽偏西時分，兩個老和尚仍然盤膝閉目，相對而坐，氣定神閒，若無其事，心中暗暗一嘆，讚道：「這兩個老和尚，當真是好耐心。」

當下一提真氣，準備再調息一遍。

哪知這一提氣，立時覺著丹田之中一股熱流，直向胸口之處泛上，不禁心頭大驚，趕忙散了提聚真氣，站起身子，長長吁了一口氣，在室中來回走了兩遍。

這茅屋內，長久無人打掃，地上積塵甚厚，他來回走了兩遍，立時滿室灰塵，四下橫飛，那兩個老和尚穿的新袈裟上，片刻間，落滿積塵。

方兆南似突然觸動了什麼靈機一般，雙眉緊皺，凝神而思，渾然忘記了置身何處，雙腳不停移動，室中積塵愈來愈重，瀰目難睜。

大愚禪師忍了又忍，終於忍耐不住，低聲說道：「方施主請放輕腳步好嗎？」

哪知方兆南相應不理，仍然我行我素。

大悲禪師低聲說道：「他大概等得心下不耐，故意踏起積塵，想把咱們逼到室外，不要理他算了。」

大愚禪師搖搖頭道：「難道他自己就不睜眼睛嗎？」運足目力看去，只見方兆南閉著雙目，不停地晃著腦袋，手中也指指劃劃，不知在搞什麼鬼。

原來，他連日奔走，始終未能好好休息一下，縱然打坐運氣，也是心有所念，剛才他心中不耐大悲禪師那等緩慢舉動，閉目靜坐運氣調息，一時間萬念俱寂，靈台一片清明。

當他由渾反清，那調息於丹田的真氣，尚未完全地散去，但見大悲、大愚仍然那等枯坐相守，心中不願多看，本能地一提真氣，那集而未散的一股真元之氣，立時沖上丹田。

方兆南從未遇到過此等事情，不覺心中一驚，起身走了兩步，心中突然覺著有一種無法說出的舒暢，腦際靈光連閃，突然想起了洞中老人傳授那招「巧奪造化」中的幾個變化。

方兆南突然想到日夜索想而難以想到的劍式變化，心中大喜欲狂，立時開始練習起來，霎時間心神集中，忘了置身之境，踏得積塵滿室，瀰目難睜，他仍然懵無所覺。

大愚禪師看他又往來數遍，仍然沒有停下之意，低聲對大悲禪師說道：「我看此人已有些神智不清了，他這般走來走去，踏得滿室塵土……」

大悲禪師一皺眉頭，接道：「我看他似在練習什麼武功。」

大愚禪師仔細看去，只見方兆南腳步移動的位置，都有一定的距離，並非雜亂無章，手勢揮動之間，變化十分奇奧。

這兩人的武功已是江湖上第一流高手，雖然看不出方兆南手勢變化的路子，但卻瞧出是一種異常奇奧的招術，不過他揮動的姿勢，卻又不像拳掌的路子，兩人愈看愈是覺著那招術奇奧絕倫，生平從未見過，不禁爲之一呆。

正心往神馳之際，忽聽那竹節之中，傳來極細但卻又十分清楚的聲音，道：「大方師侄嗎？可是寺中有什麼大變？」

大愚禪師首先驚覺，一拉大悲禪師衣袖，縱身而起，直向方兆南撲了過去。

大悲禪師趕忙一收心神，低聲對著那竹節說道：「弟子大悲，驚擾兩位尊長禪功，罪該萬死。」

大愚禪師將要衝近方兆南時，忽然覺著一股暗勁，直向身上逼來，不禁心頭一震。

他原意想阻止方兆南來回走動之勢，以免影響那竹節傳音。

卻未想到方兆南正運集全神在練武功，行動之間，竟然揮出了內家真力。

這力量本極輕微，但一遇阻力時，力道登時大增。

大愚禪師被形勢所迫，只好揮掌輕輕一擋。

方兆南如夢初醒一般，倏然收住了揮動的手勢，但見滿室塵土橫飛，心中甚是抱歉，抱拳一揖，道：「晚輩……」

大愚禪師趕忙搖手，阻止方兆南說下去，用手一指大悲禪師。

方兆南凝神望去，只見大悲禪師一片莊嚴之容，對著那竹筒說道：「大方師兄，率領本門弟子三十六人，趕往冥嶽，三十六護法弟子，盡遭殺死，大方師兄生死不明，弟子迫不得已，只好召集寺中長……」

話至此處，突然住口不言，想是那竹節之中又傳來對方回話。

大愚禪師、方兆南都不自覺地側耳靜聽。

只聽到一個低沉清晰的聲音，說道：「我知道啦，今夜子時，我和你師叔暫時破關外出相見，不過時間不能超過兩時辰，你們把要問的疑難，全部記了起來，免得有所遺誤。」話說到此處，倏然而斷。

大悲禪師合掌應道：「弟子遵命。」恭恭敬敬拜了一拜，立起身子。

方兆南聽得呆在當地，半晌工夫，才問了一句道：「回話之人，可就是在貴寺中坐禪三十年的兩位長老嗎？」

大悲禪師緊皺的眉頭，已開展了不少，點頭說道：「正是，那回話之人，乃老衲一位師伯。」

方兆南道：「封關坐禪，一坐三十年，實是一件不可思議的事，如非在下親自見到，縱然聽人說起，也是難以相信。」

大悲禪師揮手說道：「咱們先退出去吧！在此說話，恐有擾兩位師長用功。」當先離開密室，向外走去。

大愚禪師、方兆南緊隨身後，離開密室，向外走了四、五丈遠。

大悲禪師長長吁了一口氣道：「在未得到兩位師長回答之前，老衲心中對此事，實在沒敢抱有多少信心，大方師兄未赴會冥嶽之前，每隔三年，總要來此密室一行，除了大愚師兄偕行之外，老衲有幸，每次都得敬陪末座……」

方兆南突然插口道：「每次都用那竹節傳音之法，與兩位坐禪的長老通話嗎？」

大悲連連搖頭道：「沒有，但我們每次參謁那密室之時，總有那白毛老猿相迎，而且牠還以採來的山果相敬，大方師兄，絕世奇才，和那白毛靈猿相處過一段時日之後，居然能猜得那靈猿手勢含意。藉此一得，由那靈猿口中，探得兩位長老消息，這些事，我們都是從大方師兄口中聞得，老衲這次相擾兩位長老禪功，初意亦是想借靈猿之力，晉謁兩位尊長。再由兩位尊長把我們相詢疑難，由擊節傳音之法，指示一條明路，並未存奢望，能和兩位尊長相晤……」

他輕輕嘆息一聲，黯然說道：「在目睹那靈猿坐化的身體之後，老衲當時心中就涼了一半，只是當時以極深的定力，勉強克制著心中激動之情。在那等形勢之下，老衲亦只好寄托最後希望之上，想以擊節傳音之法，得到兩位老前輩的回答，武林不該遭此大劫，少林寺歷代佛祖的神靈護佑，兩位尊長竟能在禪關期破例相見……」

大愚禪師低聲接道：「兩位尊長今夜破關而出，並非功行圓滿，可能和師弟晤談一陣之後，又要重返密室，度完關期，在這段時間之中如有外人驚擾，只怕有損兩位尊長的禪功！」

大悲禪師道：「不錯！不知師兄有何高見？」

大愚禪師道：「小兄之意，立時調集咱們寺中高手，分別埋伏這片荒涼的茅屋周圍，暗中保護兩位尊長。」

大悲道：「不是師兄提起，老衲一時間恐還想它不起。」

三人自動地加快了腳步，走完一片荒涼的草地。

大悲禪師回到方丈室中後，立時傳出令諭，調集了二十四名武功高強弟子，帶上兵刃，分別埋伏在茅屋四周，如非追擊強敵，不許進那竹籬中去。

大愚禪師道：「方施主、師弟也請休息一下，貧僧暫返『戒持院』，二更左右再來。」起身告別而去。

大悲禪師望望方兆南滿身灰塵，說道：「寺院之中，沒有俗家衣服，方施主……」

方兆南道：「如若在下穿著僧衣，不違背貴寺中戒律，那就暫借一襲袈裟如何？」

大悲沉吟了一陣說道：「寺中無此規戒，但也無此先例！」

方兆南道：「如有不便，也就算了，今夜參謁過兩位長老之後，晚輩就要告別。」

大悲禪師笑道：「寺後不遠處，有兩家山農聚居，那裡有一道山泉匯集的清溪，老衲派一名小沙彌，帶領方施主去那裡滌洗一下滿身塵土，借著一身衣物如何？」

方兆南暗暗忖道：「這老和尚迫我洗澡更衣，想是晉謁兩位長老時．必有的禮貌。」

當下笑道：「有勞禪師了！」

大悲召來一個小沙彌，吩咐幾句，那小沙彌點頭應命，合掌對方兆南一禮，說道：「小僧走前一步替施主帶路了。」轉身而行。

方兆南急急起身，隨在那小沙彌身後而行。

那小沙彌道路熟悉，帶著方兆南穿越寺中殿院而過，出了一道偏門，行不及里，果見兩家農舍，依山而築。

一道潺潺清流，由那農舍後面橫過。

小沙彌指著那農舍笑道：「山居之民，心情最是純厚，施主相借衣物，決不致有何爲難，小僧先行告退，一個時辰之後，再來相請。」

方兆南揮手說道：「小師父請便。」

他大步走近農舍，停在門外高聲說道：「有人在嗎？」

只聽一聲嬌聲：「什麼人？」

緩步走出一個十八、九歲的農家女來，一身藍短裝，頭上綁著一個長長的大辮子，手中拿著針線，似是正在忙做女紅，聽得了方兆南呼叫之言，急急趕了出來。

此女雖是生長深山之中，但面目甚是娟秀，見到方兆南時，也沒有驚慌之狀，微一沉吟問道：「過路客人，可是腹中饑餓了嗎？」

方兆南暗暗忖道：「對方乃荳蔻年華的少女，這借衣洗澡之事，如何能對她言說？」

當下搖頭笑道：「敢問姑娘令尊在嗎？」

那村女似是讀過幾年詩書一般，對方兆南文謅謅的話，竟也聽得十分清楚，搖頭答道：「爹爹上山打柴去了，弟弟放牛未歸，客人有什麼事，對我說也是一樣！」

方兆南轉臉瞧瞧另一家農舍，相距不過數尺遠近，拱手一禮笑道：「不敢相勞姑娘，在下到那一家問問。」

那村女看方兆南的神態拘謹得微帶驚慌，忍不住微微一笑，道：「書呆子。」

這句話聲音甚高，方兆南聽得甚是清楚，但想到山居民情敦厚，也許自己這等拘謹，反而使人有著奇怪之感。

於是裝著沒有聽到，急急走到那家農舍門外，高聲說道：「有人在嗎？」

只聽珮環叮咚，農舍中慢步走出來一個艷妝少婦。

方兆南呆了一呆，暗道：「糟糕，怎麼這兩家之中，沒有一個男人，但既把人家叫了出來，總不能一句話也不說，就默然退走。」

當下抱拳一揖，說道：「請問姑娘令尊可在？」

那艷妝少婦，搖頭笑道：「奴家家住山那邊，此乃我婆母之家。」

方兆南暗暗忖道：「好啊，婆母之家，妳也敢對陌生人講出口來，當真是一點羞恥和教養也是沒有。」

趕忙拱手說道：「這家中除了大嫂之外，不知還有何人？」

那艷妝少婦笑道：「山野僻村，生活迫人，男子漢日出而作，客人來得太早了。」

方兆南微微一怔，暗道：「這婦人談吐不俗，倒不是山居人家，莫要失了禮數。」當下又抱拳一揖。

那艷妝少婦輕輕一閃，讓避開去，嬌聲說道：「你這人可有什麼事情嗎？」

方兆南道：「在下要借套衣服穿，我可照價奉錢……」

那艷妝少婦微微一笑道：「似這般荒涼的深山之中，銀錢之價，已失其用，客人縱是多金，村婦也不敢收受。」

方兆南吃了一驚，暗道：「這婦人言詞越來越是尖銳，實非山居之人。」當下正容說道：「在下失言，大嫂勿怪，如有不便之處，在下就此告別了。」

那艷妝少婦道：「客人稍候片刻，容我去取衣物。」

也不待方兆南答話，轉身走進茅舍之中，片刻之間，手捧一個白色包裹走了出來，笑道：「客人接住衣物。」

纖手一揚，拋了過來。

方兆南接過衣物正待稱謝一聲，那艷妝少婦已轉身回入茅舍，輕輕掩上雙門，方兆南站在門外呆了一陣，捧著衣物，轉身而去。

沿途之上，一直想著心事，也忘了先打開那包裹瞧瞧，直待浴罷登岸，才打開包裹，一瞧之下，不禁一呆。

原來那包裹中，除了上好的內衣褲之外，還有一套黑緞緊身武士裝，胸繡飛龍，直似要騰雲而去，針工之精，甚是少見。

心想原物奉還，但全身衣物早已腐朽，只好穿著起來。

除了那一身黑裝之外，還有一件黃底繡著紅花的披篷，和一雙薄底快靴，這身衣著穿起之後，登時覺著容光煥發，英風逼人。

他借水光，照了一下自己，和來時判若兩人。

忽聽溪岸上傳來那小沙彌頌讚的聲音，道：「方施主這一換上新裝，俊朗照人……」

方兆南回目望了那小沙彌一眼，一提丹田真氣，縱身躍上了一丈三、四尺的溪岸，接口說道：「小師父不要取笑。」

小沙彌道：「小僧出言衷誠，我幾乎就認不出方施主了！」

方兆南道：「咱們走吧！」大步當先而行。

行近寺門之時，方兆南突然停了下來，低聲問道：「小師父，那兩座茅屋之中，住的什麼人物？」

小沙彌搖頭說道：「他們住此甚久了，小僧甚少離開寺中，只知那兩座茅屋中住人甚多，有男有女，有老有少，什麼來歷，卻是一點也不知道。」

方兆南道：「你就沒聽到師長們談論過嗎？」

小沙彌道：「本寺戒規森嚴，師長們談話時，小僧等從不敢暗中偷聽。」

方兆南心知再問下去，也是難得結論，只好悶在心中，隨那小沙彌直奔方丈禪院。

他已被尊為少林寺中的貴賓，沿途所見僧侶，紛紛對他合掌作禮。

小沙彌把他引入了一座靜室，合掌說道：「方施主就請在此靜室休息一下，如若有事，小僧自會到此相請。」躬身告別而去。

方兆南心知寺中的主腦人物，正在為今夜三更的事情準備，茲事體大，前所未聞，自己雖受尊敬，但非寺中弟子，此時此情，實不宜在外面走動，借此機會，正好靜坐養息一下。

氣行百穴，雜念漸消，突然想起那式「巧奪造化」的劍招，一躍而起，開始複習，哪知學來學去，仍然是原先會的幾個變化，靈境幻覺，回憶到的幾式變化，被大愚禪師一擾，竟是難再想起。

天色逐漸黑暗下來，小沙彌送上素齋，方兆南只管索想那「巧奪造化」的劍招變化，也懵然不覺，忽聽身側響起了一聲佛號，他才如夢初醒一般，霍然驚覺。

回頭望去，只見大悲禪師含笑站在一側，桌上燭光融融，那火燭也不知何時點燃。

大悲禪師滿臉慈和之容，笑道：「方施主想什麼心事這等入神，連飯也忘記食用？」

方兆南心中暗暗忖道：「想起的劍招已然忘去，抱怨他幾句也是無濟於事。」

他隨口應道：「我在想貴寺後面，那兩座茅屋中的主人，頗不平常，不似一般獵戶樵人。」

大悲禪師道：「施主這身衣著，可是那茅屋中主人相贈嗎？」

方兆南道：「是啊！平常人家，哪來這等衣服？」

大悲道：「那茅屋主人，確非平常人家，但他們居住此處，已有數十年之久，都能安安分分，過著樵漁生活……」

方兆南道：「他們可是武林中的人物嗎？」

大悲道：「他們在此落居，是和敝寺中上一代師長們洽商的，數十年來一直相安無事，佛門弟子，慈悲爲懷，放下屠刀，立地成佛，不願追根究柢，查人來歷。」

方兆南道：「在下也不過一時好奇，隨口問問而已。」

大悲禪師道：「老衲剛才和幾位師兄弟計議，勞請方施主今宵同行，謁見敝寺中兩位開關長輩。」

方兆南道：「此乃晚輩求之不得的事，怎敢推辭！」

大悲道：「本來不敢驚擾大駕，但恐兩位師長問起冥嶽中事，老衲有所遺忘，事關武林大劫，不得不勞動施主一趟……」

他目光低垂，望望桌上的素齋道：「眼下時光已經不早，方施主請快食用點飯菜……」

方兆南道：「在下尙無饑餓之感，莫要誤了大事，咱們立刻就去如何？」

大悲禪師略一沉思，道：「兩位老人家，開關時間有限，待謁見過兩位尊長之後，老衲當命廚下，爲施主專備一席美齋。」轉身向外行去。

重入那荒涼一角，情形已大不相同，但見少林僧侶五步一崗，十步一哨，個個手橫兵刃，戒備森嚴，如臨大敵。

大悲禪師當先帶路，進入那竹林環繞的荒涼庭院，蔓蕪的荒草中，排坐著少林寺各院主持，和監院中的長老，大愚禪師爲首，大道禪師敬陪末座。

群僧目睹大悲駕到，微微頷首作禮，並未起身相迎，大悲禪師伸手一指草地，先讓方兆南坐下，然後依在大愚禪師身側坐下。

荒涼的庭院中，雖然坐滿了人，但卻鴉雀無聲，聽不到一點聲息。

那正中茅屋的窗門，仍然緊緊地關閉著，暗淡的夜色，那盤坐在樹叉的白猿，更顯得鮮明奪目。

方兆南抬頭望望天色，星移斗轉，已是二更過後時分。

留神向群僧望去，只見一個個臉色虔誠、肅穆，口齒微微啓動，似都在默誦著什麼經文。

這莊嚴的氣氛，使方兆南的好奇緊張之心，也爲之平靜了甚多。

突然間，由那茅屋中傳出來一聲輕微啵啵之聲，群僧微閉的雙目，突然一齊睜開，幾十道目光，一齊向那茅屋中投注過去。

緊接著傳出來一聲佛號，一個蒼勁低沉的聲音，飄然而來，傳入耳際，道：「大悲師侄！」

大悲當先起立，合掌躬身說道：「弟子大悲，謹率寺中各院主持、長老，謁見師伯、師叔。」垂首緩步向那茅屋走去。

群僧紛紛起身，隨在大悲禪師身後而進，方兆南走在最後，緊依大道禪師。

走近那茅屋門前，停下腳步，大悲禪師低聲說道：「弟子告進。」

茅屋中又傳出那蒼勁低沉的聲音，道：「你們都進來吧！」

大悲輕輕推開兩扇大門，輕步而入，群僧一個個相隨入室，舉步落足之間，異常小心，聲息全無，纖塵不揚。

室中一片黑暗，伸手難見五指。

方兆南運足目力望去，只見靠後壁，盤膝坐著兩個老人，一個鬚髮如雪，長垂數尺，一個禿頂無髮，只有顎下長長的黑髯。

可惜室中太過黑暗，無法看清兩人的臉色相貌。

左邊那白髮白鬚的老人首先開口道：「你們都坐下吧！」

群僧齊齊合掌躬身，席地而坐。

右面黑髯禿頂的老人接道：「大方師侄，下落查明沒有？」

大悲道：「迄今爲止，尚未得一點訊息。」

那白髮白鬚老人輕輕嘆息一聲，道：「老衲坐關之前，曾和大方師侄，對坐禪室，相論佛法，他曾問及我數十年武林形勢，當時武林中正盛傳羅玄事跡。老衲曾對此甚感不安，羅玄其人，固然是武林中一代奇傑，但綜合其事跡傳說，似有剛愎自用之嫌。」

他微一頓之後，接道：「不是老衲妄論前賢，實恐他憑仗一身前無古人的成就，主張人定勝天，爲此老衲曾花費了三年的時間，到處尋訪於他，希望能和他見上一面，哪知其人行蹤飄忽，我苦苦尋了三年之久，仍是無法見他……」

老和尚似是爲此事引起了無限感慨，黯然嘆息一聲，微帶憤慨地說道：「如是他不知此事那也罷了，但他明明知道我奔行在深山大澤之中，苦苦相訪，但卻故意不肯和我會面。」

話至此處，突然沉吟不語。

他年高望重，少林僧侶們個個對他尊敬無比，雖然急欲要聽下文，但卻無人敢於接口相問，還是方兆南忍耐不住，問道：「老前輩何以知道羅玄是故意不肯相見呢？」

那鬚髮蒼蒼的老僧，似是沉浸在往事回憶之中，對方兆南相詢之言，恍如未聞。

相隔良久，他才繼續說道：「大概是九華山中吧！他在一處懸崖壁上留下了要我早些回寺的警語，他說，縱然踏破芒履，苦行完天下名嶽大山，也是無法尋得他。

「言下意之，似已知我正在苦苦追尋他的行蹤，況那九華山中懸崖留字，分明剛剛寫好不久，他如不在我左右，如何能算準我非在那處懸崖所在休息不可？」

方兆南突然插口說道：「晚輩似是聽人說過，羅玄成道，已在五、六十年以前的事，老前輩追尋他的時候，不過三十年之前，那時候，羅玄還活在世上嗎？」

那鬚髮皆白的老僧輕嘆一聲，道：「如若老衲推想的不錯，羅玄現在仍然活在世上！」

此言一出，全室中人，無不大吃一驚。

只聽他繼續說道：「我無意故作驚人之言，羅玄仍然活在世上一事，老衲也是剛剛想到。」

廿九　神秘高人

三十餘年前的往事，他剛剛才找出結論，全室中又爲之心頭一震。

儘管群僧心中存疑，卻是無人開口追問。

方兆南目光環掃了一周，心中暗暗忖道：「這老和尙恐怕是少林寺眼下輩份最高的一代了，此室之中，都是他子侄晚輩，心中縱有疑難，也不敢追問於他，看來今日之局，只有我可以放肆多言了，他乃望重德高，修養有素之人，我問話就算有錯，他也不致動怒。」

當下輕輕咳了一聲，道：「老前輩請恕晚輩放肆，三十餘年前的往事，難道老前輩剛剛才想通嗎？」

那老僧道：「不錯，三十多年以前之事，老僧剛剛才想通，三十多年來，我一直錯怪羅玄了。」

方兆南道：「老前輩語藏禪機，字字句句，都叫人難測高深。」

那鬚髮皓然的老僧突然一瞪雙目，眼神閃閃，逼視於方兆南的臉上，說道：「老僧開關時限苦短，本不該多費口舌，談些無助眼下大局之言，但施主這般苦苦追問，觸動了老僧不少機靈，回想往事，頗多使人追思之處……」

方兆南道：「羅玄生死之謎，乃當今武林大局所繫……」

老和尚重重嘆息一聲，打斷方兆南未盡之言，接道：「當時老僧見那懸崖留字，心中異常氣忿，一怒之下，未再繼續追尋他的行蹤，回寺不久，就和我師弟許下了坐關三十年的宏願，老僧事先對此事成敗，毫無把握。

「敝寺中歷代長老，雖有坐關之事，但最長期限，從未超越十年，老僧立此宏願，一大半是爲羅玄輕藐所激，要以三十年封禪關期，精研敝寺七十二種絕技，開關之日，也是老衲挑戰羅玄之時。

「如今想來，羅玄當時不肯見我，實有他的苦衷，三十年禪關靜坐，爭名之心已消，但這一時負氣，卻使老僧對本派武學，更上了一層……」

方兆南暗暗說道：「原來這老和尚坐禪三十年，竟是爲了和羅玄爭一口氣……」

只聽老和尚繼續說道：「老僧返寺即入禪關，對武林上諸多變化，全然不知，但能使大方師侄全軍盡沒，生死不明的人，當今之世，只有羅玄具此武功，縱然非他本人，亦必是他親自傳授的弟子……」

方兆南讚道：「老禪師判事如神，冥嶽嶽主，確是羅玄親傳弟子。」

大悲禪師探頭望望天色，看星轉斗移，時光已經不早，接口說道：「大方師兄陷入冥嶽，已是千真萬確之事，弟子爲此事深感惶惶不安，不知如何處理，尙望師伯指示一條明路出來。」

那鬚髮皓然的老僧，沉吟了一陣，道：「如那冥嶽嶽主，確是羅玄親傳弟子，此事實該愼重而爲，羅玄身懷絕技，恃才傲物，一代天驕，當難免狂放任性，他聰明絕世，自是喜愛才情橫溢之人，太過恃才，主張人定勝天。

「但他卻忽略了江山易改、本性難移的至理名訓，老衲無緣和羅玄會晤一面，對此數百年中難得一見的人物，卻是甚多的思慕之情……」

他似是自知言出題外，頓了一頓，接道：「大方師侄胸懷救世之念，乃我少林派中甚爲傑出的人才，不論公情私誼，此事也得追查明白，但眼下我和你師叔禪關未滿，勢難親身追查，爾等又恐力量難及。」

大愚禪師接道：「大方師弟不但胸懷慈悲，而且武功在弟子這一代之中，也無人能有他的成就……」

那一直未說過一句的禿頂長髯老僧，突然插口道：「目下情勢，似是並非大方師侄的生死下落，恐怕冥嶽中人，會自動找上咱們少林寺來……」

大悲禪師道：「師叔所論極是，弟子亦爲此事愁苦，大方師兄是何等雄才大略之人，他尚陷入冥嶽，弟子難及大方師兄萬一，自是無能擔負起本寺興亡重任了。」

那禿頂老僧緩緩轉過臉去，低聲對那鬚髮如雪的老和尙說道：「大方師侄生死，可以拖延到咱們出關之日再查，但少林寺的安危，卻不能不即時戒備……」

聲音忽然轉變得甚是低微，難再聽到。

只聽那鬚髮蒼然的老僧說道：「這個有些太過冒險，萬一他野性未馴，豈不是弄巧成拙？」

那禿頂老僧說道：「近四十年的歲月，何等悠長，縱是生具野性之人，但經過這一段時間磨鍊，也該頑石點頭，悔悟前非了。」

那白髮老僧，仍然固執地搖頭說道：「小兄一向就有天命難違，秉性難改的看法，試看羅玄是何等英明，只因一念之差，落得了淒涼下場。」

那禿頂老僧道：「除此之外，不知師兄還有什麼良策，能保咱們少林寺千百年的基業？」

白髮老僧雙目眨動，神光閃閃，說道：「師弟，請續坐禪關，繼承大志，小兄拚冒半身殘廢之險，留居寺中，抗拒來犯強敵。」

那禿頂和尚道：「這怎麼能行，師兄身集大成，功將圓滿。少林武學，勢在師兄身上，發揚光大，師兄如若留居寺中，荒廢功課，不但前功盡棄，且有走火入魔之險。需知師兄有了什麼不幸，不但是咱們少林寺中一大損失，整個武林恐亦將受害匪淺，如若師兄堅持己見，那就由小弟留居外面，以待強敵……」

那白髮老僧沉吟了一陣，道：「昔年大師兄在世之日，費盡了九牛二虎之力，才算把南北二怪誘入埋伏，縛囚後山，大師兄亦為此身受重傷，終於傷發而歿，如今咱們擅放二怪，豈不有違大師兄的意志。何況二怪雖被囚禁，武功並未失去，一旦脫身囚困，野性重發，那時天下英雄，又有誰能制服他們，為害之烈，只怕不在冥嶽之下。」

兩人談起數十年前的往事，大愚、大悲都不甚了然，無法接得上口。

那禿頂老僧，嘆息一聲，道：「二怪如保有昔日的凶暴之性，決難忍受這數十年的折磨，明晚三更，小弟當親自趕往二怪囚禁之處，以查究竟。如若兩人都有悔改之心，我再釋放他們，萬一這兩人仍保有昔年凶暴性情，那就讓他們過一生囚禁生活。」

鬚髮皓然的老僧，似是不願再和師弟爭執，低聲說道：「好吧！但你禪功正值緊要關頭，不宜擅自行動，既然要去，那就要大愚師侄去一趟吧！」

大愚禪師合掌應道：「弟子敬領法諭，但不知南北二怪囚禁何處？」

那鬚髮皓然的老和尚，突然探手入懷，摸出一幅白絹，說道：「這白絹上，繪有囚禁二怪的圖案。」

大愚禪師恭恭敬敬接了過來，放入懷中。

禿頂老僧接口說道：「南北二怪，武功奇高，數十年囚禁歲月，也許能使他們盡悟前非，還我真如，但也可能會使兩人變得更爲凶暴殘忍，去時務望小心一些。」

那白髮老僧，接道：「那白絹之中一枚金鑰，乃開啓銅鎖之用，如若兩人野性已馴時，就把他們安置在藏經樓上，一旦強敵來犯，儘管讓他們首當銳鋒。

「二怪四十年前，武功已是天下數一數二的高手，兩人合力，不論遇到什麼樣的強敵，也不致落敗，至低限度，可以自保。

「以二進大殿爲全寺樞紐，排成一座羅漢陣，再選派寺中武功較高的三代弟子，分成十組，每組由一位二代弟子率領，分巡各處攔截強敵。

「但如發覺難以抵拒時，且勿戀戰，退入羅漢陣中，一面再分遣人手，趕來此處，用擊節傳音之法報警……」

他微微一頓後，又道：「大悲師侄，可主持羅漢陣的變化，此陣變化奇奧，只要陣勢不亂，不論何等強敵，也不易衝破陣式，此雖不能克敵制勝，但已足可自保，致於大方師侄的生死之謎，待我和你們覺非師叔禪功期滿，開關之後，再行設法追查。」

大悲禪師道：「弟子謹記師伯之言。」

老和尚突然一揮袍袖，道：「時限已屆，我已難再久留，爾等也該回去了。」

群僧齊齊拜伏地上，低誦佛號。

方兆南忍不住好奇之心，偷眼望去。

只見兩個老和尚慢慢站了起來，緩緩向前走去，步履蹣跚，若不勝力，走到壁角圓門之處，突然消失不見。

兩個老和尚走了良久，群僧才停下佛號之聲。

大悲禪師當先站起身子，說道：「諸位師兄師弟，兩位師長，已歸禪關，咱們也該早離此處，免得驚擾了兩位師長。」

群僧齊齊起身，輕步退出茅屋，離開了荒涼的庭院。

方兆南隨在群僧之後，最後離開茅屋。

當他要步出籬門之時，忽然想到應該把籬門帶上，回頭一瞥之間，黯淡星光下，似見一條人影，閃入右面一座茅屋之中。

這意外的發現，確實使方兆南大大地吃了一驚，幾乎失聲大叫。

大道禪師眼看方兆南突然停了下來，站在竹籬門口，心生懷疑，大步走回來，問道：「方施主怎地不走了？」

方兆南神智復清，笑道：「這茅舍中可有替你們兩位老前輩護關的人嗎？」

大道禪師搖搖頭道：「據我所知，此處並無守關之人，怎麼？方施主發現了什麼可疑的事嗎？」

方兆南沉吟了一陣，道：「沒有，咱們走吧！」

大道知他身懷絕技，已不敢再對他稍存輕視之心，心中雖是懷疑，卻是不好追問。

原來方兆南怕自己眼睛看花，說了出來勢必引起少林僧侶的大舉搜索，如若找不出破綻，落人笑柄，但又放心不下，走了幾步，轉臉問道：「兩位老前輩坐關重地，竟然不曾派人防守，未免大大意了。」

大道禪師聽他盡問此事，心中疑慮更深，但表面之上，卻是不動聲色，微微一笑道：「此處雖無守關之人，但諒也無人膽敢窺探，數十年來，從未發生過什麼事故。」

方兆南道：「眼下情景不同，還是小心些好。」

大道禪師淡然一笑，道：「施主未免太多慮了，此地方圓百丈以內，早已劃作敝寺禁地，各處通達之路，都已嚴密封鎖，縱是一隻飛鳥，也難逃過監視。」

方兆南啊了一聲，不再多言，心中暗道：「難道真的是我看花了眼睛不成？」

這時，天色已是四更過後時分，一片陰雲遮蔽天上的星辰，天色顯得更黑暗。

方兆南早已爲少林寺視做貴賓，大悲禪師親自帶著一個小沙彌送他到了一處幽靜廂房中，說道：「方大俠千里趕來傳訊，老衲感激不盡，數日夜來諸多勞動，施主一直未能好好地休息，老衲不再打擾了。」合掌告退而去。

小沙彌放好燭火，也隨著悄然退出，反身輕輕帶上兩扇房門。

方兆南已感到有些倦意，隨手熄去燭火，和衣躺在床上，哪知翻來翻去，難以入眠，心中一直掛念著那茅屋所見的人影。

越想越覺不對，倦意全消，心中暗暗忖道：「如是我眼睛看花，也還罷了，萬一真的有人混入那茅屋之中，兩位坐關的老僧，勢非要遭人暗算不可，茲事體大，非同小可，拚著受人一番譏笑，也不能坐視不管。」

一躍下床，開了房門，直向大悲禪師的住處走去。

夜色沉沉，群僧大都入睡，這座名揚天下的少林禪院，靜夜中更顯得莊嚴幽靜。

穿過了兩重庭院，到了方丈室外，但見室中一片黑暗，大悲禪師似是早已入睡。

方兆南猶豫了一陣，終於舉起手來，在門上輕輕彈了兩下。

室中一片寂然，不聞半點回音。

方兆南輕輕咳了一聲，說道：「老禪師入睡了嗎？」

室中仍無回音，顯然大悲禪師並沒有在方丈室中，以他的武功，如在室中，卻不會這般沉睡不醒。

此事雖小，但卻給了方兆南極大困惑。

他後悔剛才爲什麼不把所見之事，向大悲禪師說明，縱然真是自己看花了眼，也不過聽幾句譏笑之言，如今他卻感到束手無策。

因爲，除了大悲禪師之外，他並不知道其他人的住處，深更半夜之中，總不能到處亂跑。

他靜靜想了一陣，越想越覺事情嚴重，眼下時間寶貴，如再要延誤下去，說不定會造成大錯，心念一轉，直向那茅屋所在奔去。

他心中焦急，奔行迅快，片刻之間，已到竹林環繞的茅舍之中，沿途之上，竟未遇到一個攔路的僧侶。

他心中尤急，無暇多想，縱身躍上竹籬。

這茅舍外面環圍的竹籬，已不知經過多少時日，大部分都已腐朽，方兆南落足甚重，但聞一聲啵的輕響，一根籬竹，應聲折斷。

方兆南毫無防備之下，身子也隨著墜落下來，趕忙一提真氣，一挺蜂腰，穩住了下落之勢，落在實地之上。

凝神望去，三座並立的茅屋門緊閉，毫無異狀，心中暗道：「八成是我看花了眼睛，幸好還未驚動到寺中之人……」

忽然間腦際中靈光一閃，回憶大道禪師之言，這茅屋附近百丈之內，都早已劃作少林寺中禁地，四面要道，都派有巡守監視之人，我這一路行來，怎地竟然未遇攔路之人？

這出奇的順利，顯然事情大不尋常，要不是少林僧侶暗中布置戒備，而故意讓自己深入禁地，隱身暗中，以察看自己行動？

再不然就是那圍守在四周的少林寺僧侶們，早已受了暗算。

忖思了一陣，覺著不宜在此久留，轉身向來路行去，走了幾步，又覺不對，暗暗忖道：「我既然來了，怎能就這樣悄然而退，不如搜查那右面茅屋，也好打消心中疑念。」

當下又轉回頭來，奔向右面茅屋。

這是三間房子大小的建築，形狀和中間一座一模一樣，只是兩扇門上加多了一把鐵鎖。

方兆南皺眉頭，想道：「我如要進這茅屋之中，勢非得先破壞這把鐵鎖不可……」他舉手在鐵鎖上拂拭了一下，又縮回手來，走到旁邊一間窗子前面，舉手輕輕一推，窗門立時大開，一片積塵飛了出來。

探頭向裡面望去，只見一片漆黑，難見景物，心中暗暗忖道：「這座茅屋之中，也不知隱藏著少林寺的什麼秘密，我如擅自闖了進去，不知是何後果。」

他心中雖覺擅闖禁地，大是不該，但那人影，在他心中作怪，猶豫了一陣，終於提氣縱身穿窗而去。

他記得那中間茅屋，地上滿是積塵，落腳稍重，立時將震滿室飛塵瀰目，有了上次經驗，這次小心甚多。

人躍入室，立時提氣穩住身子，緩緩向實地上落去，雙足還未著地，忽覺一股勁力，迎面襲來。

方兆南慌急之間，揮掌硬接了一擊。

這一掌來勢雄猛，方兆南擋了一擊之後，竟被震退了兩、三尺遠。

對方一擊得手，第二掌連續攻出，呼呼勁風盈耳，連續拍出兩掌。

方兆南一面揮掌抗拒，一面大聲喝道：「什麼人？竟敢暗入少林寺中禁地。」

這一聲喝問，竟然使局勢大變，對方竟突然停身不攻。

室中黑暗，無法瞧得清楚，只見一條黑影，向外移動而來。

隱隱間，見來人頭臉之上，用黑布包著。

方兆南怕中暗算，縱身一躍，退到室外，蓄勢以待。

但見那條黑影移步門口之處，突然舉手拉下蒙面黑紗，赫然是大愚禪師。

方兆南先是一怔，繼而抱拳一禮道：「原來是老禪師，無怪掌力雄渾，幾乎使在下招架不住。」

大愚禪師目光炯炯地逼視方兆南臉上，說道：「方施主深更半夜之中，到此荒涼之地，不知有何見教。」

方兆南揮手一笑，道：「老禪師誤會了。」

大愚道：「老衲如若仍然對施主心存誤會，也不會停手不攻了。」

方兆南道：「老禪師可是聽得大道禪師之言，說在下今宵之中，可能來此窺探是嗎？」

大愚禪師道：「不論方施主如何能言善辯，今宵如不說個是非出來，也難消老衲心中疑慮……」

他微微一頓，又道：「不瞞你說，這三座茅空中，都有人防守，大悲師弟就在那正中茅屋之間……」

方兆南笑道：「早知諸位防守這等緊嚴，在下也不致這等甘違貴寺禁忌，冒險來此了。」

大愚禪師冷冷說道：「虧得施主先進這右面茅屋，如是先進正中一間，只怕早已身首異處了。」

方兆南看他神情，知他心中有了誤會，當下笑道：「老禪師又誤會了，晚輩之意是說，早知貴寺有這等森嚴的戒備，就用不到晚輩多費心了……」

當下把剛才所見經過，以及旁敲側擊向大道禪師進言之事，仔仔細細地說了一遍。

大愚禪師一皺眉頭，道：「方施主如肯把當時所見，告訴大悲師弟，也不致有此一場誤會了。」

方兆南聽他口氣，知他還未深信自己之言，輕輕嘆息一聲，道：「黑夜之間，匆匆一瞥，心中實無把握，萬一是在下看花了眼睛，再使貴寺中勞師動眾地搜查，不但驚擾到兩位老禪師的清修，且恐諸位笑在下大驚小怪。何況和大道禪師談起此來之時，大道禪師尚告訴在下，說這茅屋四周，要道之上已派有監視之人，縱有強敵混入，但如想混進此地，決難逃過監視……」

大愚禪師道：「既然如此，方施主何以又獨自來此？」

方兆南道：「在下後來細想起來，越想越覺不對，縱是在下看花眼，受人譏笑，也不能為一時名氣之爭，遺害到兩位前輩高人，故而趕來此地，以查究竟。」

大愚禪師道：「方施主縱然說得字字出自肺腑，老衲也難全信。」

方兆南眼看連番解釋，仍然無效，心中也動了怒意，拱手說道：「老禪師既然執意不信，那也是無法之事。」

回頭大步走去，走了幾步，又忍不住回過頭來說道：「老禪師，搜查過這三座茅屋了嗎？」

大愚禪師冷然道：「不勞方施主費心，我等早已仔細搜尋過了，但連一點敵人的痕跡，也未找到。」

方兆南仰臉望天，思索了一陣，自言自語地說道：「我真的看花了眼睛……」

大愚禪師接道：「不是方施主看花了眼，那就是老衲多疑了。」

方兆南突然一整面色堅決地說道：「現在想來，經過之情，歷歷如繪，在下決然不致會看錯。」

大愚禪師道：「天色已經不早，方施主還是早些請回去休息一下吧！有話明天再說也不會遲。」

這幾句話，無疑是逐客之令，方兆南再也無法站得下去，轉身急急向外奔去。

經過那白猿坐化的矮松之時，忽然聽到一陣極微的笑聲，傳入了耳際。

這聲音十分奇怪，似是一個人忍俊不住，笑出了聲，但卻又不敢笑出，用手掩住了嘴巴，不禁心中一動，停下了腳步。

抬頭望去，只見白猿依然原姿坐在松幹交接之處，上面枝葉濃茂，夜色中無法看清。

大愚禪師眼看方兆南奔行到那矮松之下，突然又停了下來，心中大是忿怒，高聲說道：「那株松樹之上，乃敝寺所養的仙猿坐化之處，方施主……」

一面說話，一面急奔過來。

方兆南連受大愚禪師諷譏，只覺一股悲忿之氣，直沖上來。

他心中原本還無法確定那聞得之聲，是否是人笑聲，但心中一急之下，反唇譏道：「那只怪幾位目難見物，現有強敵，隱在這矮松之上，哼！這區區彈丸之地，盡出了少林寺中高手，竟也查不出敵人的隱身所在……」

這時，大愚禪師已追到矮松之下，聽得怔了一怔，道：「什麼？這矮松隱有強敵？」

方兆南話已出口，心中雖無把握，也只好硬著頭皮說道：「不錯，那濃密的松葉之中，隱有強敵！」

大愚禪師道：「老衲就不信確有其事！」

突然一提真氣，身子凌空直上，飛向那矮松之上。

方兆甫目光一直盯著大愚禪師凌空直上的身體，心中甚感不安。

方兆南暗道：「如若剛才那聲音不是笑聲，如果這矮松上沒有隱藏著敵人，這次擅闖少林寺院禁的誤會，只怕甚難解釋清楚了……」

就在心念轉動之際，突然聽得一聲悶哼之聲，凌空而上的大愚禪師，突然間似是遇到了什麼重大的壓力一般，身體忽地直墜下來。

落勢甚快，顯然他已失去了控制自己的能力。

方兆南腳跟微一加力，迅快無比地移動過去，間不容髮的刹那之間，接住了大愚禪師的身子，低聲問道：「老禪師中了暗算嗎？」

只見大愚禪師長長吁了一口氣，挺身而起，滿臉愧咎之色，說道：「老衲等幾乎誤會了方施主，這矮松確然隱藏著強敵，老衲驟不及防，被人推出的暗勁，擊中前胸，一時之間，提不住丹田真氣，身子直墜下來……」

說話之間，不停地輕皺眉頭，顯然已受了內傷。

方兆南低聲說道：「老禪師請休息一下，在下上去瞧瞧……」

大愚禪師道：「方施主最好別和敵人在松樹上面動手，免得毀了那白猿遺體。」

方兆南低應一聲，暗中提真氣，一掌護身，一掌待敵，縱身一躍，直向那矮松上面躍去。

身體剛剛觸到松葉，忽覺一股強猛絕倫的潛力，由那茂密的松葉叢中，直撞出來。

方兆南早有準備，揮掌拍出，硬接一擊。

但他身子懸空，無法用出全力，對方擊來力道，又極強猛，一接之下，登時覺著心頭一震，被那撞擊而來的凌厲劈空勁氣，撞得直飛出去八、九尺遠，落在實地上。

大愚禪師一面運氣調息，一面仍然注視著那矮松之上，眼看方兆南剛接近松葉，就被逼得落了下來，顧不得再調息傷勢，急急走了過去，問道：「方施主受了傷嗎？」

方兆南道：「還好，在下早有準備，但那人的武功高過在下，我雖然雙足未著實物，難以用出全力，但心胸內腑，都在他遙空一擊之下，震盪甚烈。」

他一面和大愚禪師說，兩道眼神，卻是盯住在那矮松之上，生恐那隱身松上之人，借兩人談話的機會溜去。

大愚禪師聽他坦然說出自己的功力，不及對方，毫無遁詞隱飾之心，心中對他增了甚大的好感。

於是低聲說道：「他隱身在這矮松之上，咱們心有顧忌，動手之時，先已吃了大虧，但他既能逃避開重重監視，進入這禁地之中，除了武功之外，必有過人的機智，無論如何，不能讓他逃走……」

方兆南道：「大師之意是……」

大愚禪師突然舉起雙手，互擊三掌。

掌聲在靜夜中響蕩，四周在竹籬、草叢之中，突然站起十七、八個和尚。

這些人都身著黑色僧衣，有的手橫禪杖，有的背插戒刀，這等衣著，在陰暗的夜色之下，甚不易瞧得出來。

方兆南暗暗忖道：「原來此地早已埋伏了這樣多的高手，無怪這老和尚在發現了強敵之後，毫無慌急之情，原來早已成竹在胸了。」

只聽大愚禪師低聲對那一群少林僧侶說道：「這矮松之上，現在強敵隱身，你們可分布在矮松四周，只要他不離開矮松，你們就別管他，你們只要防著他，別讓他逃走就是了。」

群僧心中雖感奇怪，卻無人敢問，紛紛取出兵刃，兩人一組地散布四面八方，團團把那矮松圍住。

原來大愚禪師老謀深算，看天色即將大亮，對方又是生平僅見的強敵，如果讓他借著這夜色遁走，那可是一大憾事。

他一面指示群僧，把那矮松團團圍困，一面暗中運氣調息，等待寺中高手。

方兆南初時甚感不解，但略一忖想之後，立時了然了大愚禪師的用心，暗道：「老薑比嫩薑辣，這老和尚不肯把自己受傷之事，告訴門下弟子，免爲強敵武功所惑，失了戰志，不肯命群僧出手，只把這矮松團團圍住，以免激起強敵逃走之心。

「眼下強敵已在團團圍困之下，時間拖延下去，局勢對己方愈是有利，這個人武功再高，但也無法獨擋少林寺中高手，一旦天色大亮，再想逃開群僧圍捕，就不容易了。」

思忖之間，又有三條人影奔來。

方兆南凝目望去，只見都是少林寺十二個大字輩的高僧，除了大道和尚之外，還有監院中五老之二的大元、大證兩位高僧。

這時，那矮松上隱身之人，仍然裝作不知，除了夜風拂動著松葉外，夜色寂靜如常。

大道禪師突然向前一步，低聲對大愚禪師說道：「眼下咱們人手已多，此人縱然武功絕高，也難闖過圍戰，不如先把他逼下樹來再說。」

大愚禪師突然一揚右腕，兩粒檀木念珠，電疾飛出，直射入那矮松之上，但聞一陣枝葉抖動，兩粒檀木念珠，有如沉海沙石。

大愚禪師目睹強敵，竟然無聲無息地避開了兩粒檀目念珠，冷笑一聲，說道：「來人如非僞裝混入此地，定然早已熟悉通此密徑，逃避開咱們重重地監視！」

他微一沉思，又道：「如果小兄推想不錯，他可能早已選擇了這矮松做爲藏身之地，身上穿了和矮松顏色一般的衣服隱在樹上，再借夜色掩護，咱們也難瞧得出來……」

這番話說得聲音甚高，似是有意使隱身在那矮松上的敵人聽到。

他微微一頓之後，突然放低聲音，道：「三位師弟暗中準備，敵人一現身，立時緊迫不捨，千萬別讓他逃走了去。」

大道禪師心知大愚要施展連珠手法，打出檀木念珠，逼出強敵，趕忙說道：「師兄……」

大愚點頭一笑，道：「我知道……」右腕一揚，一粒檀木念珠脫手飛去。

一陣破空輕嘯之聲，穿越矮松而過，幾根斷枝針葉，緩緩飄下。

大愚禪師打出一粒念珠之後，停了下來，等了甚久，才打出一粒。

這時，夜色逐漸退去，曙光微露，再過片刻，天色就要大亮，那隱身矮松上的人，竟然似毫不擔心。

這異常的情景，反而使方兆南有些動了懷疑……

正自疑忖間，突聞正中茅屋中傳出一聲大喝，一條人影，疾如離弦流矢一般，急射而出。

那正中茅屋，正是少林寺兩位前輩高僧坐禪之地，大愚、大元、大證一睹此情，都不禁爲之心弦震盪……

就在三僧張惶失措之間，那矮松上，茂密的枝葉中，也飛起一條人影，起落之間，橫越三僧而過，落在一丈開外。

方兆南大喝一聲，忽地凌空躍起，施展出輕功中極上乘的「八步登空」身法，疾追上去。

他心急之下，忘記了自己的功力，尚不足施出這等輕身功夫，縱身躍起之後，才覺著力難勝任，當下一提丹田真氣，全力施為。

但聞一陣衣袂飄風之聲，竟然疾越群僧而過，起落之間，足足有三丈多遠，落在那條人影的前面。

當時情景，已不容人有思考的工夫，揮手一掌，直拍出去。

那人全身穿著一件連頭也遮去的長衫，只開了兩個眼睛，但身材看去卻十分嬌小。

一見方兆南劈來掌勢十分凶猛，忽然向左一側，跨讓三尺，讓了開去，身法詭異、飄忽，似是在哪裡見過。

那人讓開一掌之後，左手忽地一揚，幾股冷厲的指風，遙遙襲了過來。

方兆南暗運真力，揮手一掌拍了出去，一股潛力，直向指風上面撞去。

兩股激蕩的潛力一接，立時響起了一陣破空之聲。

方兆南只覺對方的指力強猛，這一掌竟然無法把對方力道擋住，不禁地後退了兩步，借那後退的時機，消去了對方逼上的暗勁……

就這一瞬工夫，大愚、大元、大證、大道等，已齊齊趕到，把蒙面長衫的青衣人團團地圍住了。

除了大愚禪師之外，全都亮了兵刃。

那由正中茅屋中，衝出來的黑衣人影，眼見同伴被人擋住，難以脫身，立時停下身，大步走了過來。

大愚禪師呼呼發出兩掌，逼住了青衣人前進之勢，說道：「施主既然敢到少林寺來，潛入我們禁地，爲什麼不敢以真面目示人？」

那青衣人還未來得及答話，忽聽大證禪師冷哼一聲，突然向一旁閃去。

原來那黑衣人，無聲無息地走了過去，一指向大證禪師身後點去。

大證禪師回頭打出一掌，哪知對方早已有備，左手迅快地隨著點出，大證禪師驟不及防，吃對方指風擊中了右面小臂，登時向後退了兩步。

那青衣人突然一側身子，滑溜無比地從大證禪師讓開的空隙之中，閃了出去，和那黑衣人會合一起，聯袂一躍，跳出兩丈多遠。

大愚禪師眼看強敵聯袂奔去，心中大急，僧袍一拂，人已凌空而起，反手一掌，向大元禪師指出。

方兆南看得心裡一驚，急急叫道：「老禪師怎麼連……」他本想說怎麼連自己人也不認識了，但只說了一半，大元禪師，右掌已平胸推出。

但見大愚禪師懸空的身子，突然加快了去勢，倏然之間，人已飛出四、五丈外，落到了兩人身後。

方兆南至此才恍然大悟，大愚禪師回手拍向大元禪師一掌，乃是有意借他推出內勁的反震之力，加快自己的去勢和速度。

大愚禪師似是已失去原有的仁慈和鎮靜，雙足已落實地，立時大喝一聲，一掌直劈過去。

那黑衣人和青衣人，頭也未回過一次，只憑聽覺分辨，並肩而行的身子，突然一分，躍向兩側。

大愚禪師似是早已料到這一掌難以傷得兩人，右掌劈出攻敵之時，左手已扣了幾枚念珠，兩人分躍兩側的同時，左手念珠，已緊隨打出四粒，分向兩人襲去。

那黑衣人突然回頭揮手，白光閃動，但聞啪啪兩聲，兩粒念珠，盡被他手中匕首擊落。

那青衣人卻突一揚雙臂，身軀凌空而起，兩粒念珠，都由腳下飛過。

但這一緩之勢，方兆南已和大證、大元等，都追了上去，方兆南當先出手，右手一伸，疾向那黑衣人左腕上面扣去。

黑衣人心中一動，裝作不知，直待方兆南的右手將要和他手腕相觸之時，才突然一轉，由被動轉做主動，被襲轉做還攻，反向方兆南手腕上抓下。

兩人這一翻手比試，看去十分簡單，其實異常奧難，方兆南掌勢收得略為緩慢，手背上已被那黑衣人指風擊中，痛得雙眉又是一皺，退後了兩步。

大證禪師手橫兵刃，在一旁監視著方兆南和那黑衣人動手情形，見方兆南退敗下來，立時大喝一聲，道：「方施主快請退一步，替老衲掠……」

也不問對方姓名師承，方便鏟一招「橫掃千軍」，攔腰直擊過去。

他臂力本已過人，這一擊更是猛惡，但聞一陣強烈的破空金風聲中，劃起一道半圓形的銀虹。

黑衣人冷哼一聲，突然向前一傾身子，直向大證禪師懷中欺了過來，手中的匕首，銀光閃閃。

大證禪師如不收回方便鏟，固然可以使對方傷在杖下，但對方疾快攻入的匕首，亦將刺入他心臟之中。

形勢迫得大證和尙不得不疾收兵刃，向後躍退。

那黑衣人卻借勢一躍而起，直飛起兩丈多高，身懸半空，突然一個大轉身，斜斜向一側飛去，這起落之間，人已飛出了三丈多遠。

這時，那青衣人也脫出了大道禪師率領群僧的圍攻，和那黑衣人會合一處，準備聯手。

大愚禪師一看兩人飛躍的身法，都是身具上乘輕功，決非門下弟子能夠追趕得上，人手眾多，反而有礙手礙腳之感。

他當機立斷，高聲說道：「大元師弟清查現場，調布人手，固守此地，大證、大道兩位師弟跟我一起追趕強敵。」

這位年高望重的老和尙，顯然已動了怒火，探手從身側弟子手中，奪過一支鐵禪杖，當先躍飛而起，直向兩人追了過去。

大證、大道一個手橫方便鏟，一個分握兩柄戒刀，緊隨大愚身後，追了過去。

方兆南略一猶豫，低聲對身側一個和尙說道：「大師父，手中兵刃請借給在下用一次。」

他口中雖然說得客客氣氣，其實手已伸了過去，話說完，已把那和尙手中的戒刀，奪了過來。

那和尙心中還在想著此事，該不該把手中兵刃借給他。

突覺手腕一麻，刀已脫手離去，不覺一怔，回頭看去，方兆南已凌空而起，直奔向大愚禪師等去路趕去。

那青衣人和黑衣人似是不願和群僧動手，而且對這附近的地勢亦很熟悉，兩人聯袂疾奔，直向西北方向奔去。

大愚、大證、大道三僧，雖各出全力緊追，但始終未能迫近兩人一步，雙方一直保持著兩丈左右的距離。

方兆南又和大愚禪師等相距約丈餘左右。

大愚禪師看兩人逃奔的方向，雖是寺中埋伏最弱的一環，但出寺之後，卻是一條絕路。

六條人影先後奔行，疾如劃空流矢，飄飛的衣袂，帶著呼呼風聲。

奔行之間，大證禪師突然高喧了一聲佛號，聲徹雲霄，靜夜中響徹群山，回音不絕。

那佛號餘音未絕，去路間，突然人影閃動，四個身披袈裟、手橫禪杖的中年和尚，一排橫立，攔住了去路。

二人輕功卓絕，奔行迅速，四僧剛一現身，那黑衣人和青衣人已然奔近身側。

但見兩人同時一揚右腕，四個和尚中三個登時仰身栽倒，最後一人距離較遠，似是未被擊中，手中禪杖呼的一招「力掃五嶽」，橫擊過去。

但兩人身法快速無比，他手中禪杖掃擊出手，兩人已疾掠身側而過，這一杖竟然未能攔得兩人去勢。

但兩人受些阻擋，行速一緩，大愚禪師突然奮起神勇，手中鐵禪杖借力一點實地，忽然騰空而起，直飛過去。

那身披袈裟和尚，既未看清楚三個同門，如何跌倒在地上，又未能攔住敵人去勢，心中甚是抱歉，高聲說道：「弟子……」

他剛剛說出兩個字，大證、大道已然由他身側急奔而過。

方兆南走在最後，低聲說道：「快些把三位受傷之人送入寺中急救。」最後一字出口，人已越過那和尚兩丈多遠。

且說大愚禪師施展出少林絕學「凌風飛渡」身法，提住丹田一口真氣，借那禪杖點地彈震之力，飛起了兩丈六、七尺高。

立時疾掄手中禪杖，借那排蕩的風力，腳不沾地，一口氣飛出了八、九丈遠。腳落實地，已相距強敵在一丈之內。

這時，幾人已離開了少林寺，奔行在崎嶇的山道上。

大證、大道輕功稍遜師兄，雖然已用出全身勁力，但卻無法縮短一步距離。

翻越過兩座峰嶺，山勢忽然一變，一座插天高峰，橫阻去路。

大愚禪師高聲說道：「你們已跑入絕地，再不肯停下身子，老衲要施展暗器了。」

那奔行的黑衣人、青衣人，哪裡肯聽，身子一轉，沿著山勢向左面奔去。

大愚暗暗鬆一口氣，緊追之勢，忽然一緩，放慢了腳步，待大證、大道趕了上來。

他低聲說道：「右邊絕峰，攀登雖然不易，但還有路，左面五里之外，有一道百丈深壑，橫寬有十四、五丈，兩人輕功再好，也難飛渡。你們不妨緩行一步，借機調息一下，免得動手之時，氣力尚未恢復，小兄趕前一步，先行阻止他們在那絕壑之上，建起索橋。」

方兆南在三人談話之時，兩個飛躍，追到身後，把大愚之言，盡都聽入耳中，高聲道：「大師小心一些，這兩人武功路子，頗似冥嶽中的高手。」

大愚禪師遙遙應道：「施主放心，老衲自信尚能自保……」

這時，夜色已盡，曙光微現，景物逐漸清晰。

方兆南仰臉瞧瞧天色，凝神向前望去，只見兩側峭壁挾持著一道筆直的山谷。山谷盡處，隱隱可見幾條人影盤旋交錯。

當下對兩僧說道：「令師兄已和強敵動上了手，咱們得快些趕去。」一加腳力，向前疾奔。

這是一個險惡無比的絕地，兩側伸延的山勢，至此突然中斷，似是被利斧劈斬一般，深谷百丈，橫阻去路。

兩山之間，只有兩丈四、五尺的寬度，地上還突起了甚多嶙峋怪石，除了由來路衝出這絕谷之外，求生機會只有拚命一途。

太陽已爬上東方天際，萬縷霞光，逐走了夜晚茫茫白霧，由那深壑中升起來，逐漸向山谷中漫延。

大愚禪師手中之禪杖呈化出千萬杖影，挾著風嘯之聲，和那黑衣人，正在展開搶制先機的快攻。

黑衣人手中揮舞一把寶劍，以輕靈、詭異的招術，周旋於重重杖影之下，神態從容，不論大愚禪師攻勢如何凌厲，均能巧妙地化解開去。

那青衣人卻是面對絕壑，背手而立，似是想從絕地中找出一條出路，對身後激烈絕倫的搏鬥，渾如不聞不覺。

驟見之下，大愚禪師杖影若山，縱擊橫掃，似是略占優勢，但如仔細瞧上一陣，情勢截然不同。

那黑衣人雖似被圈入一片杖影之中，但卻毫無敗象，而且隨手揮劍，若無其事，顯然對方並未用出全力。

大證禪師低聲對大道禪師道：「師弟請給小兄一臂之力。」

他大喝一聲，掄動方便鏟，衝了上去。

那黑衣人頭臉之上，也蒙著一層黑紗，只露出兩隻眼睛，一見大證禪師揮鏟加攻，左手一探，又摸出那把長不及尺的匕首。

一招「乘龍引鳳」，引開大愚禪師的禪杖，反手一劍，斜斜攻向大證禪師，寒芒一閃，刺向左肩「風俯」穴。

大證禪師迅疾倒退兩步，避開劍勢，揮鏟反擊，一連三鏟，鏟端月牙，劃出一片精光。

原來他手中兵刃過長，如被黑衣人欺近身來，反而無法施展。

眼看大愚禪師就吃了近身相搏之虧。

果然黑衣人被大證鐵錘擊岩般的三鏟猛攻，迫得向後退了三步。

黑衣人這一後退，大愚禪師手中鐵禪杖，也立時發揮出了威力，一招「君臨大地」，直劈而下，勢道威猛，有如山崩海嘯一般。

大證禪師揮鏟助戰，迫得那黑衣人退後三步，就這一瞬之間，大愚已緩過手腳，鐵禪杖反客為主，棄短復長。

那黑衣人被大愚一招「君臨大地」的威勢震懾，不敢用兵刃封擋，又向後面躍退。

大愚手橫禪杖，緩步向前逼去，滿臉莊肅之容。

方兆南一直留心著那黑衣人出手的招術，似是在哪裡見過，但一時間卻又想它不起。

因那黑衣人身後三、四丈處，都是百丈深壑，強敵緩步後退，顯然正在運氣調息，身陷絕境，決不甘心束手就縛，那反擊之勢，定然凌厲絕倫。

那背對三人，面向深谷的青衣人，突然回過身來，蒙面青紗中兩道炯炯的眼神，一直緊盯著大愚等三人，緩步迎了上來。

那黑衣人退到青衣人的身側，停了下來，兩人聯袂而立，採取並肩拒敵之勢。

大證、大道，急快地奔行兩步，分站在大愚左右兩側。

雙方相距大約有六、七尺遠，三僧臉色凝重，蓄勢待敵，那黑衣人和青衣人，雖然面覆垂紗，無法窺得神色。

但從兩人那一瞬一瞬的目光，已隱約可見也是全神貫注，雙方都知遇上了強敵，誰也不敢稍存輕視之心。

大愚禪師沉聲說道：「兩位武功不弱，自非無名之輩，何以不敢以廬山真面目示人？」

那青衣人、黑衣人對大愚禪師喝問之言恍如未聞，眼睛也未轉動一下。

大道禪師怒道：「兩位耳朵聾了嗎？」

那青衣人、黑衣人，對譏笑叱罵，仍然置之不理，四道目光，卻一直盯在三僧身上。

忽然間，那黑衣人一揚右手寶劍，欺攻而上，寒芒閃動，幻起了朵朵劍花，分向三僧襲去。

迫得三僧齊齊揮動手中兵刃招架。

杖影、鏟光，混入大道禪師手中兩把銀光閃閃的戒刀，連結成一片丈餘寬窄的光幕，把峽谷去路完全封閉。

少林僧侶藝出一門，心意相通，這一招不但拒敵劍勢，而且兼有了阻敵突圍之效。

這一招拚搏，三位少林高僧都使出了八成功力。

黑衣人劍花散飛，一陣鏘鏘金鐵相擊之聲中，倏然倒躍而退，落腳原地仍和那青衣人並肩而立，姿態依然，距離分毫不差。

大愚禪師心神大震，暗自驚道：「強敵武功，生平僅見，兩位禪關師長，不知是否已受其害，護法守關的大悲師弟，在強敵衝出茅屋時，竟然不見動靜，看來凶多吉少……」

心念及此，但覺一股悲忿之氣，直沖上來。

他強烈的復仇怒火，和一種維護師門聲譽責任感，使他迅快地決定了，全力一戰的決心，探手入懷摸出那白髮老僧賜予的絹圖金鑰，交到大道禪師手中。

他說道：「師弟請把這絹圖、金鑰，送給大悲師弟。」

大道一時間難明師兄心意，伸手接了過來，問道：「現在就要去？」

大愚道：「現在就去，如若見不著大悲師弟，就把絹圖、金鑰，交給監院首座大安師弟。」

大道似是突然間想到了大愚用心，不禁心中一酸，黯然說道：「師兄何苦……」

大愚禪師慈眉一聳，厲聲說道：「不許多說，快些去吧！」

少林寺中，規戒森嚴，大道目睹師兄滿臉怒意，哪裡還敢多說，合掌答道：「小弟敬領師兄法諭。」

突然轉身，急奔而去。

大愚回目一瞥大道急奔而去的背影，微微一笑，緊張的神情突然消失。

似乎這一瞬間，他已把一個人一生的心願完全地實現，世上已沒有他留戀的事，生離死別的人生大苦，也無法使他再流現一點憂慮。

他輕輕一揮手中禪杖，低聲對大證說道：「師弟退開，我要試試咱們少林武學，是否能當得武林中泰山北斗之稱……」

他敞聲大笑了一陣，接道：「咱們大字一輩中，以大智師兄的武功，成就最高，但他卻在追殺那蒙面妖婦時，身受重傷而亡。大方師弟略遜大智師兄一籌，失落冥嶽生死不明，老衲尚不如師兄成就，下遜師弟一籌，但我要看看數十年來勤習少林武學，究竟有多少成就，師弟但請替我掠陣，不許出手相助。」

他說話的聲音，雖然十分平和，但詞意堅決，字字句句，都有如斬釘截鐵一般。

他修養有素，雖然下定了拚命之心，仍然不肯口出傷人之言。

大證低聲應道：「小弟敬領師兄慈命。」

大愚高聲吟道：「靈藥只醫不死病，佛門不渡無緣人。」

手橫禪杖，大步走了過去。

這老和尚視死如歸的豪情，充滿著博大救世的仁慈，浩浩蕩蕩的胸懷，磊磊落落的風度，那黑衣人似是被老和尚的氣度震懾，目光閃閃，盯在大愚禪師的身上。

右手寶劍平胸送出，左手鋒利的匕首搭在寶劍之上，緩步向前迎來，每一舉步之間，身軀就微微地顫動一下。

雙方相距七尺左右，一齊停了下來，各舉兵刃，相對而立。

方兆南眼看兩人都在運集全身的功力，動手一搏之間，立時將分出生死存亡，這是武林中罕得一見的打法，心中大感驚駭。

他暗暗忖道：「大愚禪師乃少林寺中一代高僧，我必須阻止這孤注一擲的拚搏……」立時大喝一聲，縱身而起。

一招「風雷交擊」，電射而下，直向那黑衣人攻去。

那黑衣人手中平伸的寶劍，忽然一揚，寒芒疾閃，登時撒出萬點寒星，一陣金鐵交響聲中，方兆南手中兵刃立時被那暴張的劍光困住，連人也被罩在劍影之下。

一招交接，險象環生，大愚禪師竟然來不及出手搶救。

眼看方兆南就要傷在那流動的劍光環繞之下，突聽那黑衣人冷哼一聲，突然疾退數尺。

方兆南手橫戒刀，肅容而立，冷笑一聲說道：「別說妳改著男裝，縱然身化飛灰，也別想騙過我！」

他突然由險象環生中，迫退強敵，手法奇奧，連大愚禪師那等高手，也沒有看得出他用的什麼武功。

三十 門戶之變

方兆南陷身重重劍氣環繞之下，只覺壓力奇大，手中的兵刃，竟然施展不開。

他心中一急，突然想到那招「佛法無邊」的招術，左掌疾推而出。

那黑衣人眼看掌勢擊來，就是閃避不開，被方兆南一掌擊在前胸之上，但覺心神震盪，身不由己地向後退去。

方兆南急欲求生，情急發掌，只用出了四成真力。

那黑衣人調息一陣，覺著並未受傷，突然拉開覆面黑紗，露出一張娟秀美麗的面孔，笑道：「你記性滿不錯呀！」

她玉手揮動，撕去全身黑衣，露出一身天藍色勁裝，打開包頭黑巾，垂下一頭長長的秀髮。

就是那黑衣人撕去黑衣的同時，那青衣人也迅快地扯去滿身青衣，片刻之間形態大變，兩個包頭蒙面人，立時變成了兩個美麗無倫的少女。

方兆南冷笑一聲，道：「兩位的膽子不小啊！」

他回頭對大愚禪師等說道：「這兩位就是冥嶽嶽主門下兩位弟子……」

大愚禪師雙目閃動，打量了兩人一眼，道：「原來是兩位女施主。」合掌一禮。

左側那紅裝女子，嬌聲笑道：「老和尚不用假慈悲，還是打開天窗說亮話，有話快些說吧！」

大愚禪師道：「老衲出家人，素來不善誑語，本門兩位禪關期中長老，怎麼樣了？」

右面那藍衣少女微微一笑，道：「你可是問的兩個白髮白鬚、禿頂黑髯的老頭兒嗎？」

大愚聽她一開口就說出兩位師長形態，不禁心頭一震，以他那等修養有素的人，也有些控制不住心中的激動之情，臉色神情一變。

他沉聲應道：「不錯，兩位老人家怎麼樣了？」

藍衣少女格格嬌笑道：「兩個老頭兒，每人被我刺了三劍，至於是死是活，那我可就不知道了！」

這幾句話，字字如刀如劍，刺入了大愚禪師的心中，臉色忽然一沉，黯然說道：「這麼說來，老衲兩位師長，已然斷送在女施主的劍下了。」

那藍衣少女笑道：「如若他們不死，我也沒有法子啊！」

大證更是早已控制不住滿腔悲忿之情，臉色鐵青，泫然欲泣。

那紅衣少女突然一揚玉腕，對方兆南招招手，笑道：「薄情郎，你倒是滿快樂啊？」

方兆南也被那兩位禪關老僧死傷的凶訊，心神震動，他生具至性，心中悲苦尤過三僧，早已熱淚滾滾而下，聽得那紅衣少女相詢之言，心頭又是一驚。

他心中暗道：「莫非我那玄霜師妹被她們生擒不成？」

他極力掩飾著悲傷之情，冷冷答道：「我有什麼不對？」

紅衣少女格格大笑道：「我那絳雪師妹，多情鑄恨，私放強敵，被家師逼得跳入火山口中，在那烈焰飛騰的大火之中，早已化作飛灰而死……」

這消息有如巨錘擊胸，方兆南心弦大震，急急接道：「此話當真嗎？」

紅衣少女星目流動，打量了方兆南一陣，笑道：「字字句句，都可指日為誓。」

方兆南只覺一股悲忿之氣，直沖上來，突然一揮手中戒刀，大聲說道：「此訊如真，兩位今天也別想生離此谷就是！」

紅衣少女突然格格大笑道：「你不怕山風吹閃舌頭嗎？憑你那點微末武功，也敢說這等放肆之言。」

大愚禪師一頓手中禪杖，沉聲接道：「兩位想生離此地不難，但必須先把老衲等劈在劍下。」

一躍而起，舉杖向那藍衣少女劈了下去。

他自幼剃度出家，生長方外，青燈黃卷，消磨去了他數十年的歲月，有生之中，從未遇過如此的悲痛之事。

二僧凶訊，可算是他今生之中，最大的傷痛之事，滿腔悲忿中劈出一杖，用足了十成勁力，當真是有如風雷突發，泰山壓頂一般。

那藍衣少女目睹這等威勢，不禁油生寒意，哪敢硬接其勢，柳腰一扭，倏然後退五步，避開一杖。

強烈的怒火，深沉的悲痛，激起大愚禪師的殺機，只聽他大喝一聲，不容那藍衣少女還手，鐵禪杖一招「狂風怒嘯」，橫裡掃出。

藍衣少女雙肩晃動，又退出八尺，人已退到絕壑邊緣。

大愚禪師雙目中神光閃動，雙足微一點地，僧袍飄飄，如影隨形，鐵禪杖一招「八方風雨」，幻出一片杖影，當頭罩下。

如若那藍衣少女不肯硬接此招，勢必被逼下絕壑，跌個粉身碎骨不可。

大愚禪師激忿之下，杖勢迅猛無比，藍衣少女寶劍已和禪杖相觸，立覺難以抗拒這碎石裂碑的威勢。

此刻生死交關，心神反而集中起來，當下運起全身功力，隨著擊來禪杖，橫向旁側一撥，撤手丟劍。

大愚禪師萬沒想到，她竟然會把手中兵刃丟去，被那丟劍的巧力一引，一杖擊空。

但那藍衣少女全力運劍，左手匕首去勢，隨著一緩。

這等打法，乃高手比武時，甚爲少見的事，剎那之間，兩人都經歷了生死一劫。

藍衣少女引開杖勢，立時反客爲主，揮臂反擊，匕首一轉，疾向大愚右臂上削去，寒光一閃，鋒刀已及大愚寬大的袍袖。

這迅厲的一擊，快如電閃，讓避和封架全來不及，迫得大愚禪師鬆開了雙手緊握的禪杖，左手一轉，五指猛向藍衣少女緊握匕首的左腕抓去。

如果她不肯立時收住橫削的匕首，大愚禪師的右小臂，雖可能被她利刃斬斷，但她左腕的脈門要穴，亦將被大愚的左手五指扣住。

這是兩敗俱傷的局面，那藍衣少女似不甘冒玉石俱焚之險，左腕一沉，讓開了大愚禪師疾抓的五指。

但因這一讓之勢，她手中鋒利的匕首，也一擊落空，身形一錯而開。

雙方又成了面對面的相持之局。

在兩人身旁數尺之後，放著禪杖、寶劍，但誰也不敢伏身去撿，相持約一盞熱茶工夫之久，大愚禪師忽然大喝一聲：「女施主小心。」

他舉手一掌，遙遙擊去。

一股強猛絕倫的勁道，直向那藍衣少女撞了過去。

藍衣少女早已蓄勢戒備，右手一引，一股陰柔的力道隨掌而出，接住了大愚禪師強猛絕倫的掌風，嬌叱一聲，右手猛然向外一翻。

大愚禪師忽覺抗力一減，身軀不自主地向前一傾，心頭微感一震，趕忙收回擊出的內勁，但見眼前人影閃動，白光電掣，銀花朵朵，當胸襲來。

那藍衣少女用本身內力，引開了大愚禪師的強猛掌力之後，立時揮動手中匕首，欺攻而上。

大愚禪師一著失神，全身數處大穴，都被那匕首幻化出的朵朵銀花罩住。

老和尚身陷危境，絕學立出，大喝一聲，踢出一腳。

這是少林寺七十二種絕技之一的「觀音足」。

他一腳踢出，強猛絕倫，那藍衣少女冷笑一聲，欺攻的身軀，忽然向左面橫移兩尺，手中匕首卻原式不變，指襲前胸。

哪知大愚禪師踢出的一腳，竟預測到她閃讓的方向，腳落實地，忽然一旋，如影隨形地橫掃過去。

這不過一剎那間的工夫，但聞一聲悶哼，鮮血迸射，大愚禪師的左肩，被那藍衣少女手中匕首，劃破一道四、五寸長短的血口，深可見骨。

緊接著一聲嬌呼，那藍衣少女的身軀，突然凌空飛起，撞在右面的峭壁之上。

她刺中了大愚禪師一刀，但也被大愚禪師踢中了一腳。

她為閃避大愚禪師踢來的一腳，使匕首失去準頭，如若不然，這一刀立時可把大愚置於死地。

大愚禪師沉重的刀傷，使他踢出的「觀音足」威力大減。

這一搏之間，兩人都受了重傷。

那藍衣少女雖然被那山壁撞得幾乎暈了過去，但手中匕首，仍然緊緊握著不放。

她緩緩站起了身子，右手扶著光滑的峭壁，臉色蒼白地說道：「老和尚，你的武功，不錯啊！這一腳踢得奇奧難測。」

大愚禪師低頭望望肩上的傷勢，鮮血已染濕了他整個衣袖。

滿臉沉重的表情，說道：「冥嶽的武功，果是不凡，老衲今日領教了，無怪大方師弟，和三十六護法，盡傷在冥嶽之中。」

忽聽大證禪師高喧一聲佛號，手橫方便鏟，大步走了過來，沉聲對大愚說道：「師兄請休息一下，小弟領教一下冥嶽的武功。」

那藍衣少女冷然一笑，道：「好，你上吧！」微閉星目，手扶山壁，慘白的臉色上，毫無驚慌之情。

大證緩步向前走，兩位禪關中的師長被害，使這方外人動了殺機，強烈的怒火，在他的胸中燃燒。

他走近那藍衣少女五尺以內時，她仍然微閉著雙目而立。

大證禪師高舉起手中的方便鏟，正待擊下時，心中突然一動，暗暗忖道：「她在重傷之後，難道真的乘人之危，一鏟把她擊斃不成？

「此事傳言江湖，不但老僧被人恥笑，就是少林的威名，也要大受損失……

「但她下手刺傷坐關期兩位師長，手段是何等的卑劣下賤，對付此等之人，還和她講什麼信義……」

這兩個極端矛盾的念頭，在他心中，一陣迷亂衝突，一時不知如何才好，竟然呆在當地，舉鏟難下。

忽見那藍衣少女睜開星目，微微一笑，道：「你怎麼不動手啊？」

大證還未來得及答話，那藍衣少女突然一陣格格嬌笑，道：「你既然不動手，那我就不客氣了。」

突然一晃雙肩，直欺而入，手中匕首一閃，當胸刺到。

大證禪師萬沒料到，她竟然說打就打，而且出手辛辣無比。

他手中方便鏟乃長打兵刃，被那藍衣少女突然欺近身來，反而施展不開，迫得仰身一躍，疾退五尺。

耳際間響起那藍衣少女嬌笑之聲，道：「你可是想跑嗎？」

如影隨形，欺攻而上，手中匕首揮動，左點右刺，倏忽之間，連續攻出了七招。

這七招，著著不離大證禪師的前胸要穴。

迫得大證手忙腳亂，手中空自握著勢深力猛的方便鏟，不但難以發揮威力，在這等近身相搏之中，反而成了他一個拖累。

兩人力搏了十幾個回合，大證禪師一直在險象環生之中。

閉目運息的大愚禪師，經過自行閉穴止血，運氣調息了一陣之後，傷疼之苦已止，睜眼望去，見師弟正陷在生死頃刻之間。

這時，方兆南也正和那紅衣少女戰至緊要關頭，刀光如雪，劍影重重，各出絕學，人影難辨。

大道禪師送信未歸，只有自己乃唯一可解師弟之危的人。

但對一個妙齡少女，如果自己再出手相助，實有辱少林之譽。

但目下形勢危殆，大證已盡失先機，藍衣少女詭異的身法、武功，有如附身之影，不論大證禪師如何閃讓，均無法擺脫那不離前胸要害的匕首。

突聽那藍衣少女嬌叱一聲，手中匕首左搖右揮，灑出滿天寒芒，大證禪師一個閃避不及，前胸被劃中，鮮血汩汩而出，剎那間已濕了半邊僧袍。

大愚禪師目睹險情，心知自己如果再不出手相助，三、五回合內，大證禪師必然要傷亡在那藍衣少女匕首之下。

當下大喝一聲，運功劈出一掌。

他功力深厚，雖然受傷，但並未傷到內腑，劈出的掌力仍然強猛絕倫。

那藍衣少女眼看大證禪師手足已亂，傷敵只不過三、五招內之事，強提真氣，壓制著發作的傷疼，手中匕首，攻得愈見凌厲。

忽覺一股暗勁，撞了過來，心神一震，不自主地向後退了兩步。

大愚禪師全力劈出一掌，震動左臂傷口迸裂，鮮血又急湧而出。

那藍衣少女退了兩步，大證禪師立時緩開手腳，佛門方便鏟忽然一緊，鏟光大盛，反守爲攻。

那藍衣少女被大愚禪師一掌震得全身真氣浮動，內傷發作，只覺一陣腹疼如絞，再也無法提聚真氣。

她哪裡還有餘力，封接大證禪師那招如開山巨斧般的攻勢。

轉瞬間，主容易勢，戰局大變。

大證方便鏟施展開來，鏟光暴及一丈方圓，日光下月牙閃閃，金風破空。

藍衣少女全憑詭奇的身法，閃避凌厲的攻勢，但內傷沉重，五回合之後，已後力難繼，行動愈來愈慢。

大愚禪師低沉地說道：「師弟不要傷她性命，震飛她手中兵刃，生擒住她。」

大證滿身鮮血，高喧一聲佛號道：「放手！」方便鏟一招「金剛飛鈸」，敲在那藍衣少女匕首之上。

那藍衣少女早已感到筋疲力盡，手中匕首被大證方便鏟一震之下，登時脫手飛去。

大證借勢欺進一步，飛起一腳，向那藍衣少女右膝上踢去。

藍衣少女嬌軀一轉，橫向左面跨去。

她身法雖然靈活奇詭，但力量已經用盡。

她內傷又正發作，行動遲緩，右膝關節要穴，雖然讓開，但卻被大證踢來一腳，踢在右腳上面，身子打了兩個旋轉，摔倒在地面上。

大證急奔過去，點了她兩處穴道，長長吁了一口氣，忽然向後退了四、五步，一跤跌在地上，手中方便鏟也脫手落地，擊在一塊小石上。

原來，他刀傷極重，血流甚多，人早已覺出不支。

但他卻憑藉著數十年深厚的內功修爲，提聚著一口真氣，帶傷猛攻，待他點了那藍衣少女穴道之後，不覺鬆下口氣，真氣一洩，登時感到全身筋骨痠軟，退後數步，一跤跌倒。

這是一場殘酷的搏鬥，三個人都受了很重的傷。

大愚禪師雖然眼看師弟受傷甚重，但他正自顧運氣止血，無暇過去相助。

這時，幽寂的山谷中，只餘下了方兆南和那紅衣少女還在惡鬥，兩個人靜靜地躺著，大愚卻靠在一塊大岩石上，運氣療傷止血。

太陽由遙遠的山峽中，透射過來，刀光、劍影在日光下幻出千重銀淚。

兩人已力鬥了近百個回合，仍然是一個不勝不敗之局。

方兆南把手中戒刀當做寶劍施用，全走的劍招路子，雖然不很習慣，但仍能抗拒住那紅衣少女凌厲的攻勢。

兩人動手之初，方兆南就被迫得只有招架之功，有驚而無險。

不論那紅衣少女施出何等毒辣的劍招絕學，方兆南每每被逼到危急之時，立刻施出一式奇學，把那紅衣少女迫退。

久戰之後，心中逐漸領悟那陳姓老人所授武功之妙。

同時也覺得那紅衣少女的武功，確和陳姓老人，同出一門。

有時兩人用出同樣的武功相搏，彼此都愕然相顧。

方兆南已了解兩人這樣打下去，決難打出一個勝敗出來，因爲兩人武功同一路數，只要一用出來，對方立時了然到下面變化。

論武功純熟，紅衣少女勝了一籌，但在招術之上，方兆南似是略占優勢。

尤以那招「巧奪造化」只一出手，立時把強敵迫退，可惜他只熟記那招曠世絕學的起手兩個變化。

方兆南心中很明白，只要自己能多記熟兩個變化，立時可以把那紅衣少女傷在刀下，或迫使她棄去手中寶劍，束手就縛。

他用盡了心思去想，就是想不出來下面的奇招，反因分心過多，迭遇險招，那紅衣少女的劍鋒，兩次由他前胸掠過，劃破了胸前衣服。

激鬥之中，那紅衣少女突然喝了一聲：「住手！」寶劍揮掃，疾攻兩招，向後躍退三尺。

方兆南封開三劍，橫刀而立，冷冷問道：「什麼事？」

紅衣少女星目流轉，掃了側臥在地上的師姐一眼，道：「你刀法和劍法，一般一樣……」

方兆南冷然接道：「就是這句話嗎？」欺身而進，一刀「顛倒陰陽」猛劈過去。

紅衣少女劍花「橫渡鵲橋」，封住刀勢，說道：「你這刀法，從哪裡學來的？」

方兆南道：「天下武功，萬宗同源，偶有相同之處，也不值得大驚小怪。」呼呼兩刀，縱劈橫斬。

紅衣少女橫移嬌軀，寶劍灑出一片銀芒，金鐵交擊聲中，封開了方兆南戒刀，道：「可是我那絳雪師妹，傳授於你的嗎？」

方兆南道：「妳不要含血噴人……」

紅衣少女格格嬌笑，道：「反正她已葬生火窟，你就承認了，也不用著急。」

方兆南突然一陣感傷，泛上心頭，梅絳雪那冷艷的倩影，頓時展現腦際，黯然一嘆道：「她果真死了嗎？……」

紅衣少女笑道：「火岩溶液，可化鋼鐵，她縱是金打銀鑄，也早已被化得屍骨無存了……」

方兆南仰臉望天，想著數月來經歷之事，只覺如歷了千年萬劫，似夢似幻……

周蕙瑛斷魂抱犢崗，陳玄霜生死不明，凶訊再傳，梅絳雪又葬身在火窟之中，情恨幽幽，回憶斷腸，不禁流下兩行淚水。

正自忖思之間，突見眼前劍光閃動，那紅衣少女突然一劍刺到。

這一劍來得十分意外，方兆南雖想橫刀封架，情勢上已來不及，迫得倒躍而退，讓避三尺。

那紅衣少女一劍得手，搶去先機，立時展開快攻，玉腕揮動，剎那間攻出五劍，這五劍一氣呵成，迅快絕倫。

方兆南被那急如江河奔瀉的劍影，迫得手忙腳亂，紅衣少女辣手頻施，嬌喝聲中，一劍掃傷了方兆南的右手。

方兆南只覺一陣劇痛，鬆手丟了戒刀，情急之下，揮掌反擊，一招「佛法無邊」，橫掃了過去。

這一招曠絕千古的奇奧之學，變化神奇莫測，那紅衣少女眼看掌勢擊來，但卻無法讓避，一劍封空，右肩完全暴露在方兆南掌勢籠罩之下。

匆忙中急急一側嬌軀，橫裡退開一尺。

方兆南哪還容她逃出手下，左掌一推，擊在那紅衣少女右肩之上，當堂把她震退兩步，飛起一腳，緊接踢出。

紅衣少女一條右臂，被方兆南掌力震麻，寶劍幾乎脫手，心中甚是驚駭。

只覺他劈來一掌，乃生平僅見之學，略一失神，右胯之上，又被踢中一腳，身不由主地凌空而起，向後飛去。

在她身後丈餘左右之處，就是那百丈絕壑，這一凌空倒飛，直向那谷中摔去。

方兆南伏身撿起那戒刀，縱身一躍直追過去。

他知道以那紅衣少女的武功，決不會跌入那百丈絕谷之中，但如在她身陷危境之中，制服她的機會，將大大增強。

這念頭在他腦際一閃而過，迅快地撿起戒刀，急追而上。

那紅衣少女右胯受傷甚重，一條腿整個地麻木起來，但她功力深厚，身軀被方兆南踢飛之時，已運氣逼入右臂，活了右臂的穴脈。

就這一剎那，她的身子已直向那絕壑之中摔去，方兆南也追到了絕壑邊緣，眼看她躍入深谷之中，倒是甚感意外。

正感嘆間，突見那紅衣少女向下疾沉的嬌軀，忽然一挺，右手寶劍一探，平放在絕壑邊緣的石地上，借勢一彈，身軀重又飛起了六、七尺高，身化飛鳥投林，平向岸上飛來。

方兆南大喝一聲，急縱而起，天馬行空般，橫躍過來。

那紅衣少女身子還未落實地，方兆南已自追到，一招「平沙落雁」橫削過去，刀光閃閃，帶起一縷金風。

耳際間響起了那紅衣少女嬌脆的聲音，道：「你當真要我命嗎？」

方兆南聽得微微一怔，手中戒刀略緩，分厘之差，那紅衣少女緩開手腳，一劍封開了方兆南的戒刀，反手急攻兩劍，把方兆南逼退一步，身落實地，笑道：「你的武功長進了不少啊！」

方兆南眼看她落足實地，心知制服她的機會已失，勢必還得一場惡戰，當下冷冷說道：「今天妳們再想生脫此地，哼！只怕機會甚渺。」

紅衣少女抬頭望那藍衣少女橫臥之地，微微一笑，說道：「兩個老和尚，所受之傷，不會比我的大師姐輕，哪一個能夠先行醒來，運功斃敵，哪一個才能算勝，眼下都還在相持掙扎之中，判論生死，只怕言之過早了。」

方兆南暗道：「這話倒是不錯，一流高手相搏，常有兩敗俱傷之局。」不自覺地回頭望去。

忽聞衣袂飄動之聲，慌忙轉過頭來。

但見眼前銀芒閃動，寒風襲面，慌忙一縮項頸，向後退去。

一陣冷氣，掠頂而過，削掉他一片包頭青巾。

原來他一回頭時，那紅衣少女突然揮劍削來。

她生性詭辣、陰險，也不講什麼武林規矩，目睹方兆南武功較昔日動手時，長進甚多，不但已無取勝之望，且有落敗可能，立時心生詭計，騙得方兆南一回頭，突然發難。

這一劍本可把方兆南置於死地，哪知她右腳麻木未復，行動不便，有欠靈活，剛一發動，方兆南已有驚覺，縮頸倒躍而退，驚險萬分地避開了一劍。

方兆南驚魂略定，冷冷喝道：「冥嶽中人，當真是毫無人氣，詭計陰謀，無所不用其極！」

紅衣少女毫無愧色地笑道：「動手相搏，武功、智計並較，給你點教訓，你也好長點見識。」

方兆南怒道：「這也算得智計，也虧妳說得出口。」

一招「冰河凍開」，猛劈了過去。

紅衣少女自知右腿麻木未復，進退閃躍，甚是不便，當下凝立著不動，揮劍一架，擋開了方兆南的戒刀。

刀劍相觸，響起了一片金鐵相擊之聲。

兩人重新動手，彼此心中都已有數，誰也不敢稍存輕敵之念，方兆南揮刀搶攻，那紅衣少女卻改採守勢，靜站不動，揮劍接架。

她怕自己一動，被方兆南看出她右腿傷得甚重，攻勢更加猛烈。

這一來，全成了硬打硬接的局面，幽寂的山谷之中，響起了一片叮叮咚咚之聲，繞耳不絕，方兆南一口氣攻了二十餘刀，見她一直靜站不動，不禁動了懷疑，陡然收刀不攻。

那紅衣少女微微一笑，道：「你怎麼不攻了？」

方兆南冷笑道：「妳爲什麼站著不動？哼！我不信妳只是想以硬拚硬打，和我分出勝敗……」

紅衣少女接道：「你手腕上傷勢不輕，流血已經不少，咱們再打上十個回合，你就難再支撐下去。」

方兆南放聲大笑道：「我不會再上妳的當了。」

左手忽然平胸舉起，又道：「妳再接我一掌試試！」突然欺身而上，揮手拍出。

那紅衣少女見他舉手發掌的姿態，和剛才一般，心中大驚，明知他這一掌攻來，自己無法防守，但也不會束手待斃，寶劍倏然劃出一圈銀虹。

方兆南已知這招掌法妙用無窮，心中毫無所懼，默誦心法，直劈的掌勢，突然變成橫拍。

原來這招「佛法無邊」，名雖一招，實則蘊含著極多的變化，練習純熟後能夠以變制變，搶敵先機。

因掌勢拍出之時，並無一定的變化路數，全要看敵人防守反擊的變化，因時制宜，這正是上乘武學中，以巧制巧法則。

那掌勢中含蘊天、地、人三才變化，包羅了橫斬、直剪、斜擊、截打，諸種訣竅，掌勢一經出手，就占盡了制敵的先機。

方兆南由直劈忽然變成橫斬手法，只是由那紅衣少女防護劍勢，帶動的變化，毫不思索地應時而變，但卻大出了那紅衣少女的意料之外，只覺手腕一麻，寶劍脫手落地。

方兆南隨手一抄，五指已扣住在她右腕脈門之上。

他掌勢乘隙攻入那紅衣少女護身劍影之中，擊落她手中兵刃，扣住了她右腕脈門，一氣呵成，輕鬆無比，有如信手拈來，心中並無若何感覺，事實上也來不及用心去想。

但當他扣拿住那紅衣少女手腕之後，心中大生驚奇，暗暗忖道：「我的武功，當真這樣高了不成，怎麼揮手間，就把這冥嶽中一流高手制服，唉！早知這招『佛法無邊』如此之妙，實在用不著和她力拚了這麼長的時間。」

他只管默想此事，忘記了運加功力，迫使對方行血返攻內腑，消失抗拒之能。

那紅衣少女雖覺他這一掌攻勢玄奇，不易防禦，但卻沒有料到會被他擊落兵刃，拿住脈穴，也不禁為之一怔，心中暗暗嘆道：「完了……」

哪知方兆南拿著自己脈穴之後，竟然呆呆地站著不動，不知道想的什麼心事，不覺心中一動，暗運功力，左手閃電而出，橫裡一抄，抓住方兆南的右腕。

待方兆南霍然驚覺時，右腕脈門，已被紅衣少女緊緊扣住，手中戒刀，也脫落在地上。

兩人同時運加內力，同時感到右腕一麻，行血被逼得返向內腑攻去。

這是個僵持的死結，方兆南一時的大意，由大勝之局，變成了兩敗俱傷的局面。

兩人同時覺著半身一陣痠麻，勁力忽然消失，扣注對方手腕脈穴五指，難再用力。

紅衣少女大危已解，嬌笑說道：「看來今日之局，咱們要做同命鴛鴦了，你不肯放開我被扣脈穴，但卻也無法掙脫我扣拿你的右腕……」

方兆南冷冷說道：「什麼同命鴛鴦不鴛鴦的，哼！一點不知羞恥。」

紅衣少女格格一笑道：「一男一女，彼此牽腕而死，別人眼中看來，只當我們相攜殉情，豈不是一對同命鴛鴦？」

方兆南暗暗想道：「這話倒是不錯，眼下誰也不敢稍存大意，只要稍一失神，立時將滿盤皆輸，這局面僵持下去，大有兩敗俱傷的可能……」

只聽那紅衣少女嬌笑之聲，回蕩在耳際，道：「你可要聽聽我那三師妹死去的經過嗎？」

方兆南冷冷說道：「不必說了，在下對姑娘戒心甚深，任妳……」

忽見那紅衣少女臉色一變，猛然一帶方兆南的身子，左腿一抬，用膝蓋直向方兆南小腹之上撞去。

方兆南已知她詭計多端，早已暗中戒備，順勢一推，橫向一側閃去。

兩人手腕彼此相拿，全身勁力大半難以用出，紅衣少女一招落空，全身向後倒去，方兆南身子橫讓，馬步移動，重心不穩，被她一帶，一齊摔倒在地上，一陣翻滾，到了懸崖邊緣。

方兆南左腳登住懸崖旁邊一塊山石，穩住身子，回目一瞧，但見那絕壑深不見底，摔下去，勢非粉身碎骨不可。

但那紅衣少女已生了同歸於盡之心，全力向前面絕壑移動。

這時，雙方都用出全力，緊握對方脈穴，成了個相持不下之局。

忽然問，傳過來一個低沉的聲音道：「方施主請再堅持片刻。」

聲音入耳，方兆南立時辨出是大愚禪師的聲音。

這紅衣少女突然發難，想必是看到了大愚禪師醒來，怕他趕來馳援，才想出同歸於盡的辦法，從萬死中，謀求一線生機。

紅衣少女忽然猛一抬頭，兩片櫻唇，疾向方兆南臉上撞去。

方兆南不自覺地微一側頭，那紅衣少女卻借勢用力一推。

但聞一陣隆隆大震，方兆南藉以支持身體的山石，滾入了懸崖之中，兩人的身軀又向前移動了數尺。

方兆南無法回頭張望，雙腳向後一蹬，希望再找到一塊山石，但覺雙腳一齊登空，膝蓋以下，已離實地，心知下身，已伸入絕壑。

只要那紅衣少女再略一加力，兩人即將同時跌入深谷。

他心中暗道：「這一場搏鬥，九成已成了同歸於盡的結果。」

目光轉動，忽然發覺那紅衣少女右腕上，有一塊扣子大小的紫記，不覺啊了一聲。

那紅衣少女冷然一笑，道：「你叫什麼，可是怕死了？」

方兆南道：「妳可是姓雲嗎？」

那紅衣少女聽他忽然問起自己姓氏，先是一怔，繼而笑道：「你身後兩尺之處，就是絕壑，那老和尚縱然及時趕來，只怕也無法救你。」

方兆南怒道：「摔下懸崖，未必就一定會死，何況粉身碎骨，也不是我一個……」

他微微一頓，突然提高了聲音，道：「妳可是雲夢蓮嗎？」

那紅衣少女瞪得又圓又大的星目，突然眨動幾下，凝神而思，似是這名字對她十分陌生，但似隱隱相識。

她沉忖了一陣，突然嬌聲笑道：「你可是叫方兆南嗎？」

突然向前一推，方兆南的身子，又向那絕壑中移動了半尺。

這時，方兆南雙膝之下，完全懸入絕谷，雙手又和那紅衣少女扣拿，無法攀抓山石借力，只要那紅衣少女再稍一加力，方兆南勢非將沉入懸崖之中不可。

那紅衣少女不知是早已有恃無恐呢，還是當真不把生死之事放在心上，掙扎著抬起頭，笑道：「這絕谷之中飛石嶙峋，摔將下去，就是鐵打銅鑄的人，也難以再活。」

忽然一張櫻口，咬在方兆南握住她脈穴的手腕。

這一下倒是大出了方兆南意料之外。

但覺手腕一陣劇疼，鮮血急湧而出。

方兆南本能地一鬆五指，那紅衣少女順勢掙脫了方兆南緊扣的脈穴，揮手一掌推了出去。

方兆南五指鬆開，已知難逃摔入絕壑的厄運，心想由她劈入絕壑，倒不如自己跳下的好，當下一沉真氣，猛向絕谷之中墜去。

這不過一剎那間，紅衣少女一掌擊空，忽然覺著自己的身子，也向絕壑之中沉去，趕忙鬆開方兆南的右腕脈穴。

方兆南脈穴雖然脫開，但人卻沉沒於絕壑之中。

那紅衣少女忽然一躍而起，探頭向下看時，方兆南已沉下了數十丈去，不禁微微一笑，高聲說道：「三妹夫，恕我不送葬啦！」

忽聽一個蒼老而又帶著忿怒的聲音，道：「冥嶽中人，當真是個個不帶一點人氣，老衲也不能和妳們講什麼江湖規矩了。」

就在聲音剛剛傳入耳際時，那紅衣少女突然覺著一隻手掌，按住了背後「命門穴」上。

她站在懸崖邊緣，只要那身後之掌微一加力，立時可以把她推入絕壑之中。

此刻唯一的生機，是保持鎮靜，使對方延緩下手的機會，再設法從死中求生。

她呆呆地站著，一動不動，連頭也不回一下。

但聞那蒼老低沉的聲音，重又起自身後，道：「老衲生平之中，從未暗算過人，甚至我很少和人動手，但此刻卻不能饒恕妳了。我本該運集內勁震斷妳的心脈，使妳立時噴血而死，但我佛慈悲，叫老衲難下這等辣手，我把妳推下這絕壑，生死由妳去吧！」

忽然間，傳過一聲高昂的佛號，道：「那可是大愚師兄嗎？快些停手。」

這聲音異常熟悉，但卻使大愚禪師爲之震駭。

身後響起了步履之聲，那熟悉的聲音，重又傳了過來，道：「大愚師兄，快放開手，向後退回三步。」

聲音已不似剛才平和，顯然有了怒意。

大愚禪師掙扎著回頭望了一眼，立時鬆開了抵在那紅衣少女「命門」要穴的右手，迅快地向後退了三步。

因他回頭一瞥，看清了來人，正是失落冥嶽，生死不明的大方師弟。

那紅衣少女在大愚禪師掌勢離開之時，突然一個轉身，回過頭來，目光一掃大方禪師，緩緩向前走了兩步，靜站不動。

大愚目睹掌門師弟未死，也不知是驚是喜，呆呆地站了半晌，才合掌說道：「師弟逃回寺來，主持大局有人，小兄已受重傷……」忽然一跤跌倒在地上。

他和藍衣少女相搏，受傷甚重，尙未調息復原，爲救大證，不顧自身安危，全力發出一掌，雖然救了大證，重創了那藍衣少女，但自身那點提聚療傷的一口真元之氣，登時散去，劍傷處血管又復迸裂，出血甚多，全憑數十年修爲的功力，支持著身體，沒有暈迷過去。

如他能及時靜心療息，排除胸中雜念，未始不可使真氣復聚，但他因心懸大證和方兆南的安危，不能安心療養。

眼看方兆南又陷於危境，竟又不計重傷，趕來相援……

大方禪師的及時出現，使他心神爲之一寬，賴以支持他重傷的精神力量，突然消散，當堂暈倒地上。

大方禪師只冷冷地掃視大愚一眼，緩步走向紅衣少女身前，說道：「我已攔阻了少林寺後援之人，不准他們進入此谷。但姑娘留在此地，也非長久之策，暫請退隱一處隱密所在，三日之內，我定將少林寺全部解體。」

那紅衣少女環視了四外一眼，說道：「這片絕地之處，除了入口之外，別無可通之路，我師姐又身受重傷，你要我們往哪裡去走？」

大方禪師輕輕一皺眉頭，道：「她的傷勢重嗎？」

紅衣少女道：「人已暈倒不醒，當然傷勢不輕！」

大方道：「咱們過去瞧瞧，我身懷靈丹，或能療治她的傷勢。」

紅衣少女飛起一腳，踢了大愚禪師暈穴，當先走了過去。

大方禪師緊隨身後，將要走到藍衣少女身側之時，突然搶先一步，蹲下身子，抱起那藍衣少女的身子。

低頭看去，只見她星目緊閉，臉色蒼白，回目對那紅衣少女說道：「大小姐受傷很重，不過不要緊，她是被我們少林寺門下大力金剛掌，震傷了內腑，只要她服下兩粒丹藥，傷勢就可以穩住，再養息數日，就可以復元了……」

忽見那倒臥在地上的大證禪師，挺身而起，說道：「大方師兄，你幾時回來……」

大方緩緩轉過頭去，只見大證禪師，雙手撐地，滿臉現出驚喜之色，接道：「我佛相佑，掌門師兄歸來……」

突然發覺那紅衣少女，在師兄身側，立時急急說道：「師兄小心，你身後……」

那紅衣少女冷冷接道：「這人神志已復，留下他終是禍害，不如早把他殺死的好。」

舉步一跨，人已到了大證禪師的身側，玉腕揮掃，乒乒乓乓先打了大證兩個耳光。

大證禪師重傷初醒，驟見師兄，心中驚喜交集，神智尚未全復，這紅衣少女兩個耳光，雖把他打得滿口鮮血直流，但卻使他迷糊的神志陡然清醒過來，忽地一躍，探手抓起兵刃。

紅衣少女疾飛一腳，猛向肘間「曲池穴」上踢去。

大證陡然一個大翻身，避開踢來一腳，人已滾出七、八尺之外。

右腳順勢一勾，方便鏟已到手中，身軀還未站起，呼地一鏟「風吹落葉」，疾掃過來，鏟光閃閃，把那紅衣少女攻勢擋住。

她目睹大師姐重傷之情，已不敢再存輕視少林武功之心，手中沒有兵刃，不敢輕進。

大證禪師一鏟掄出，人已借勢而起，目光投注在大方禪師身上，滿臉迷惘之色。

大方緩緩放下懷抱中的藍衣少女，站了起來，沉聲喝道：「大證，你過來。」

大證呆了一呆，靜站不動。

大方禪師滿臉莊肅之色，道：「你可認識我是誰嗎？」

大證道：「小弟識得師兄乃掌門之人。」

大方厲聲喝道：「不聽掌門令諭，該當何罪，快放下手中兵刃過來。」

大證禪師一沉吟，丟了手中的方便鏟，緩步走了過去。

他似是已知道自己的命運，舉步落足之間，如負重千斤，莊肅的臉色上，滿布青筋，目蘊淚光，濡濡欲滴。

那紅衣少女橫向旁側，閃開了兩步，讓開去路。

大證走到大方身前，合掌當胸，閉上雙目，說道：「掌門師兄有何吩咐？」

大方禪師眉宇間忽現殺機，緩緩舉起了右手。

目光閃處，只見大證頂門間的汗水，滾滾而下，顯然他並沒有完全閉上眼睛，大方的一舉一動，他仍然可以看到。

千古艱難唯一死，他雖是修爲有素的一代高僧，面臨死亡時，也不禁神情激動，汗出如雨。

大方禪師忽生不忍之心，那高舉的右掌，遲遲不忍下落。

正當他掌勢猶豫難落之際，忽聽大證禪師悶哼一聲，張口噴出一口鮮血，整個身軀，突然飛起，摔入那萬丈絕壑之中。

耳際響起那紅衣少女嬌笑聲，道：「我看你舉掌不落，猶豫難決，乾脆替你殺了算啦！」

大方禪師微微一笑，道：「殺得好，不知怎地，我竟動了故舊之情。」

大方禪師說著，邊蹲下身去，扶起那藍衣少女，急急從懷中摸出兩粒丹藥，打開她緊閉的牙關，投入她口中。

接著他又道：「二姑娘請推活她全身脈穴，半個時辰之內，她就可清醒過來，委曲兩位就在這山谷之內，找處隱密地方，養息一天，待入夜時分，老衲當親自迎兩位離此絕地，免使他們對我生疑，我要先走一步了。」

紅衣少女略一沉思，道：「好吧！今夜三更時分，記著來接我們。」

大方禪師合掌一禮，走過去扛起大愚禪師，放開腳程，急急奔去。

卅一　羅玄之謎

方兆南跌入絕壑之後，神志並未暈迷。

他一面提聚真氣，一面揮手四面亂抓，但那山壁光滑陡峭，寸草未生，抓了甚久，竟然沒抓到可以借力的東西。

他心中暗自道：「完了，這絕壑深不見底，再好的輕身武功，也無法保得性命。」

但覺那跌落之勢，愈來愈快，兩耳間風聲呼呼，身子距石壁也愈來愈遠，他僅有一線的生機，也爲之斷絕，只好一閉雙目，束手待斃。

這一瞬間，他腦際中同時湧現出三個美麗的倩影，天真嬌稚的周蕙瑛，熱情似火的陳玄霜，冷若冰霜的梅絳雪……

忽然覺著下沉之勢一緩，似是有一股極強的暗勁，把自己迅快跌落的身軀一擋。

來不及探首下視，身子已著實地。

不是堅如鋼鐵的嶙峋怪石，竟像是跌落異常柔軟的榻上。

他舉手拍拍自己的腦袋，意識到絕處逢生。

睜眼望去，只見一個鬚髮蒼然，滿身血漬的老人，高舉著雙手，接住了他的身子。

那老人沉重慈和的聲音響自耳際，道：「孩子，你遇救了，沒有人能逃過已定天數，大師兄的遺言，果然靈驗了……」接著是一聲深長的嘆息。
方兆南略一定神，縱身而下，離開了那老人的雙掌。
轉眼望去，只見那老人身邊不遠處，横臥著一個禿頂黑髯的人，他身上一件葛衣短袍，已被鮮血濕透，右肋處一道二寸左右的傷口。
方兆南一瞥之間，已看出那是足以致命的一擊。
他仰臉長長呼一口氣，鎮定一直驚慌的心神，目光由兩人身上緩緩掃過。
那鬚髮蒼白的老人，雖然滿身血漬，但精神似是很好，那禿頂黑髯老人，卻已似奄奄待斃，靜靜地躺在地上，動也不動一下。
這兩人的形狀，都極熟悉，但一時卻想不起來，在哪裡見過。
那白髮白鬚老人忽然微微一笑，道：「怎麼，你已經記不起我們了……」
方兆南心中一動，接道：「兩位老前輩，可是少林寺中的長老嗎？」
那鬚髮蒼蒼的老人，淡然一笑道：「小施主……」
突聽一聲呼然大震，血肉横飛，濺了方兆南滿身血跡。
那老人目光一掃，黯然嘆道：「大證師侄？」
方兆南凝目看去，只見那人整個的身軀，都摔得血肉模糊，但從衣著和形態上望去，仍可辨出是大證禪師。
不過，這白髮老人，久坐禪關，數十年不和弟子相晤，只昨夜匆匆一見，能在一眼辨出是大證禪師，實使人感到意外。
那老人似是已看透方兆南心中的懷疑，淡淡一笑，道：「少年人不必多慮，老衲在他身未撞地之前，已然看到，只可嘆老衲身有劍傷，行動不便，無法趕去相救，致令他摔個粉身碎骨。」

方兆南突然長拜那老人身前道：「晚輩如非老前輩相救，也早已屍骨無存了。」

那老人雙目圓睜，凝注在方兆南臉上，瞧了一陣，道：「機詐中不失人性本色，毒辣中仍存有仁厚之心，具此性格之人，方足和當今江湖上那些魑魅魍魎們一較雄長……」

方兆南聽得似懂非懂，但又不便出口相詢，大拜三拜，站起身子。

就這一剎工夫，那老人已閉目入定。

方兆南心中本有甚多話說，但見那老人雙目緊閉，神色肅然，心中忖道：「想他身受重傷，正需要運氣療息，我且不可驚擾了他。」

他緩步走到丈外一處大岩石旁，停了下來。

這是一條人跡罕到的絕壑，因久年不見陽光，滿生綠苔，不知從何處，流來一道泉水，散亂地由山石旁流過，淙淙水聲，更增加了這深谷肅然的氣氛。

目光轉處，忽然發現那泉水中一片片殷紅之色，這時忽然想到不遠處，還放著大證禪師的屍體。

他輕輕嘆息一聲，暗道：「同時由懸崖上摔了下來，但卻有幸與不幸，我仍然好好地活著，但那可憐的和尚，卻摔得屍骨碎裂，生死之間，就這樣毫厘之差，我應該去把他的屍體埋起來。」

心念一轉，緩步走到那血肉模糊的屍體旁邊。

他身上寸鐵不帶，只好用雙手撿移山石，足足耗去半個時辰工夫，才挖了一個勉強可容一人的石坑。

埋好了大證的屍體，又想到那身受重傷，奄奄待斃的禿頂黑髯老人，不知他是否已經斷氣，轉身向那老人走去。

只見他身上的傷口，仍然斷斷續續地向外流著鮮血，胸腹也仍然微微顫動，氣息仍存，並未死去。

方兆南伏下身去，從懷中摸出一方絹帕，在泉水中洗了洗，準備擦去那老人身上的血跡。

只聽那老人沉重的聲音，響繞耳際，道：「孩子不要動他，他死不了，不過劍傷深及內腑，他強運功力，走了一段不近的路程，一時間也難以醒來。」

方兆南回頭望去，那老人雙目依然緊閉，在這等淒慘的情景下，他仍能閉目調息，毫無慌亂之象，非有極深的定力，決難辦到。

只見那老人口齒啓動，沉重的語聲又傳過來，道：「老衲也受了極重的劍傷，背受三劍，劍劍深及筋骨，甚須要一陣靜靜的養息，六個時辰之後，老衲方可隨便說話……」

餘意未盡，但聲音卻倏然而斷。

方兆南仰頭望去，估計天色，不過卯末光景，六個時辰後，天已近夜，何不借這一段時光，自己也打坐調息一下。

心念一轉，盤膝而坐，排除胸中雜念，運氣行功，片刻之間，真氣散行四肢，緩行於百脈之中。

不知過了多少時間，方兆南突然爲一種沉重的呼吸之聲驚醒，輕啓雙目望去。

只見一個滿身黑毛，似猿似人之物，露著一口森森白牙，站在那禿頂老人的身旁，雙目望著那老人的傷口，緩緩伏下身去，似是要從那老人傷口之中，吸取他身上之血。

方兆南不禁大吃一驚，探手摸了一塊山石，握在手中。

轉臉望去，只見那鬚髮蒼然的老人，正自行功至緊要之處，頭頂之上，熱氣蒸騰，鬚髮微顫，似是並未發覺這似人似猿的怪物。

他腦際迅快地一轉，暗道：「這大概就是所謂的人熊了，看這等威猛的樣子，定然力大元窮，我手無兵刃和牠相搏，實無把握勝牠……」

忖思之間，那怪物的血盆大口，已將和那禿頂老人的傷口相接。在這緊迫的形勢下，使方兆南無暇再多考慮，右腕一揚，手中的山石陡然飛出。

這一擊用了他全身的力氣，山石刮帶起一片嘯風之聲。

那黑熊雖然形容可怖，力大元窮，但行動卻極遲緩，被方兆南飛來一石，擊中鼻梁之上，疼得一聲怒吼，向後退了兩步。

方兆南一擊得手，左右雙手順勢又抓起兩塊山石，大喝一聲，振腕打出。

這次那黑熊已有了防備，巨掌一揮，把一塊山石擋住，另一個山石，卻擊中了那黑熊大腹。

但聞咯的一聲，如擊敗草之上，那塊擊在黑熊腹上的山石，竟被彈了回來。

方兆南見黑熊皮肉堅厚，山石擊中，竟未能傷牠分毫，不由怔了一怔，縱身直掠過去，一招「飛鈸撞鐘」，當胸擊去。

黑熊身體笨重，閃避甚慢，方兆南拳勢擊個正著。

但見牠笨重的身軀，搖了一搖，大吼一聲，伸出兩隻巨掌，抓了過來，牠皮厚肉粗，中了一拳二石，竟然毫不礙事。

方兆南身子一側，避開了黑熊抓來之勢，心中暗暗忖道：「此物皮肉如此堅硬，我手中又無兵刃，只怕難以傷牠。」

方兆南聰明過人，幾掌幾拳打過，已知此物皮厚肉堅，要想傷牠，決非易事。

他立時改用遊鬥之法，不再全力出手，保持耐戰之力，故意逗牠轉來轉去，看準機會，就給牠一拳，或是撿塊山石投去。

這麼一來，那黑熊果然被他逗得暈頭轉向，空自怒吼。

不知過了多長時間，黑熊似被方兆南逗得瘋狂起來，怒吼一聲，揮臂橫掃而出。

但聽一陣山石碎裂之聲，石屑橫飛，幾根突立的嶙峋怪石，竟然被牠生生擊斷。

方兆南吃了一驚，暗道：「此物已中了我不少拳腳，竟然若無其事，而且力量如此強大，皮肉又如此堅硬，只要被牠擊中一下，也是當受不起，怎生想個法兒，早些把牠制服才好……」

正感爲難之際，忽見那黑熊，轉過身子，搖搖擺擺地向那禿頂老人奔去。

時機已到危急一髮之間，方兆南已無法再想下去，大喝一聲，躍起直撲過去，一招「五丁劈山」，用盡了生平之力，一掌擊在那黑熊後背之上。

這一掌有如鐵錘擊岩而下。

那黑熊高大的身軀，被震得向前一傾，大吼一聲，回過身來，巨大雙臂一張，猛向方兆南抱來，血盆口大張，白牙森森。

方兆南一掌擊中黑熊後背，手腕被震得一麻。

眼看轉身抓來，立時疾快地向前欺進一步，欺入黑熊懷中，用頭頂住那黑熊下顎，雙手拿住牠雙肘關節，十指漸漸加力。

這是個異常險惡的局面，只要方兆南扣拿黑熊肘間關節的五指一鬆，立時將傷在那黑熊巨掌利爪之下，或是頂在那黑熊下顎頭頂一錯，也將傷在那黑熊巨口利爪之下。

只聽那黑熊重重的急喘之聲，不絕於耳。

方兆南被推得直向後退，心中暗暗忖道：「我得把牠引得離那人遠些，再設法擺脫驚險的局勢。」

忽然覺得心神一震，雙手幾乎鬆開，趕忙定定心神，暗加雙手勁力。

原來他被黑熊推得撞在山壁之上，震得內腑一陣浮動。

目下唯一的生機，就是設法，引誘牠轉方向，讓自己離開石壁。

哪知黑熊覺著方兆南不再後退時，立時全身加力，向前推去，人熊胸腹相觸，壓力逐漸地增強。

方兆南後背、手肘，都已被那黑熊逼得貼在了石壁之上。

方兆南忙運真氣相抗，人與熊互較力量，初時，還可抗拒，但這等生死相拚，全憑天賦武功、巧勁卻已失去了作用。

時間一久，便覺不敵，只感到壓力漸強，全身都被那黑熊逼得貼到了石壁上面。

也不知過了多少時間，忽覺身上壓力突減，長長呼一口氣，睜開眼睛，左顧右盼了一陣，忽地向地上栽去。

原來他已用盡了全身所有氣力，憑借一種求生本能，迸發的精神力量，支持著身體，和那巨熊相拒。

當他睜開眼看時，已不見那黑熊，那支持他身體的精神力量，突然消失，暈倒在地上。

當他再度醒來之時，天色已然入夜。

身子仰臥在石地上，旁側燃燒著一堆火光，肉香撲鼻，引得饞涎欲滴，挺身坐起，伸手向火堆旁的一塊散著香氣的肉上抓去。

這時，他只覺饑腸難耐，也不顧細察此肉來歷，大口吃了起來。

嚥了三、四口後，饑火稍減，神智也清醒了甚多，才覺手中之物，從未吃過，和一般動物之肉不大相同，借著火光，仔細看去。

只見一塊形如豆腐之物，中間挾著甚多紫紅色的斑點，不知是何物做成，且有一股淡淡的腥氣，撲入鼻中。

瞧了瞧手中之物，揚起手來，準備把它投入火中。

忽聽一側暗影中傳過來一個蒼老清勁的聲音，道：「孩子，不要丟掉，快把它吃下去，那是老衲親手爲你採取那巨熊身上膽掌精華，爲你調製的食用之物。大山絕壑之中缺少調味之物，食用起來，也許甚感難吃，只怕還有一種淡淡的腥味，但食用之後，對你身體，卻是大有補益。」

只聽他長長嘆一聲，又道：「你已經熟睡了二十四個時辰，老衲借你熟睡的機會，已替你打通了身上幾處穴脈，前竅後關，都已開通。唉！老衲數十年未傷過一對蟲蟻，但卻爲了你破了殺戒，生剝活熊，快些把手中食用之物吃完，老衲還有事和你相商。」

這聲音清勁如聞天籟，方兆南一聽之下，立時辨出是那白髮老僧的聲音。

他微微沉吟一陣，閉上雙目，一口氣把手中的那塊微帶腥味之物吃完，長長呼了一口氣，挺身坐了起來。

那清勁的聲音重又響起，道：「孩子，這是一個天然的絕壁突岩，你到裡面來吧！老衲有幾句話要和你商量。」

方兆南邊：「老前輩有何指教，只管吩咐就是，這商量二字，晚輩如何能當受得起？」

說完，站起來，緩步向裡面走去。

這座天然突岩，異常廣闊，深入了兩丈多遠，才到盡處。

只見那緊靠山壁之處，盤膝坐著那白鬚白髮的老人，那禿頂老人，似已由待垂死邊緣中，爭回了性命，斜斜依在石壁上，閉目養神。

方兆南自覺精神已經好轉甚多，腹中饑餓也已消去，當下屈膝拜倒地上，道：「多謝老前輩兩番救命之恩。」

那老人一揮手，道：「你和佛門無緣，不用拜我，有話坐起來說吧！」

方兆南道：「晚輩……」

那老人固執地搖搖頭，道：「佛門之中，只有師徒之分，對外人不論齒長年高，你坐著說吧……何況老衲和你相談之事，乃是天下武林大局，已超出我佛戒條之外。」

方兆南暗道：「他久坐禪，對浮生人事，大千世界，早有獨卓之見，和這等高人相論天下武林大事，倒不可拘泥於俗凡禮教。」

當下微微一笑道：「晚輩恭敬不如從命，老前輩有何教言，但請賜示。」

那老人淡淡一笑道：「我不是和你談佛論道，只是和你商討一件事情，也許老衲尚沒有你知道的清楚，是即為是，不是亦當說明。」

方兆南道：「晚輩出道時日不久，所知有限，但有所知，自當盡言。」

那老人緩緩點頭說道：「你年紀不大，但一身藝業，卻是不凡，可惜根基不穩，學走旁門，奇功難足驚世，但究非上乘武功，你覺著老衲這幾句話，對是不對？」

方兆南心中一凜，暗道：「他從來未見過我和人動手，不知何以知我武功？」

當下正容說道：「晚輩確有一番奇遇，短短數日工夫，學了甚多武功，是否旁門之學，晚輩不敢妄自論斷，但已覺到所學武功，似是以詭奇取勢。」

那老人微微一笑，隱隱似有嘉許之意。

手捻白鬚，沉吟了一陣，道：「武學一道，源遠流長，一時之間，也說它不盡，大致說來，可分正宗、偏激兩大主源，正宗以根基漸進，學成甚慢，但功力愈進，則成就愈大，以養身立命為主，是謂大乘……」

他輕輕嘆息一聲，又道：「所謂偏激武學，則走的奇詭路子，以講求克敵制勢為主，縱有保身養命之術，也一樣流入左道，例如採補陰陽，借人助我，不過這等武學，有一個好處……」

話到此處，倏而住口。

方兆南道：「什麼好處？」

那白髮者人低聲讚道：「問得好，問得好。」

方兆南奇道：「怎麼，晚輩可有什麼失言的地方，尚望老前輩不吝賜正。」

那老人淡然一笑道：「你如是本門弟子，或是生性忠厚之人，縱然心中急欲要聽下去，也不敢向老衲追問。」

方兆南道：「在老前輩眼中看晚輩，是一個浮誇不實的人嗎？」

白髮老人道：「論你骨格，確是上乘之才，但機智有餘，忠厚不足，所幸尚能保有正俠之心，靈性不昧。」

方兆南道：「老前輩字字金玉，針針見血，晚輩聽來，更有不少親切之感。」

白髮老人突然拂鬚笑道：「就目下江湖而論，倒是極需要你這樣一個放得開手，以機變應付機變的人才，出主大局，大刀闊斧，以殺制殺，才能把數百年來集聚的一股邪惡之氣，掃蕩淨盡，澄清武林。」

方兆南道：「晚輩愚碌之質，老前輩太過誇獎了。」

白髮老人也說道：「老衲言出衷誠，對你並無褒貶之意。」

方兆南道：「晚輩一進失言，老前輩千萬勿怪。」

那老人道：「剛才你曾問那旁門偏激武學，有什麼好處，不知現在你想到沒有？」

方兆南道：「既屬偏激，那當是別走捷徑，損人借物，不擇手段，準此而論，當可收速成之效，一得之愚，還望老前輩多多教正。」

那白髮老人突然一睜雙目，神光暴射而出，凝在方兆南臉上，默然不語。

方兆南但覺那炯炯逼人的眼神，有如霜刃利劍，直似要穿胸而過，看透自己的五腑六藏，忽然生出一種惶惶不安之感。

只聽那老人微微一嘆，道：「你說得不錯，果有過人聰明，唉！浩浩殺劫天數已定，我佛慈悲，恐也無法挽救沉淪世道，如任其邪惡漫延，倒不如以殺制殺，也好早日澄清邪氣，造福蒼生。」

那白髮白鬚老人的清勁聲音，重又傳入耳際，道：「旁門之學，雖然早有流傳，但羅玄挾千古絕才，聚集大成，一時間江湖震駭，行蹤所至，武林轟動，被譽爲一代天驕，大有掩遮天下各大門派之勢……」

話至此處，似是感慨甚多，又輕輕地嘆息一聲，接道：「老衲在未坐禪之前，對羅玄的一切，也甚茫然，對他的神秘，爲人，甚至十分敬仰，所以，才不惜山水跋涉之苦，到處找他。

「那時，我一來是因爲對他敬慕，渴於一見，二則也是想和他討論一下江湖情勢，以他的聲望，武功，如果肯和我們少林派攜手合作，不難使江湖上妖氛淨除，百年內大勢可望無紛爭發生了。

「哪知他自視過高，竟主張人與天爭，老衲數年相訪，他竟然不肯和我會上一面，到後來終落個自食其果……」

方兆南嘆道：「老前輩怎知其事呢？」

那白髮老人默然嘆息一聲，道：「老衲那次雖未會得羅玄，但卻搜集到他甚多事跡，綜合所得，研究分析，羅玄雖然傷於門人手中，但並未死去。

「其間恩怨情仇，複雜異常，數十年前縱橫江湖的一對年輕男女，已被老衲查出，確是羅玄弟子，兩人出道江湖之時，已有了殺師大逆之罪，不知羅玄果有先知之能呢，還是故弄玄虛，事先繪製了一幅「血池圖」，遺流江湖。

「據說那『血池圖』中，所示的地方，收藏著羅玄親手抄錄的生平絕學，誰要能得到那『血池圖』，誰就可能繼承羅玄的衣缽，不過老衲對此一事，始終存疑。」

方兆南道：「老前輩可是對那『血池圖』的傳說，不信任嗎？」

那老人說道：「老衲雖聽過『血池圖』的傳說，但始終沒見過此物，『血池圖』，可能是有，但老衲對那圖中所示之地，藏有羅玄手著武功秘錄一事，卻難相信！」

方兆南道：「不知老前輩，何以有這等大背江湖傳聞的高見？」

那老人低沉地嘆息一聲，道：「你簡直在盤問老衲了……」

他微微一頓之後，接道：「依據常情判斷，羅玄似不可能先把一身武功記錄在一本手冊之上，藏入血池，何況只聽那『血池』二字，也不像一個藏寶之地，但羅玄一代絕才，也不致放無的之矢，其間定然另有玄妙。」

方兆南道：「不過晚輩，確已見過那『血池圖』。」

那老人望了方兆南一眼，道：「此圖現在何處？」

方兆南道：「在我一位師妹身上，可惜她已失陷在冥嶽之中，生死下落不明。」

那老人道：「你是否還記得那圖上畫的什麼？」

方兆南道：「那畫圖上滿是血紅之色，看去十分恐怖，其間線紋交錯，極難看懂，既無說明，也無可啓人疑猜的圖案。」

那白髮老僧道：「你再仔細地想一想，那圖上可有什麼解語之類。」

方兆南略一沉忖，道：「好像寫有幾句似詩非詩的話。」

白髮老僧道：「你慢慢想想吧，也許那圖記載之中，暗藏羅玄真正心意。」
方兆南閉上雙目，沉思了良久，抬起頭來，笑道：「我想起來了。」
那依壁而坐的禿頂黑髮老人，忽地一睜雙目，接道：「他寫的什麼？」
方兆南呆了一呆，暗道：「這人傷勢好得真快，」欠身一禮道：「老前輩神功過人，那樣慘重之傷，居然在短短一日之內復元。」
那禿頂老人聽得方兆南頌讚之言，心中甚感受用，微微一笑道：「師弟目力過人，這娃兒確實不錯。」
那白髮老僧道：「聰明有餘，忠厚不足……」
禿頂老僧道：「都像咱們師兄弟這般老實，十年之內，武林中再也找不出一個壞人了……」
他重重地嘆息一聲，道：「那時候，想想看是一個什麼世界，強梁橫行，到處殺人放火，遭劫受罪的還不是無辜蒼生，咱們如若無能勝人，也就罷了，但咱們卻隱技自珍，眼看著浩浩大劫，坐視不救，這叫做大慈大悲嗎？……」
此人生性似是甚為急躁，聲音越說越大，神情漸見激動。
那白髮老人嘆息一聲，道：「師兄傷勢未癒，不宜再多說話，快些住口休息啦！」
那禿頂老僧看去脾氣很壞，但對那白髮老僧，卻是不敢忤逆，依言閉上雙目調息。
白髮老僧緩緩把目光移住到方兆南的臉上，問道：「你可想好圖中解語嗎？」
方兆南道：「想好了。」
白髮老僧道：「背誦給老衲聽聽吧！」

方兆南道：「在那鮮艷如血的圖案之中，空出有一片白色，寫有兩行極細的小字，道：『三絕護寶，五毒守丹，陰風烈焰，窮極變幻。千古奧秘，豈容妄貪，擅入血池，羅禍莫怨』。」

那閉目養息的禿頂黑髯和尚，突然一睜雙目，喝道：「好大的口氣！」

白髮老僧卻心平氣和地低聲問方兆南道：「你再想想看，還寫有其他東西沒有？」

方兆南道：「晚輩自信記憶得十分清楚，決沒有其他記載了。」

那白髮老僧突然一睜雙目，問道：「你自覺武功如何？」

這一句話，不但問得意外，縱然在意料之內，也是甚難答覆，饒是方兆南多智善辯，也不禁被問得呆了一呆。

方兆南沉吟良久，才答道：「如若要經晚輩自相評論，那該是屬二、三流中，武林中老一輩的頂尖高人，晚輩自知難及萬一，但如是平常的綠林人物，也難是晚輩的敵手。」

白髮老僧忽地一伸右掌，說道：「你接老衲一掌，試試自己功力如何？」

說話之間，右掌已平推了過去。

方兆南縱身一讓，閃避開去，低聲答道：「晚輩如何能接得住老前輩雷霆萬鈞的掌力？」

那白髮老僧笑道：「難道你連試試自己功力的膽量，也沒有嗎？」

方兆南微微一呆，忽覺一股緩慢卻強勁異常的力道，逼上前胸，立時感覺心神大震。

他知道此刻已無法再讓，只好提聚真氣相抗。

那力量來得雖重，但方兆南舉掌一接之間，竟然自覺把那推來的力量接住。

雙方相持約片刻工夫，那白髮老僧忽然微微一笑，道：「你的內力不弱，你要小心了，老衲要增加壓力了！」

話一落口，那推來力道，果然逐漸加重，方兆南被形勢所迫，不自覺地運氣相抗。

但覺那老僧來的力量，愈來愈是強大，迫得方兆南也用出了所有的力量相抗。

那白髮老僧掌勢向前一推，壓力忽又增加一成。

方兆南已覺得用盡了所有的氣力，連一點一滴的餘力也沒剩餘，這老僧突然又加了一成壓力，迫得方兆南全身向後倒去。

慌急之下，左掌向後一滑，撐在地上，用右手抗拒那老和尚推過來的掌力，又支持了一盞茶工夫，已至筋疲力盡之境，全身的筋骨，有如散去一般，連開口說一句話的力氣，也沒有了。

只見那白髮老僧微微一笑道：「你要小心了，老衲要再加一成功力。」說著話，壓力又自加重。

方兆南只覺全身氣血，由丹田直向上面沖來，各部關節要穴，痠疼如折，手腕一軟，暈了過去。

當他神志重復，清醒過來時，卻靜靜地躺在那老和尚的身前。

他用力掙扎一下，想站起身子。

但覺全身癱瘓，骨節四肢，都已不聽使喚，不禁心頭暗道：「完了，我剛才用力過多，傷了全身經脈、關節，只怕這一生也難有復元之望了。」

只聽那白髮老僧，低沉、慈祥的聲音，響在耳際道：「你醒來了嗎？」

方兆南道：「醒來了，假如我永不復甦，那就好了。」
白髮老僧笑道：「年輕輕的孩子，怎地這等沒有志氣，目下江湖亂象初萌，你又在有力之年，日後作為正多，豈可輕易言死？」
方兆南道：「老前輩迫我相較掌力，把我全身關節要穴，全都震傷，人已癱瘓難動，還談什麼作為還多，哼……」
那白髮老僧笑道：「天將降大任於斯人，必先勞其筋骨，你受這點折磨，就心灰意冷了嗎？」
方兆南心中一動，欲言又止。
那白髮老人忽然嘆息一聲道：「好狡詐的娃兒，你心中既有感覺，為什麼不肯說出來？唉！機詐聰慧，足以擔當大任，可怕的是做事絕毒，不肯留一分忠厚之心……」
方兆南暗暗忖道：「這老和尚為我的生性，唉聲嘆氣，難道他有……」
忽聽那禿頂黑髯老和尚說道：「你已服過我師兄苦心調製的熊掌、膽、心合成的全熊糕，這絕谷之中，炊具全無，足足費了他一十二個時辰，才算製成。
「剛才逼你相拚掌力，迫你把全身的力量用得點滴不剩，然後用他本身數十年苦練的一口真元之氣，打通你的脈穴。
「他不惜損耗自身性命交關的真元之氣，想用人力創出奇蹟，使你在極短的時間中，登入我們少林密學，易筋洗髓上乘內功之境，唉！你這娃兒，不知感謝也還罷了，還要說出這等沒輕沒重的不敬之言。」
方兆南心中甚是感動，本想對那白髮老僧說句感恩之言。

但話將出口之時，心中突然一動，暗道：「他這般不惜耗消本身真元之氣，施恩於我，定然有什麼作用，我如出言相謝，只怕他會低視於我。」

當下把欲待出口之言，重又嚥了回去。

偷眼望去，只見那白髮老僧微閉雙目，髮鬚輕顫，神情甚是激動，似是正在考慮著一件極大的難題。

大約過了一刻工夫之久。

那白髮老僧突然睜開眼來，目光炯炯地逼注於方兆南臉上說道：

「目下武林中大亂已成，劫由人爲，老衲縱有慈悲之心，也難挽回這已定的天數……」

他微微一頓之後，又道：「老衲想把三十年禪中悟出來的絕藝，傳授於你……」

他的臉色突然間變得嚴肅起來，聲音也變得沉重有力地接道：「但你必須答應老衲三個條件。」

方兆南微微一笑道：「不知三個什麼條件？老前輩說出來，讓晚輩先考慮一下再說！」

白髮老僧沉吟了一陣，道：「第一件，學得武功之後，要維護我少林門牆，使本派仍然屹立於武林之中。」

方兆南道：「老前輩授我武功，這一點應屬晚輩份內之事，但不知第二件事又是什麼？」

白髮老僧道：「第二件事，你要重振江湖信義，而且終身信守不渝，義之所在，死亦不辭。」

方兆南沉吟了一會兒道：「信義二字，包羅廣大，盡可有甚多歪曲道理，但晚輩既蒙錯愛，自當潔身信守，盡力而爲，這第三件事，是什麼？」

白髮老僧道：「這第三條，只怕你不肯答應。」

方兆南笑道：「不要緊，老前輩現在還未傳我武功，如若我不能答應，老前輩也盡可收回傳我武功的諾言。」

那白髮老僧暗暗嘆息道：「好厲害的孩子，他已看透了老衲非傳他武功不可了。」

他心中在想，口裡卻鄭重說道：「老衲傳你的武功，大都是少林派中絕技，這些武功已在我們少林寺中沿傳了數百年，但學會之人，卻是少之又少。老衲私自把本門絕學傳授外人，已背棄了本派戒規，但為形勢所迫，不得不通權達變。唯一之求是你在老衲處所學武功，不能再授於別人，不論是妻子兒女，一律在戒傳之中。」

方兆南皺皺眉頭，道：「如若別人從我施展之中學得，那算不算我私授他人？」

那半晌不開口的禿頂和尚，此刻卻突然接口說道：「狡猾的孩子，只要不是誠心相授，讓別人學去一點，也不要緊。」

方兆南突然輕輕嘆息一聲，神態十分虔誠地說道：「兩位老前輩都存有救人救世之心，晚輩怎敢不盡心力！」

他一向帶著三分滑氣，但這幾句話卻說得誠誠懇懇。

禿頂老僧又道：「我那師兄還有一個私人心願，此情此景之下，他已不願對你說了……」

那白髮老僧急道：「覺非師弟不可……」

禿頂老僧大笑，接道：「有什麼不可說的……」

方兆南道：「老前輩但請說明，只要晚輩力能所及，定當全力以赴。」

禿頂老僧笑道：「好，那我就告訴你吧！你學會武功，行道江湖，別忘了去找羅玄和他比一場，如若勝了他，你就說，是覺夢大師要你和他比武的！」
方兆南道：「如若我打不過他呢？」
禿頂老僧道：「那你就說覺非要你找他比武就是！」
白髮老僧道：「師弟這又何苦！」
方兆南急急接道：「如若羅玄已離開人世呢？」
覺非大師道：「那你找他的衣缽傳人打個勝敗出來！」
方兆南沉吟了一陣，道：「這個晚輩定當辦到。」
覺夢大師道：「你並非佛門中人，不論心術，生性，都無法常伴青燈黃卷，我和師弟傳你武功，不過是借你之手，盡人力挽回一場武林浩劫……」
方兆南忽然一整臉色，長揖拜倒覺夢大師身前，道：「兩位老前輩既然這般看得起晚輩，方兆南敢不盡心盡力，誓死以赴，大師既覺晚輩罪孽深重，難入佛門，晚輩也不敢強求拜列門牆，只是有一事心中不明，尙望大師指點一、二？」
覺夢道：「老衲只不過是從相論人，並無未卜先知之明，你有什麼疑慮，不妨提出，老衲自當盡我所能，爲你解疑！」
方兆南道：「聽大師之言，隱隱之間，指出晚輩係生性狡猾之人，難道少林門中，就沒人可傳兩位大師衣缽？晚輩不敢推拒兩位賞賜之望，但亦不願兩位大師身負違背師門清規之咎，但得明示，晚輩自當引那德能兼具之人到此，以承兩位大師衣缽！」
覺夢大師拂髯微笑道：「問得好，欲尋一才德兼具之人，談何容易，少林門中，雖有宅心忠厚之人，但卻甚少才氣過人的弟子……」

他輕輕嘆息一聲，接道：「需知武術一道，雖然人人可習，但如想登峰造極，身集大成，那就要天賦過人，聰明逾眾不可，但此等人才世間並不多見。

「欲得一才，有如沙中求珠，千百年來，有不少武林高手，爲尋找一位承繼衣缽之人，遍求天涯而不可得，以致有不少絕技失傳，亦有不少爲愛才而錯選傳人，替江湖遺下了無比大患，老衲舉兩個例子，施主就不難明白了！」

方兆南邊：「晚輩洗耳恭聽。」

覺夢大師道：「先拿我們少林寺說吧，自達摩祖師創立吾派，以其超世絕人的卓越才氣，面壁八年，手著《達摩易筋真經》，但我後輩弟子，何止千萬，卻無一人能繼承他老人家成就的衣缽。

「少林寺中有七十二種絕技，但至今爲止，老衲還未聽過，上代高人之中，能夠全部通達，似此等有軌可循，有證可考，上有師尊，中有同門可資研磋，但千百年中，竟然無一人有此大成。」

他長長呼一口氣，接道：「不是老衲自謙，我們少林寺一門，選徒可謂極爲嚴格，才、德並重者，始傳絕技，單是那數十年晨鐘暮鼓的生活，就非一般意志不堅的人，所能忍受。

「有很多上代長輩，把畢生的精力，用以研求武學，百年未出寺門一步，其用心不謂不苦，意志不謂不堅，但能貫通一、二十種絕技的，已是絕無僅有的了……」

話至此處，似是引起了他無限感慨。

他沉吟良久，才長長嘆息一聲，道：「據老衲所知，本派自開創至今，沿傳數十代，弟子累計萬人，其中成就最高的一個，也不過兼通五十四種絕技……」

那禿頂和尚突然接口說道：「師兄足以自豪於本門之中，近三十年的閉關生涯，使師兄成就空前，料想三百年內，本門後無來者。」

覺夢大師搖頭嘆道：「由此三十年禪關之悟，使我了解了羅玄心中之苦，雖明知武功傳授非人，但卻又不忍使自己一身成就埋沒於泉下……」

他目光緩緩由方兆南臉上掠過，又是一聲長長的嘆息道：「世界上的人才，是這樣地難於尋找。」

方兆南忽覺心頭一凜，拜伏地上道：「晚輩承教了。」

覺夢禪師臉上泛現出安慰的一笑，道：「我雖違背師門規戒，但卻把三十年禪關所悟，傳留於人世之間，只要你以後能把老衲傳授的武功還藝少林，老衲死亦瞑目九泉了！」

方兆南突然抬起頭來，莊莊重重地說道：「老禪師苦心，使晚輩如聞晨鐘，如若我摔死絕壑，如若我被那黑熊吃掉，數月來，晚輩已經歷了無數險惡之事，也親身感受了人世生離死別之苦，如晚輩還有點可取之處，甚望大師容晚輩列身門牆，化身方外，托佑佛門。」

覺夢大師雙目閃動，盯注在方兆南臉上瞧了良久，搖搖頭嘆息一聲道：「你不是佛門中人，皈依三寶，也無法常伴青燈！」

方兆南道：「晚輩心堅鐵石，但望大師能春風化雨，使晚輩得……」

覺夢大師接道：「天數使然，人力豈能挽回！」

方兆南道：「晚輩身歷慘變，早已心若止水，如得恩准……」

覺夢大笑道：「藥醫不死病，佛渡有緣人！你不用再求我了。」

覺非大師接道：「我師兄不肯收你，實是別有用心，如你列入門牆皈依三寶，叫什麼人仗劍江湖，掃蕩妖魔？」

方兆南道：「但求兩位允准晚輩列身門牆，大劫過後，晚輩再剃度入寺，永絕塵寰。」

覺夢大師道：「以羅玄之才，尚不能逆天行事，何況老衲之才，還不如羅玄甚多，你不用求我了，快請閉目調息一下真氣，澄清心中雜念，老衲就要傳你武功了。」

方兆南輕輕嘆息一聲，自言自語地說道：「這麼說來，晚輩當真和佛門無緣了？」

他緩緩閉上雙目，運氣調息起來。

覺非大師施展傳音入密之術，對覺夢大師說道：「師兄，此子當真和咱們少林一派無緣嗎？」

覺夢大師道：「他眉宇之間，連生三道桃花紋，情孽重重，如何能入三寶，常伴青燈黃卷呢？」

覺非大師道：「這麼說來，這娃兒將來要淪落淫亂的色劫之中了。」

他似是極恨貪愛美色之人，說話時，滿臉泛現出憤怒之色。

覺夢大師道：「那倒未必，生具桃花紋，未必就貪戀女色，但此人一生事或都和女人糾纏不清，倒是不錯……」

他輕輕嘆息一聲，道：「他雖然忠厚不足，難播我佛慈悲，但骨格清奇，聰明絕倫，實是一個稟賦極佳的上好之才。」

覺非道：「他身集武功大成之後，不知會不會行事偏激，重蹈羅玄覆轍，我們雖然替武林造成一株奇葩，但也留下了一個大害。」

覺夢道：「這方面倒不至於，不過他聰穎中隱現幾分肅殺之氣，只怕他仗劍江湖，掃蕩妖魔之際，殺孽較重。」

覺非道：「亂世重典，目下江湖上邪風正熾，武林正義淪亡，如果能有一個身懷絕技之士，挾智謀掃蕩邪風，未嘗不是一件大快人心之事，僅是如此，師兄大可不必憂慮……」

覺夢大師道：「唉！眼下之局，實是甚需要他這樣一個足智多謀，能夠以毒攻毒的人才，出主江湖大局，他又不早不晚，在我們負傷逃出密室當兒，跌下懸崖。更巧的剛好就在我頭頂之上，如若他遠跌一丈距離，那時我傷勢正重，也無法出手相救於他了。這般般巧合，冥冥中似都已早有定數，也正和大師兄遺言符合。」

兩人談話，都施展傳音入密的工夫，是以方兆南坐息咫呎，竟是一字未聞。

覺非似是突然間想到了一個十分重大而又困難的問題，搖頭嘆息一聲，道：「但目下江湖之間殺劫已動，咱們縱有傳他武功之心，也難在短期之內，將一身所學盡授於他，只怕時機已誤，遠水難救近火。」

覺夢道：「他武功已然早具基礎，小兄準備以禪門中《移元傳薪》之法，助他早成，三個月的時間，大概夠了。」

覺非怔了一怔道：「這豈不太苦了師兄了嗎？」

覺夢道：「形勢迫人，已無選擇餘地，大證師侄，跌入絕壑，摔個粉身碎骨……」

覺非道：「有這等事，我怎地沒有見到？」

覺夢大師道：「屍體已被他埋起來了。」

覺非神色突然緊張起來，說道：「這麼說來，咱們少林寺中，已然和強敵動上手了？」

覺夢道：「何只動手，只怕已傷亡甚大，大愚師侄恐已難抽暇，去放南北二怪，待他運氣完畢之後，我準備先傳他『達摩三劍』，然後去釋南北二怪，以開縛之法，交換兩怪維護咱們少林寺的安危……」

兩人談話之間，方兆南已經運氣調息完畢，睜開雙目，說道：「晚輩忽然想起一事，還未對兩位大師說過。」

覺非道：「什麼事？」

方兆南道：「冥嶽已派強敵壓境，貴寺中形勢甚危。」

略一停頓，把自己和大愚禪師力戰二女的經過，極詳盡地說了一遍。

覺非怒道：「事關咱們少林一派興亡，老衲豈能坐視不管。」

陡然站了起來。

覺夢大師道：「師弟傷勢極重，已無和人動手之能，就是小兄也難和人相搏，快請坐下來，不要再無謂浪費時間。」

覺非大師默然不言，緩緩坐下，但他這一怒之下，所受劍傷，已然有兩處迸裂，鮮血汩汩而出。

覺夢大師似是顧不得再管師弟，回頭對方兆南道：「世人都說少林一派武功，純走的剛猛路子，就是所用兵刃，也都是以禪仗、月牙鏟等笨重的兵刃爲主，對於劍道之學，更是茫然無所知。因此，江湖上就傳出了我們少林派中無人會劍之言，老衲今日要傳你三招劍學。」

方兆南暗道：「如要正式傳我武功，應該從奠基之處著手才對，爲什麼先要傳我幾招劍術呢？」

他心中雖然疑慮重重，但卻不敢出言相詢。

覺夢大師心中似是甚急，說完就傳。

他舉臂做劍，說道：「這第一招名叫『西來梵音』，殺機瀰漫之中，隱隱布施我佛的慈悲之心。」

方兆南暗暗忖道：「這一招名字好怪，哪裡像劍招……」

但見覺夢大師手臂已開始緩慢地變動，不敢再亂想下去，趕忙凝神澄慮，全神貫注。

只聽覺夢大師清冷的聲音，傳了過來道：「『達摩三劍』，實非平凡之學，雖只是三招，但每招暗含九變，看著容易，學起來可就難了，快些舉起手來，以臂做劍，照我手勢移動，由熟生巧，當可貫通個中奧妙。」

方兆南隨那老人，學一招「巧奪造化」，苦習了兩個時辰，只記住了一半，事後用盡了心機，仍是想它不出，前車之鑒，哪裡還敢大意，當下舉臂做劍，依照覺夢大師掌勢變化移動。

初學之時，尚無若何感覺，習約百遍之後，逐漸感覺到個中奧妙。

那移動變化之中，似是隱含凌厲的猛攻，和嚴密的防守，當真是劍勢一出，攻防兼有的絕世奇學。

覺夢大師眼看方兆南已把那招「西來梵音」，演練已熟，低聲說道：「這『達摩三劍』，乃我少林派開山鼻祖達摩祖師親創之學，習此劍道，已然兼修內功，平時多用時間練習，自然由熟悟巧。」

他微微一頓之後，又道：「這第二劍名叫『一柱擎天』，此招一出，有如君王臨朝，威武不可一世，你要用心學了。」

方兆南垂首答道：「晚輩蒙大師如此看重，敢不盡我心力。」

抬頭看去，只見覺夢大師臉色變得一片莊嚴，右肘曲彎，當胸而立，緩緩向上舉去。

方兆南依照施爲，又練習了百遍之多。

覺夢大師低喧了一聲佛號，正容說道：「『達摩三劍』我已傳授其二，這第三劍，名叫『大羅一網』，這一招乃『達摩三劍』中最爲毒辣的一劍，對手如非萬惡不赦之人，不宜用此招對付。」

說完，舉臂相授。

方兆南習完三劍，足足耗了四個時辰。

覺夢看他把三劍變化，練習已熟，長嘆一聲說道：「這『達摩三劍』，用了我十五年的時間，才把他精要變化，體會出來，如非我體會出這『達摩三劍』，也不敢講我們少林武學中，包羅有劍道一學。」

方兆南道：「晚輩這數月來，雖然連遇凶險，事事物物，都留下了慘痛的記憶，但武學一道卻是得天獨厚，先蒙陳老前輩，授以絕學，半劍一掌，技絕塵寰，晚輩只一出手，無不得心應手。又蒙兩位大師垂青，傳授『達摩三劍』，晚輩質雖愚劣，但已體會三劍妙用無窮，尤其練習出手之時，心境一片明朗，佛門密傳，實非尋常可比……」

覺夢大師聽得似是十分留心，方兆南說到實非尋常可比時，突然接口說道：「半劍一掌，技絕塵寰，你既能用出此等形容之詞，想那劍掌之學，定是有過人之處。」

覺非大師接道：「半劍之謂，是何用意，老衲百思不解？」

方兆南道：「那位陳老前輩，傳我劍法之時，因晚輩的一時疏忽，致把那一招劍術，未能學全，事後雖然用盡心機，但因那一招劍學玄奇高深，竟然無法想起，晚輩只記了一半變化，故而稱它半劍！」
覺非大師道：「原爲如此。」
覺夢大師道：「你可否把那一劍施展出來，給我瞧瞧，老衲或能爲你補上此憾。」
方兆南道：「老禪師如有雅興，晚輩敬領教益……」
他微微一頓之後，又道：「不過自大師傳我『達摩三劍』之後，晚輩立時覺得這三劍招招氣度博大，使劍人自生一種恭謹崇敬之心，似乎這『達摩三劍』較陳老前輩相授的劍法，要正大光明得多了。」
覺夢笑道：「你把謹記的半招劍術，用出來給我瞧瞧再說！」
方兆南低聲應道：「晚輩恭敬不如從命了！」
當下舉臂代劍，把那招「巧奪造化」施展出來。
覺夢、覺非，都看得十分留心，凝神相注，目不轉睛。
方兆南緩緩出手，施出了三個變化之後，停手笑道：「此招原有八個變化，但晚輩只記住了三個。」
覺夢大師點頭說道：「雖只三變，已見詭辣，如你能記全八變，其凶辣勢將尤過『大羅一綱』，此招盡極玄奇，老衲未窺全貌之前，也難評論，容我想上一段再說！」
方兆南笑道：「老禪師儘管慢慢想吧！但以晚輩感受之中，覺得這一招『巧奪造化』失之偏激，似不若『達摩三劍』來得正大。」
覺夢大師沉忖片刻，忽然臉色大變，道：「昔年四大門派，追剿那施用『七巧梭』的妖婦時，鬧得傷亡狼藉，但仍然被她逸走，本門一代英才的大智師侄，也在那一戰中，重傷而亡……」

他微微一頓之後，嘆道：「如若大智師侄還在人世，老衲也不會把數十年禪關靜坐悟得的本門之學，傳授與你了……」

覺非似是突然悟解了師兄心中所想之事，急急接口說道：

「師兄可是想到那招『巧奪造化』，是羅玄所創嗎？」

覺夢道：「不錯，此招辛辣絕倫，偏走極端，正和羅玄的性格相同，高傲不群，目空四海，如若冥嶽妖婦出自羅玄門下，僅此一招，少林寺劫難已生……」

話到此處，突然轉眼望著方兆南道：「咱們雖然無師徒之名，總有傳藝之情，我和師弟均已身受重傷，而且是傷到了經脈要穴，如非禪中靜修，內功精進，早已橫屍絕壑。今生一世能否修續斷脈，復我神功，眼下還很難說，但我少林之危，已然迫在眉睫，老衲願以授藝之情，交換你挽救我們少林一劫！」

方兆南似是也警覺到情形不對，霍然站起身來，說道：「老禪師言重了，縱然老前輩對晚輩沒有傳藝之情，亦有救命之恩，若有所命萬死不辭！」

覺非急道：「他只不過學會『達摩三劍』，而且尚未純熟，一人之力，豈能挽救大局？」

覺夢大師道：「事已至此，只有冒險釋放南北二怪了，由這兩人之力，或可挽救目前咱們少林一次劫難了。」

覺非道：「寧可防其有，不能信其無，事不宜遲，師兄就快些吩咐他吧！」

方兆南也接口說道：「大師快些說吧！貴寺目下處境，確實險惡萬分，晚輩雖然自知武功不足助人，但願盡我心力……」

覺夢輕輕嘆息一聲道：「兩害相權取其輕，南北二怪雖然凶狡絕倫，但兩人的武功，確實是當代中極罕見的武林高手。」

他突然扶著山壁站了起來，接道：「走吧！我指給你看看他們被囚禁的地方。」扶著山壁向外走去。

方兆南忽然發覺這位德高望重，武功絕世的老和尚，兩個肩膀，一高一低，搖搖晃晃地向外走去，心中暗暗驚道：「此人受傷果然是甚重……」

忖思之間，那老和尚突然加快了腳步，手也放開了石壁，急急向外奔去。

方兆南急急追了過去，片刻之間，已出了突岩。

覺夢大師停在絕壑正中，伸手向正西方指著說道：「向西三百步，有一棵突出的矮松，就在矮松下面，有一個可以推動的石門，但那石門已經數十年沒有打開過了。

「那本是我們藏經閣通往外面的密道，除了負責守護經閣的首座弟子外，寺中再無人知道，眼下事情緊急，老衲不得不通權應變了……」

他輕輕咳了一聲，又道：「那矮松下有一道人工雕刻的花紋，仔細一點，就可以看出來了！你推開那石門之後，直向裡走，大約有一里左右，到了一處岔道的地方，左面向上的一道，通往我們寺中的藏經閣，右面向下的一道，是通往南北二怪的囚禁之地。

「不過此去十分危險，你一見到二怪，立時高聲說出來意，千萬不可和他們動手，二怪隔室相囚，這數十年來他們火氣也許已小了甚多，但也可能變得更爲凶殘，你必須見機而動！」

方兆南道：「這個晚輩自有應對之策，不用老禪師費心了，如若二怪被晚輩說動，答應出手相助，不知如何釋放他們？」

覺夢大師道：「本來有一把金鑰，可以打開他們身上的枷鎖，但這金鑰我已交給大愚師侄，目下唯一的辦法，就是把他們手上緊縛的天蠶絲索解去。

「但此物堅牢無比，刀劍難斷，必須先知道它結縛之法，然後才能解開，幸得大師兄逝世時，已把這結縛之法，傳授給我。」

方兆南道：「事情不宜再延誤下去，就請老禪師傳晚輩解那絲索之法吧！」

覺夢大師道：「去了兩人身上枷鎖，還有天蠶絲索，縛束他們的手腳，但如解去絲索之後，他們完全恢復了自由，萬一他們凶性未改，仍是當年的殘忍，勢必又爲江湖上帶來了莫大的災害。」

方兆南道：「冥嶽的凶殘，老禪師從未見過，晚輩身臨其境，想來餘悸猶存，好好的人，卻被那冥嶽妖婦，故意把他們扮裝成鬼怪模樣，除了她三個女弟子外，整個的冥嶽，就未見過一個衣著整齊的人！二怪縱然凶殘，也不過嗜殺成性，晚輩到時見機而作就是！」

覺夢大師迅快地傳授了方兆南解縛之法，然後囑道：「老衲之意，方施主最好先由藏經閣，進入寺中瞧瞧，如若情勢不是咱們預料的那般惡化，先別釋放二怪……」

方兆南道：「兩位老前輩閉關坐禪之事，是何等隱密，只怕連貴寺中大部分弟子，都不知道此事，但冥嶽中人，卻能直接找到兩位禪關重地，如若說事情湊巧，被他們無意尋到，衡諸情理，成份確實極小。

「因而使晚輩懷疑到，此事可能有貴寺中的人洩露隱密，如若晚輩這推斷不錯，目下貴寺處境，已然面臨存亡絕續的關頭。

「老禪師一念仁慈，只怕將致貴寺永劫不復之境，晚輩既不通休咎之術，亦不通星卜之理，只不過就事論事而已……」

他微微沉忖了一陣，道：「晚輩去了，不論成敗，晚輩當盡可能早些回來！」

說完，長揖作禮，轉身疾奔而去。

覺夢大師望著方兆南遠去的背影，長長嘆息一聲，才回身扶壁而入。

卅二　南北雙怪

方兆南依照覺夢大師之囑，西行三百步左右，果見一株突生於石壁間的矮松。

他仔細地打量了一陣，果然發現那矮松下有一道人工雕刻的花紋。

方兆南默運真氣，勁貫雙臂，用力一推，哪知石壁堅牢無比，動也未動一下。

但他心中極明白覺夢大師決不會欺騙他，略一怔神，又用力向右面推去，但石壁仍然分毫未動。

他雖然幾次推拿石壁，但他並不灰心，一直左推右轉，不停地移動著雙手勁力，終於被他觸動了機關。

但聞一陣軋軋之聲，石壁果然應聲而開，現出一座石門。

方兆南縱身一躍，直入那石門之中，大步向裡面走去，行不及三丈，忽覺天色一暗，那石門竟然又自動閉上。

但覺石道十分平坦，而且毫無潮濕之味。

走約百丈遠近，石道突然岔分為二。

左面一條，斜斜向上，右面一條，卻是平坦之路。

方兆南略一沉吟，舉步向右面一條走去。

又走約三、四十丈，石道突然轉呈寬闊，一個沉重的呼吸之聲，傳了過來。

方兆南心知已經接近了二怪囚居之地，一面運氣戒備，一面故意放重了腳步，向前走去。

轉過了兩個彎，忽覺眼前一亮。

只見丈餘外一座石門，緊緊地關閉著，那石門上有一個半尺見方的窗口，沉重的呼吸之聲，正由那窗口中傳了出來。

方兆南緩步走近石門，探頭向裡面看去。

只見一個長髮覆面，衣服破損的人，背上揹著一個大如車輪的黃色枷鎖，靠在石壁上呼呼大睡。

西側峭壁開了一處圓如輪月的洞口，天光由那洞口中透入。

方兆南舉起右手，重重地在那石門擊了兩掌，高聲說道：「在下是方兆南，特地來探望兩位的。」

那長髮覆面的怪人，忽地坐了起來，兩隻眼睛中暴射出威逼人的光芒，道：「你是少林寺和尚嗎？」

方兆南道：「在下並非少林寺中之人……」

一面答話，一面暗運內力，扭斷石門外面鐵鎖，推開石門，緩步而入。

那長髮掩面，衣著襤褸，身揹金色枷鎖的怪人，目睹方兆南竟然扭斷石門上鐵鎖，緩步走了進來，似是感到十分快樂一般。

他哈哈一陣大笑，坐起的身子，重又靠在石壁之上，說道：「數十年前，老夫在江湖上，已使人聞名喪膽，而且最喜生啖人心下酒，你這小子膽子倒是很大啊！竟然走進老夫這石室中來。」

方兆南微微一笑，暗中運氣戒備，表面上卻裝得若無其事般，在他對面坐了下來，笑道：「老前輩在這石室中，住了很多年嗎？」

那怪人冷電似的目光，從那覆面長髮中暴射出來，打量了方兆南一眼，道：「大概比你的年歲還多一點了吧！」

方兆南道：「那定然是很寂寞了？」

那怪人冷哼一聲，罵道：「賊和尚把我鎖到石室之中受了幾十年的活罪，哼！待我出此山洞之時，非得再找他好好打上一場不可！」

方兆南微微一笑道：「老前輩在這石洞中住了幾十年，都想不出脫身之法，只怕這一生，難有生出這石室之望了！」

那怪人哈哈大笑，道：「快啦！再有二年時光，我就可以自脫天蠶絲索，離開這石室了！」

方兆南道：「晚輩曾經聽人說過，那天蠶絲索堅牢無比，縱是利劍寶刃，也難斬斷，不知老前輩何以能夠弄斷此索？」

那怪人突然冷笑一聲，道：「老夫在這石室之中一住數十年，整日中都在想法子弄斷這天蠶絲索，豈有想不出辦法之理！」

他似是要證明自己之言不虛，還把一雙枯瘦如柴，被捆在一起的雙手伸了過來。

方兆南探頭望去，見手上緊抱的天蠶絲索，果然已被他弄得五斷其四，以三年時光，再弄斷餘下的五分之一，自非什麼太難之事。

他生具有著超人的機智，心想若不能想出一個使老怪感激之法，決難使他心悅誠服地聽從自己。

目光一轉，掃掠了他雙足一眼，只見他雙腳之上，也被天蠶絲索所縛，心中一動，放聲大笑起來。

那怪人似是被方兆南的大笑之聲，激起怒火，雙目中神光暴閃，他怒聲喝道：「你在笑什麼？」

被縛的雙手一揮，長指如剪，橫向擊來。

方兆南早已有備，入洞之時，隨手折了一段兩尺左右的松枝，放入懷中，身子就勢一滾，讓開他掃來一擊，已把松枝握入手中，說道：「老前輩暫請住手，聽晚輩說幾句話，咱們再打如何？」

那怪人果然停下手來，冷冷說道：「你如不能說出發笑的道理，那就留在這裡陪我三年吧！」

方兆南道：「這個恕晚輩歉難應命，三年時光，轉眼就過，讓晚輩留此相伴，原不要緊，但如老前輩一生無法離此石室，難道也要晚輩留此相伴一生不成……」

那怪人冷哼一聲，正待發作。

方兆南已搶先說道：「你先別發橫，你們用數十年的光陰，弄斷雙腕上捆縛的天蠶絲索，是否還要再用數十年時間，去弄斷腳上的天蠶絲索呢？」

那怪人呆了一呆，突然坐了下去，聲音十分淒婉地說道：「不錯啊，唉！這幾十年，我為什麼都沒有想到這件事呢？」

方兆南道：「老前輩心無二用，一心只想弄斷手上的天蠶絲，忘記雙足之上也捆有天蠶索了！」

忽然聽得石壁一聲巨震，一個尖厲的聲音傳了過來，道：「不錯啊，咱們今生一世，已無法出這石室了！」

方兆南心知是隔壁另外被囚的一怪所爲，但覺那石壁有如被鐵錘重擊一般，整個的石壁，都響起一種嗡嗡之聲。

他心中暗自驚道：「此人好深厚的內力，如若能把兩人說服，確實是個很好的幫手！」

心念轉動，故意提高了聲音道：「晚輩知道解縛之法，不知兩位老前輩是否有意離此石室呢？」

那長髮掩面怪人冷冷說道：「自然是願意離開此地了！」

方兆南故作爲難地長長嘆息一聲，道：「晚輩替你兩位老前輩解縛不難，難在老前輩必須答應晚輩一件事情……」

那怪人冷笑一聲，道：「你可是想以解除老夫的囚縛，要挾老夫嗎？」

方兆南道：「晚輩遲遲不願出口，就是恐怕引起老前輩誤會。以老前輩在江湖上的聲望，自然不會答應，唉！咱們還是別談算了，晚輩就此告別！」

他深深一揖，緩步向外走去。

突聽那長髮怪人大聲叫道：「站住！」

縱身而起，直向方兆南撲了過去，這變故早就在方兆南預料之中，是以，他早已有了準備。

聽得身後勁風襲到，突然轉過身去，手中松枝一揮，施出了半招「巧奪造化」，幻化出一片枝影，擋住了那怪人撲來之勢。

這一招奇奧、詭異的劍術，變化無不出人意外，那怪人伸手一抓，被方兆南松枝擊在手腕之上，嚇得懸空一個跟斗，翻了回去。

方兆南看他身上揹著數百斤重的枷鎖，身體仍是極端靈活，心中暗暗讚道：「單是這樣的輕功，就足以驚世駭俗了！」

那怪人落著實地之後，高聲說道：「小娃兒不要走，什麼事說給老夫聽聽！」

方兆南已知他爲自己的劍勢唬住，心中暗自笑道：「我這半招劍式，變化已完，你如硬衝，我還真拿你沒法子。」

眼看那怪人入了自己預謀之中，心中暗自慶幸，但神情之間，卻裝得一片嚴肅，道：「說了只怕你也不肯，還是不說得好！」

那怪人急道：「你不妨說來聽聽，只要不太困難，老夫自會答應！」

方兆南暗暗忖道：「看來這數十年的囚禁生活，已殺了他不少火氣。」

當下輕輕咳了一聲道：「晚輩雖非少林寺中人，但卻受過少林寺一位老禪師的救命之恩，那位老禪師救了晚輩之後，又傳了我解縛之法，命晚輩趕來少林寺中，解救兩位……」

話至此時，故意一頓，接道：「晚輩倒忘了請教老前輩的尊號，不知你是南怪？還是北怪呢？」

那怪人道：「老夫南怪辛奇。」

方兆南道：「原來是辛老前輩！」

南怪辛奇已爲方兆南靈口巧舌，說得有些沾沾自喜，聽他叫出個辛老前輩，不禁哈哈大笑道：「你快些說吧！老夫已有八成答應你了！」

方兆南笑道：「晚輩趕來少林寺時，正趕上少林寺中遇上強敵相犯，而且來人武功高強，寺中和尚不是敵手，晚輩本想出手相助，但又想到受那老禪師之托，釋放兩位要緊，故而先行趕來這石室之中。

「如若晚輩放了老前輩，你再記恨前仇，出手攻襲少林僧侶，那時晚輩不但有負那位老禪師救命之恩，而且還成了少林寺中的罪人了！」

南怪辛奇沉吟了一陣，道：「你如真能解去老夫身上的天蠶絲索，我就助你擊退相犯少林寺的強敵，然後再去找覺生和尚算我被他囚禁數十年舊帳。」

方兆南暗暗忖道：「覺生大師定然是覺夢禪師口中的大師兄了，眼下還不宜告訴他，覺生大師早已圓寂歸天之事。」

心念轉動，淡然一笑，道：「老前輩要找覺生大師，清算舊帳，晚輩不便阻止，但在武林中人，一向要講求恩怨分明，一諾千金，老前輩既然答應了助我擊退相犯少林寺的強敵，晚輩決不存疑，我先解了老前輩身上的天蠶絲索再說。」

說完大步奔了過去，蹲下身子，先把南怪辛奇腳上縛的天蠶絲索解去。

他雖然已得覺夢大師傳授了解縛之法，但那天蠶索細如線香，解時甚難，足足耗去半個時辰之久，累得滿頭大汗，才算把天蠶絲索解開。

方兆南舉起右袖拂拭一下頭上汗水，笑道：「老前輩請再忍耐片刻，晚輩就解老前輩手上的絲索。」

南怪辛奇默然不語，但兩道炯炯的眼神之中，卻流現出無限感激的神色。

方兆南看他果爲自己的熱情所動，心中暗自歡喜，立刻動手，又解了他手上的天蠶絲索。

南怪手上索縛已開，立時縱聲大笑，聲如雷鳴，四壁回聲，震得人耳鼓嗡嗡作響。

震耳欲聾的長笑，足足有一刻工夫之久，才停下來，這一笑，似是發洩了他數十年被囚的憂忿，臉色忽然轉變得十分平和。

方兆南一直把雙目投注在南怪辛奇的臉上，他擔心這位凶悍絕倫的怪人，束縛被解開之後，食言背約，是故心波起伏，惶惶不安。

南怪辛奇停了大笑之聲後，望了方兆南一眼，突然盤膝而坐，閉目運氣，片刻工夫，頂門之上，熱氣蒸騰而上，如煙如霧，冒起了一尺多高。

方兆南吃了一驚，暗暗地忖道：「此人好深厚的內功……」

忖思之間，忽見南怪辛奇睜開雙目，說道：「小兄弟請往旁邊站去。」

方兆南依言退到石門口處，身子剛剛停好，耳際間已響起辛奇的大喝之聲。

但見雙臂一振，身上那巨大的枷鎖忽然裂成了兩半，落在地上，右手一分覆面長髮，直對方兆南走了過來。

他臉色白中透青，再加上數十年沒有修剪過的髮鬚，形容十分可怖。

方兆南暗道：「他凶毒成性，用心難測，不可不防他一著。」

暗中運氣戒備，表面上卻保持鎮靜的神態。

南怪辛奇走近方兆南後，緩緩伸出帶著兩、三寸指甲的枯瘦右手，抓住方兆南的右手，呵呵大笑道：「我辛奇一生之中，從未受過人半點恩惠，今日受了你解縛之恩，這一生咱們沒有完了。」

方兆南心中一跳，道：「老前輩言中之意，十分費解，晚輩難以領受。」

南怪辛奇大笑道：「老夫之意，是說等我找那老和尚較量過武功之後，咱們就拜做把兄弟！……」

方兆南鬆了一口氣，道：「原來如此，只怕晚輩高攀不上！」

辛奇怒道：「我生平不願受別人之恩，你救了我，豈不已加恩於我，除非咱們拜把兄弟，我非殺了你不可！」

方兆南略一沉吟，道：「好吧！咱們先解了救少林寺的危難，再說吧！」

原來他的心中想著此人凶名太著，如真的和他結做了兄弟，勢必為武林中正大門戶中人歧視不可。

但聽辛奇冷哼一聲，五指突然加力，方兆南登時感到手上如套上了一道鐵箍一般，不禁大吃一驚。

但他這時已經受制於人，南怪深厚的內力，不斷加強，方兆南只覺他五指逐漸地收緊，已將要到自己無能抗拒的地方。

耳際響起了辛奇冰冷的聲音道：「你只有兩條路可以選擇，一條答應我，一條是死！」

方兆南輕輕咳了一聲，暗暗想到：「此人說得出，就做得到，但我如在他威迫之下答應，豈不有失大丈夫的風骨？如不答應，今日勢將無聲無息地葬身這山腹石室之中……」

正自心念轉動之際，忽覺手指一鬆。

南怪辛奇放開了手指，說道：「你內力和我相差太遠，這樣殺了你，心中定然不服，走！咱們去找個寬敞地方，比試一下，強存弱亡，死而無怨。」

方兆南正待接口，忽聽一個冷冷的聲音傳了過來，道：「小娃兒，你若想活下去，就趕快過來，把我手腳上的天蠶絲索解開，當今武林之世除了我北怪黃煉之外，無人能抵南怪辛奇的『坎元氣功』和『赤焰掌』！」

方兆南一皺眉頭，暗道：「放了一個南怪辛奇，已是不勝麻煩，如再放了北怪黃煉，真不知要成個什麼局面了……」

辛奇放聲大笑道：「黃老怪，你再坐二十年，等我辛奇來放你吧！」

方兆南心頭忽然一凜，暗道：「覺夢、覺非兩位大師，對我付托是如何的重大，冥嶽中的強敵，又是何等的辣手，我如為自己的應變容易，不放二怪，豈不有負了兩位禪師的托望……」

只聽北怪黃煉冷笑一聲，說道：「辛老怪，你如心中害怕放了我之後，有人能制服於你，你就攔住那娃兒，別讓他放我。」

南怪辛奇怒道：「難道我還怕你，哼！只要人家肯放你，我決不攔阻。」

北怪黃煉放聲大笑道：「小娃兒，你如釋放了老夫，那就不用擔心南怪存心害你了……」

方兆南還未來得及答話，北怪黃煉的聲音，重又傳了過來道：「小娃兒，你要知道，在當今之世中，我是唯一能克制南怪辛奇的人。

「不論他此刻向你許下何等諾言，但他日後想到你可能重來中嶽，解我天蠶絲縛，勢必要把你殺掉不可，如果你此時，能夠把我放開，殺你之念，即將不會再存心頭。

「南怪辛奇雖然爲人心狠手辣，但你對他總算有過釋放之恩，只要沒有極端的利害衝突，他就不會傷害到你了。」

他微微頓了一頓，不容方兆南開口，重又接道：「何況你還存了欲援助少林寺僧侶之心，辛奇武功雖高，但他一人之力，竟屬有限，你如能解了我天蠶絲縛，我們南北兩怪同心合力，縱然天下高手，群起而攻，也不足畏……」

方兆南暗暗忖道：「這話倒是有幾分道理，釋放二怪，可以維持著他們相處的均勢。」回頭望著南怪辛奇說道：「老前輩，可知北怪黃煉的爲人嗎？」

他聰明過人，這幾句話說得很高明，故意讓北怪黃煉聽到，好使南怪辛奇，無法相阻他釋放北怪。

只聽南怪辛奇冷冷說道：「那老和尙既是要你釋放我們兩人，那你就把他也放了吧！」

方兆南暗暗忖道：「機會不可錯過，別讓他改了心意。」

當下應道：「晚輩恭敬不如從命了。」

說完，縱身一躍，直向那石室走去。

他雖記得覺夢大師之言，說兩怪隔室而囚，但南怪囚居的石室之中，除了有一個一尺左右的圓洞之外，四壁完整無缺，不知北怪被囚何處？

遙遙地傳過來南怪辛奇的聲音，道：「在我剛才被囚之處，有一道石門，推開向左走上十步，就是北怪黃煉被囚之處了！」

方兆南仔細看去，果然前門壁間一道極細的裂痕，用手一推，石門應手而開，依言左轉十步，果見一個滿頭白髮，長垂數尺的怪人，手足被縛，盤膝而坐。

當下抱拳一禮，道：「老前輩就是北怪黃煉嗎？」

那白髮長垂的老人，突然抬起頭來，兩道威稜的目光凝注方兆南的臉上，緩緩答道：「不錯，老夫正是黃煉。」

方兆南只覺他逼視在臉上的目光，有如閃燦燭光，一陣閃動之後，逐漸地轉變強烈，如電如劍，使人有一種震慄不安的感覺。

方兆南不敢和他目光接觸，一偏臉解開他手腕上天蠶絲索，然後伏下身去，又解開他雙腳上束縛。

這足足耗去了他半個時辰，他在半個時辰中，卻始終未出一言。

白髮老人全身束縛一解，活動一下，放聲大笑，道：「我只道今生難出這石室，想不到還有今日。」

話說完，大步地向外走去。

方兆南微微一笑，默然不語，搶在前面，大步向外走去。

南怪辛奇倚壁而立，他神色十分莊嚴，目光凝注在出口之處。

方兆南微一欠身，道：「辛老前輩……」

辛奇左手一揮，冷冷接道：「快些閃開！」

方兆南機警無比，看他神色，已知有事，立時縱身躍到石壁一角。

他剛剛站穩身子，北怪黃煉已出現石室門口。

南怪辛奇突然一挺身子，離開石壁。

北怪黃煉大笑道：「辛老怪，這幾十年來，你的『坎元氣功』和『赤焰掌』的功力進境如何？」

南怪辛奇冷冷說道：「你有興致，不妨試試？」

北怪黃煉道：「好極，好極。」話落，舉手一掌，遙遙推來。

方兆南只覺一股冷氣，隨著他推出的掌勢，散漫全室，不禁心頭一震，暗自忖道：「這是什麼掌力？」

只聽南怪冷笑一聲，道：「黃兄的『玄冰掌』較昔年又強了甚多。」右手一揮，推出了一掌。

一股熱風，隨著南怪辛奇的掌勢而出。

石室中登時又散漫起一陣熱風。

一寒、一熱的兩股勁風，在石室正中相接，只見石室立時捲起了一陣狂風。

只聽北怪黃煉鳥鳴一般的怪笑之聲，響蕩在石室之中，說道：「辛兄的掌力，也比昔年雄渾多了。」

方兆南高聲說道：「兩位老前輩暫請住手，聽晚輩一言如何？」

縱身一躍，落在兩人中間，接道：「兩位老前輩，都已答允晚輩相助少林僧侶，目下強敵，恐早已在寺中相候，兩位如想試試這數十年功力進境，正好用以對付強敵。」

南怪辛奇冷哼一聲，道：「黃兄如若自覺你那『玄冰掌』是兄弟『赤焰掌』的剋星，那咱們不妨約個僻靜之處，好好較量一下？」

北怪黃煉笑道：「咱們兩人水火難容，看來是難以並存於武林，早晚免不了一場性命相搏……」

他微一停頓之後，又道：「不過兄弟有兩句話，不得不事先說明。」

南怪辛奇略一沉忖，說道：「什麼話，儘管請說，兄弟無不奉陪。」

北怪黃煉道：「說起來也不是什麼困難之事，那就是咱們在沒有動手之前，必須先找覺生大師，洗雪被他囚禁數十年的羞辱。

「這數十年來，咱們武功雖有進境，但想那覺生老和尚的武功、內功，也同樣有著極大進境。兄弟自己一人之力，恐難勝他，咱們找到覺生大師，洗雪了被囚之辱，再找個僻靜之處，好好地拚上一場！」

方兆南道：「兩位老前輩，已答允相助晚輩，幫助少林寺中僧侶，擊退強敵，至於兩位老前輩之間的舊日恩怨，只有向後壓壓再說了！」

黃煉重重咳了一聲，道：「老夫不管他是敵是友，但憑你的招呼出手！」

方兆南道：「這方法最好不過。」大步直向前面走去。

三人逐漸地加快了腳程，片刻間，已到岔道所在。

方兆南略一辨認路徑，直向通往「藏經閣」石梯之上走去。

這一座天然形勢，再加上人工鑿成的石道，一層層階梯，筆直而上，形成了陡峭的形勢。

方兆南帶著南、北二怪，一面奔行，一面卻感受到極大的不安。

二怪水火不相容的形勢，以及喜怒無常的冷僻性格，固然給了他甚大的困擾，但他最擔心的，還是少林寺在這段時間的變化，恩師滿門死絕的恐怖往事，重又在他的心頭展現，這往事，使他有著甚大的惶恐不安……

突然間一腳踏空，身不由己地向前一傾身子，但那踏空的右腳，立時落著在實地之上。
原來已到了石梯的盡頭，眼前是一片丈餘方圓的平坦實地。
方兆南回頭對南、北二怪說道：「兩位老前輩，請稍候片刻，晚輩替兩位叫門。」
借著說話的機會，他的目光迅快地掃掠了四周。
果然發現石室一角之處，有一塊突出的石壁。
他迅快地奔了過去，用手一拉，一扇石門應手而開。
一股血腥之氣，隨著那大開的石門撲入鼻中。
觸目處，伏臥著一具身著青色僧袍的屍體。
那屍體雙手緊緊和石門相接，背心上流出的血已經凝結成深紫顏色，伏屍處濺濕著一片片凝結的紫血。
想是他生前已受重傷，準備開啟進這座石門，卻被人迫了上來，傷中要害，一擊致命。
血淋淋的慘劇，使方兆南不自禁地打了一個冷顫，他憶起了那風雨之夜，師父滿門被殺的淒慘景象。
他默然嘆息，忖道：「難道真的救援來遲了，使這千百年來，一直被武林中視作泰山北斗的少林寺，毀損在冥嶽人物手中？」
他拖著沉重的步子，移動一下身軀，深覺有負兩位老禪師的重托，心神慢慢不安，有如浮盪在無際的大海之中。
南北二怪倒是毫無憐惜之情，但他們卻有重見天日的快樂，兩人的嘴角間，都泛現一縷歡愉的笑意。

這是一座建築得十分寬大的閣樓，重疊的木架上，堆滿了經書。

方兆南長長呼一口氣，使昏沉憂傷的神智，清醒一下，大步向外走去。

他心中泛起一線希望，希望這藏經閣中的慘變，只是冥嶽中一項突襲……

他又想到少林寺譽滿天下的羅漢陣，縱然遇上強敵，也不致一擊而潰。

這轉念一想，使他的精神大振，急步向藏經閣外面衝去。

南北二怪，雖然生性冷癖，但他們成名武林甚久，對信諾二字，卻極為重視，目睹方兆南向前奔去，也不多問話，同時展開腳程，緊追在方兆南的身後。

方兆南出了藏經閣，觸目盡都是連接的殿房，卻沉寂如死。

他流目四顧，竟然不見一個少林和尚。

他心中暗暗驚道：「這地方乃少林寺中樞所在，竟然不見一個少林僧侶，難道他們當真都被冥嶽中人殺光了不成？」

仔細看去，又不見一具屍體。

方兆南滿腹懷疑地向前面奔去，奔行第二重大殿所在，突然聽到了一聲低沉有力的佛號，飄入耳際，轉臉望去，不禁一呆。

只見那第二重大殿前廣闊的草坪上，盤膝坐著七、八百個和尚。

每人都合著雙掌，閉目端坐不動，臉色沉痛，眉宇間泛現出一股不平之氣，像一個充滿委曲怨恨，不甘心忍受命運擺弄的待決囚犯，但又無能反抗……

方兆南長長地噓一口氣，暗道：「原來這些人都集中在此地。」

緩步穿行過一個圓門，向那廣闊的草坪上走去。

南北二怪互相望了一眼，隨在方兆南身後而行，兩人誰也不願意落後，一齊舉步，跨進了圓門。

最後一排的和尚，突然睜開眼來，掃掠了方兆南一眼，看他身後跟隨著兩個髮長及膝，衣著破爛的怪人，不禁微微一怔。

方兆南看得甚感奇怪，暗道：「這班人的臉色，一個個如喪考妣，沉痛中帶著憂鬱，究竟是怎麼回事？」

轉頭望去，只見大殿之上，高坐著少林寺的主持方丈大方禪師，在他兩側分立著少林寺大字輩的高僧，大愚、大元、大道等都在其中。

最使方兆南感到驚愕的，是那大殿正中橫臥著三具屍體。

他認出一具正是代理少林方丈的大悲禪師，另兩具雖然叫不出名字，但年齡都已很大，想來也是大字輩中高僧。

方兆南呆了一陣，急步奔入殿中。

隨即對大方禪師抱拳一揖，道：「冥獄一晤大師，仰念甚深，大師望重武林，一代人傑，能夠無恙歸來，實我武林之福。」

大方禪師冷哼一聲，道：「這是我們少林寺議事所在，除了本寺中人之外，其他人未得相請，一律嚴禁擅入，方施主未得相請，大背了本寺中規戒，姑念你年幼無知，又和老衲有過一面之緣，特地網開一面，不予追究，快些退出去吧！」

方兆南呆了一呆，目光由大愚、大道等臉上掃過，看他們神色，也和殿外草坪上群僧一般沉痛肅然。

不禁心中一動，暗道：「這兩具不識的屍體，不去管他，大悲禪師在少林寺中的身分，是何等崇高，怎地竟然橫死大殿，這情勢有點不對，而且群僧神色，一個個憂忿沉痛，似是遇上了不平之事，但卻無可奈何。」

他本是聰明絕頂之人，心念連番轉動，覺著情勢不對，目光一轉，凝注在大方禪師臉上，眨也不眨一下。

大方禪師臉色一變，慍道：「你這般望著老鈉，是何用心？我已不追究你擅入敝寺禁地之事，你還不快走，站在這裡等什麼？」

方兆南已看清大方禪師臉上的每處地方，仍然找不出一點可疑之處，眼下之人和主持冥嶽英雄大會的大方禪師一模一樣，看不出一點不同之處。

原來他忽然想起冥嶽嶽主，詭詐絕倫，可能會選擇一個和大方禪師面貌相似的人，假冒大方禪師之名，回到少林寺來，鬧個天翻地覆。

但他仔細看了大方禪師之後，發覺此念錯誤，他搜盡了腦際中所有的記憶，找不出一點可疑之處。

他呆呆站著不動，但心念卻如風車一般，疾轉不息。

偷眼向大愚望去，只見他滿臉悲忿沉痛之情，泛現眉宇之間，目光閃閃，不時投向自己，隱含求助之意。

目光轉動，又見大道禪師的眼神中充滿乞求之情，心中不禁爲之一動。

這一刹那間，他似乎感覺到眼下情景裡，隱藏著慘酷無情的殺機，輕輕咳了一聲，道：

「如若晚輩不走呢？」

大方禪師怒道：「少林寺，豈能容你這般撒野，你若再要多事逗留，可別怪老衲翻臉無情了。」

大方禪師突然厲聲喝道：「老衲此刻正在清理門戶，無暇和你多費口舌……」目光一掠身後兩個身著黃色袈裟的和尚，道：「攆他出去。」

二僧合掌，縱身躍落方兆南的身前。

方兆南肩頭一晃，避開二僧掌勢，人卻閃到大悲禪師屍體旁邊，左臂一探，扶起了大悲禪師的屍體。

只見他前胸要害處，一刀直達後心，一把鋒利的匕首，仍然插在前胸之上。

兩個身披黃色袈裟的僧人一擊不中，立時轉身疾向方兆南身後撲去。

只聽站在大殿門左側的南怪冷笑一聲道：「站住。」

他虛空一掌，遙遙擊去。

右面一僧身子剛剛躍去，忽然一股強猛的暗勁，直向背心撞到，趕忙一沉丹田真氣，身子急快地落著實地，揮掌劈去。

他應變雖已夠快，但仍然遲了一步。

只覺那撞來的暗勁，直擊在前胸之上，身子不由自主地向後退了兩步，噴出了一口鮮血，坐在地上。

北怪黃煉眼看南怪辛奇出手，烏鳴一般的一聲怪笑，拂袖打出一股冷飆。

由左面攻方兆南的僧人，但覺有一股陰冷之氣，撞在身上，機伶伶地打了一個冷顫，栽倒在地上。

大方禪師眼看兩個護法弟子，在那兩個怪人舉手投足之間，雙雙重創倒地，不禁心頭一震，怒聲大喝道：「什麼人敢在少林寺中傷人？」

北怪黃煉冷冰冰地答道：「你是覺生老和尚的什麼人？」

大方聽他一開口提起了故去的師父諱號，微微一怔，道：「覺生大師乃老衲仙逝的恩師法號。」

南怪辛奇哈哈一陣笑道：「這麼說來，你已經是低老夫們一輩了。」

大方禪師從未聽師父談過南北二怪被囚之事，是以，仍然猜不出這兩位怪人的來歷。

方兆南左手挾著大悲禪師的屍體，右手卻對南北二怪揮著手，道：「兩位老前輩且慢動手，容在下問明事情經過再說。」

南北二怪對看了一眼，默然不語。

方兆南目注大方禪師，道：「這位老禪師可是自絕而死嗎？」

大方禪師冷冷答道：「本寺門戶中事，豈容外人過問，大元師弟，快把這人趕出大殿。」

大元禪師抬起頭來，望了大方禪師一眼，緩步向方兆南走了過去。

方兆南道：「老禪師且慢動手，晚輩有幾句話，說完咱們再打不遲。」

大元黯然一笑，道：「方施主有什麼話，請對敝寺掌門方丈說吧，少林寺門規森嚴，一切事取決掌門方丈，數百年沿傳如一日，老衲縱然聽了，也是白聽，作不得一點主意。」

只聽大方禪師冷笑一聲，舉起懷中的綠玉佛杖，高聲說道：「監院長老大元，故違掌門令諭，有背本寺規戒，罪該自絕……」

大元苦笑一下，轉過身去，目注大方問道：「不知掌門師兄，依據哪條戒律，判處小弟自絕死罪。」

大方微微一怔，喝道：「單是頂撞掌門師尊一條，已是罪不可恕，本方丈判你自碎天靈要穴……」

旁側一僧，挺身而出道：「老衲以戒持院主持身分，替大元師弟請命，掌門師弟判處不公，以咱們少林寺中戒律，大元師弟身爲監院五老之一，縱然頂撞了掌門，也不應判處死罪。」

方兆南轉眼望去，見那挺身說話之人，正是大愚禪師。

大方冷冷地看了大愚一眼道：「本方以綠玉佛令，行判大元師弟自碎天靈要穴。」舉起綠玉佛杖一揮。

群僧一瞥那綠玉佛杖，立時垂下頭去閉上雙目，大愚禪師也合掌過頂，緩緩後退三步。

只聽大元禪師高喧一聲佛號，凜然說道：「師兄既以綠玉佛令，行判小弟自碎天靈要穴，小弟膽子再大，也不敢違抗佛令……」

他微微一頓之後，接道：「諸位師兄，我要去了。」突然舉起右掌，疾快地擊在天靈要穴之上。

但聞砰然一聲，血花四濺，腦漿迸流，屍體栽倒。

方兆南想不到他說死就死，自己手扶大悲屍體，救援不及，不禁失聲一嘆。

大方禪師卻是面不改色，視若無睹，一舉手中綠玉佛杖，高聲說道：「大愚師兄，請接綠玉佛令。」

大愚雖是修為有素的高僧，但目睹這等師兄弟相殘之局，也無法按捺下激動之情，兩行熱淚，奪眶而出。

他合掌應命道：「不知掌門方丈，有何吩咐？」

大方禪師道：「師兄號稱本寺三代同門中第一高手，請接綠玉佛令，以五十招擊斃擅闖禁地之人！」

大愚禪師接道：「如若小兄不能在五十招內搏斃強敵……」

大方禪師冷哼一聲，接道：「如不能在五十招內搏斃強敵，那就以死謝罪。」

大愚忽然閉上雙目，滿臉莊重地說道：「如若小兄抗拒了綠玉佛令，不知該當何罪？」

大方道：「面北而立，橫刀自絕！」

大愚禪師道：「這就是了，橫豎不過是一死，小兄斗膽要抗拒一次綠玉佛令了！」

身子一轉，面北坐了下去。

大方禪師緩步走了過來，怒聲對大愚禪師說道：「師兄竟敢違抗綠玉佛令，實在愧對咱們少林寺歷代師尊……」

大愚禪師厲聲接道：「掌門師弟，最好別提歷代師尊……」

他感慨地長嘆一聲，又道：「不用提歷代師祖，單是咱們師父加諸你的恩德，是何等重大，寄望是何等深厚，小兄不談，大師兄也為你離寺而去，迄今數十年行蹤不明……」

大方禪師似是被大愚禪師的一番話觸動了故舊之情，默然不語，凝目而思，似是回憶昔年之事，但眉目間卻是一片茫然。

大愚禪師雙目聳動，突然站了起來。

他緩緩地說道：「師弟素得師父器重，才破了咱們少林門中傳統規矩，破格擢爲掌門之人，如果師弟不能把咱們少林門戶發揚光大，已是有背師恩德意，如再把咱們少林一派，親手斷送，不知何以對恩師在天之靈……」

大方禪師滿臉茫然之色，似是對大愚禪師之言，似懂非懂一般，雙目凝注在大愚禪師的臉上，瞧了良久。

忽然一揮手中綠玉佛杖，向大愚頭上擊去。

大愚禪師似是已看出大方禪師行不由衷，又怕損壞這代表掌門權威的綠玉寶仗，不敢運功抗拒，默然一嘆，垂下頭去。

但方兆南早已有了準備，哪裡還容他得手，雙肩一晃，欺身而上，右手疾發一掌，拍向大方禪師前胸，左手斜斜伸出，直向綠玉佛杖抓去。

大方禪師雙腳移動，橫向旁側閃開兩尺，讓開方兆南的掌勢，手中綠玉佛杖一沉，疾向方兆南「丹田穴」上點去。

方兆南身形一錯，斜斜向前衝去，閃避開點來的綠玉佛杖，雙手齊出，連攻兩招。

大方禪師第二次移動身形，才把兩招避開。

方兆南停下手來，目光一掃環站四周的少林高僧，只見他們每人面色，都是肅穆中帶著錯愕，顯然對目下情景，有些不知如何應付才好。

大方禪師一掃手中綠玉佛杖，高聲喝道：「大愚師兄快把這人逐出大殿。」

大愚沉思了一陣，但他終於緩步而上，沉聲喝道：「我們少林門中，一向尊從綠玉佛令，此物一出，有如歷代祖師親臨，權威至高……」

方兆南淡然一笑，道：「不過，在下並非是少林門下弟子，對貴派權重生死的綠玉佛令，大可不必遵守……」

大愚道：「但老衲身爲少林門下弟子，卻不能不遵守綠玉佛令。」

方兆南道：「老禪師之意，可是要把晚輩逐離此地嗎？」

大愚道：「老衲難違綠玉佛令，還望方施主海涵一、二。」

方兆南目光一掠大方禪師，只見他目光中凶光閃閃，心中暗道：「自己只要離此一步，這一干大字輩的高僧，只怕無一倖免，甚至連大殿外面那廣闊草坪上的數百僧侶，都將在少林寺歷代相傳的重重規戒束縛之中，綠玉佛杖的權威之下，以身相殉。

「如果不幸地被自己猜中，少林寺即將從此在江湖上消失，這千百年來一直主宰著武林命運的正大門派，將於一時三刻之中，瓦解冰消。這件事何等的重大，何等的震動人心，我縱然得罪了少林門戶，也不能撤出大殿。」

心念一轉，淡淡笑道：「如若晚輩不願退出此地呢？」

大愚禪師長長嘆了一口氣，道：「老衲既不能抗拒綠玉佛令，方施主又不肯離開此地，老衲只有得罪了。」

方兆南回望南北二怪一眼，正容說道：「千百年來，貴寺一直是主宰武林命運的正大門派，江湖上黑白兩道中人，對貴派無不敬仰，但此刻形勢不同，在下如若退離此地，只怕貴派立時將遭覆滅之運，也許從今之後，武林中再無少林一門的名稱了。」

這幾句話，字字如刀如劍，深深刺入了大殿群僧的心中，大愚禪師，也不禁爲之臉色一變，默然垂下頭去，合掌低喧一聲：「阿彌陀佛！」

方兆南眼看群僧已爲自己說動，趁機接道：「貴寺向以門規森嚴，著稱武林，但天下事，並非一成不變，眼下情勢險惡，關係著貴派的存亡絕續，通權達變，勢非得已，想貴寺中歷代長老在天之靈，也不致責怪諸位違背門規了。」

他這番轉彎抹角之言，隱隱暗示群僧，面臨這存亡關頭之下，大可不必拘泥於綠玉佛令的權威，掌門人身分的尊高……

大愚禪師暗暗忖道：「大方師弟用心已昭然若揭，確有憑綠玉佛令的權威，和掌門身分的尊崇，要把少林寺一手毀去，這和他以往的性情大不相同，其中必然有什麼原因。

「眼下情景十分明顯，只有我可以以師兄的身分，起而和他相抗，縱然有背少林門規，但日後亦可以死謝罪，也不能使少林一門，從此消失於武林之中。」

反抗的種子已在他心中萌長，但千百年的傳統，森嚴的門規，也在心中泛動，這兩個矛盾的想法，使他沉陷於極端的痛苦中。

大殿中，突然間沉默下來，久久聽不到聲息。

驀地裡，響起了一陣鳥鳴般的怪笑，北怪黃煉冷冰冰的聲音，傳了過來，道：「小娃兒你在囉囉唆唆幹什麼……」

方兆南倏然回過頭去，說道：「兩位老前輩可知道，英雄一諾重於泰山這句話嗎？兩位既然答應了相助於我，那就該言出必踐。」

北怪黃煉冷哼一聲，道：「兌現了老夫諾言，我再好好地教訓你一頓。」

餘音未絕，忽然間飄來一陣極刺耳的樂器之聲。

大方禪師聞聲變色，揮動綠玉佛杖，直向方兆南撲了過去，一面大聲對群僧喝道：「快些

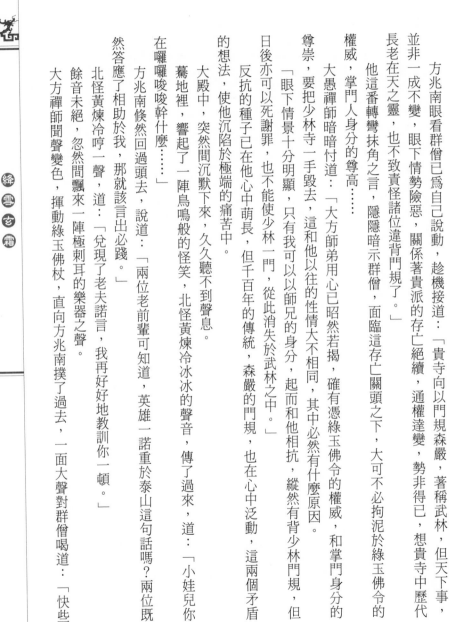

動手，殺了此人！」

在綠玉佛令的傳統權威之下，群僧躍躍欲動。

大愚禪師合掌說道：「諸位師弟且慢動手，這抗拒綠玉佛令之罪，有小兄一人承擔，大方師弟性情大變，心神似已受別人控制，事關少林一門存亡，不得不追查明白，查明事情之後，小兄自當謝罪歷代先師法身之前。」

殿中群僧，眼看大方憑仗綠玉佛令權威，及掌門方丈的身分，逼死了大悲、大元、大成、大獻四位師弟，個個心中都極忿怒。

要知大愚禪師乃少林寺大字輩中，身分最高的一個，連掌門方丈也是他的師弟，平日群僧都對他有著幾分敬畏。

有他出面阻擋大方禪師行施綠玉佛令，在群僧心理上，先有了幾分理所當然之感。

但這時，大方禪師和方兆南，也逐漸打入緊要關頭，大方禪師除了揮舞著綠玉佛杖，搶攻之外，不斷地以掌指挾雜在綠玉佛杖中攻出。

方兆南卻是守多攻少，他心中明白，眼下這般僧侶雖然個個心中痛恨大方禪師，但如大方真的傷在自己手中時，立時將引起這般和尚的公憤。

卅三　綠玉佛杖

大愚禪師和殿中群僧，一直冷眼旁觀，既不出手相救，亦不勸阻。群僧已由大方禪師幾招攻勢中，看出掌門人的武功似是不如以前甚多，杖、指的招術，雖然仍是少林門中武功，但出手緩慢，力道微弱。

是以，均被方兆南閃避開去，就是方兆南也有同感，察覺出此刻的大方禪師，如和主持冥嶽英雄大會時相比，武功相差極遠。

這時，那尖銳刺耳的樂聲已到了大殿外面，聲音更顯得急促尖銳。大方禪師手中的綠玉佛杖，也隨著那急促的樂聲，急如狂風驟雨一般，顯然，他和這刺耳的樂聲，有著相連的關係。

方兆南聽了一陣，忽然覺得這樂聲極爲耳熟，一念動心，猛地想起這樂聲的來處，不覺心頭一震，掌勢一緊，呼呼劈出兩招。

把大方禪師迫退後，大聲對群僧說道：「貴寺掌門方丈，已爲冥嶽中人收服，這刺耳的樂聲，就是冥嶽中人所吹奏，如若各位大師父，仍然拘泥於少林派的門規，甘心聽命於綠玉佛杖，貴派覆亡，就在眼前……」

當下掌勢一緊，施展出那陳姓老人傳授的詭奇手法，掌劈指點，片刻間搶盡先機，大方禪師登時被迫得連連後退。

大愚禪師突然沉聲喧了一聲佛號，道：「方施主手下留情。」

方兆南高聲應道：「大師放心，在下決不致傷害到貴掌門人。」口中慰藉群僧，掌勢突然一變，施出「佛法無邊」。

掌影閃動，左手五指逼在大方禪師前胸「玄機」要穴之上，右手卻斜裡疾出，一把扣在大方禪師右腕之上，五指加力，奪過綠玉佛杖，迅疾而退。

群僧同覺心頭一震，眼看少林寺權威之杖被人奪去，立時一湧而上，大愚禪師僧袍飄動，當下先攻到，右手一招「拂雲摘星」，疾向綠玉佛杖抓去。

這一招乃少林寺擒拿手法中一記絕學，突然施展出手，方兆南如何能夠避開，手中綠玉佛杖，登時被人抓住。

方兆南眉頭一挑，大聲喝道：「老禪師如不放手，損壞了貴寺玉杖，可別怪在下失禮。」右手加力，突然向後一奪。

大愚禪師果然怕把綠玉佛杖損壞，鬆手而退。

方兆南回手一杖，疾掃而出，把撲近身來的三個和尚，迫得疾躍而退。

原來他們都怕損傷到綠玉佛杖，不敢硬接杖勢。

方兆南迫退群僧之後，高聲說道：「這綠玉佛杖，雖然是貴寺中傳統的權威之杖，但拿在在下手中，卻是毫無用處，各位盡可放心，在下無侵吞此物之心……」

話至此處，大殿外突然傳進來一聲冷笑，一個嬌如銀鈴的聲音接道：「但少林寺權威之杖，落在別人手中，豈不一大笑話？」

方兆南轉頭望去，只見大殿外面，站著七、八個短衣勁裝的大漢。在大漢團團環繞之中，放著一頂黃幔垂遮的轎子，黃轎後面並立著兩個少女，一個身著藍衣，一個身著紅裝。

南北二怪似是對那小轎甚感興趣，四道眼神，一直在那小轎上溜來溜去。

方兆南目光一掃群僧，道：「這就是冥嶽中人了，看她氣魄，可能就是冥嶽嶽主親身駕到了。」

大愚禪師輕輕嘆息一聲，回顧群僧道：「證據確鑿！掌門師弟確已歸服冥嶽，為了少林寺千百年的基業，咱們不能不通權應變了，今日之事，不論會發生何等大錯，事後均由老衲一人承擔，但我相求諸位師弟，眼下先聽老衲之命。」

這時，大殿上，除了橫臥的四具屍體，以及大愚、大方除外，也只不過餘下了四個和尚，少林寺十二個大字輩的高僧，數日間死亡過半。

這是少林寺開山以來，從未有過的慘事，群僧無不如負重鉛，心情沉重無比。

四僧齊齊合掌應道：「我等恭聽師兄之命。」

大愚禪師苦笑一下道：「大道師弟，去保護掌門方丈。」

大道禪師應了一聲，緩步走近大方禪師，只見他圓睜雙目，怔怔地望著那黃幔垂遮的小轎出神，口中還微做喘息，似乎剛才力戰的勞累，尚未恢復。

方兆南突然把綠玉佛杖，送到大愚禪師面前，道：「此杖既是貴寺中權威的象徵，老禪師就請憑藉此杖發令吧！」

大愚恭謹地接過綠玉佛杖，回頭對左面兩個和尚說道：「兩位師弟請主持羅漢陣的變化……」

突聽北怪黃煉一聲怒喝，打斷了大愚禪師之言，揚手一掌，直向那黃幔垂遮的小轎劈去。他功力深厚，又練有玄冰掌奇功，含怒劈出一掌，威勢非同小可，一股狂風隨手而出。

方兆南暗暗幸道：「不知他因何而怒發此一掌，如那黃幔垂遮的小轎之中，坐的是冥嶽嶽主，這一掌激怒於她，立時將引起一場動天地、驚鬼神的惡戰……」

心念未完，南怪辛奇也冷哼一聲，罵道：「好小子，敢在老夫面前弄鬼。」揚手也是一掌劈了出去。

那守在黃幔垂遮小轎前的兩個黑衣人，不知厲害，揮掌一接，當堂被震得向後退了三步，寒氣掠體而過，不自禁地打了一個寒顫，身子搖了幾搖，栽倒在地上。

環守在那黃轎周圍的黑衣人，齊齊舉起右手，平胸推出，掌力雖被擋住，但幾人臉上全都變了顏色，打了一個冷顫，有如被兜頭澆了一盆冷水一般。

但北怪黃煉的掌力餘威仍存，南怪辛奇的「赤焰掌」又接續而到。

這一掌威勢不輸上掌，但卻挾帶著灼膚刺肌的熱風。

並立在黃幔垂遮小轎之後，分著藍、紅服色的少女，似已看出苗頭不對，彼此相望一眼，突然振袂而起，直向殿院外面飛去。

首當其衝的兩個，被那強猛絕倫的掌力一震，立時口吐鮮血，倒栽地上，其餘的人也被那挾著灼膚刺肌的掌力，震得一個個摔倒在地上。

方兆南目睹二女逃走，心中大急，高聲說道：「兩位老前輩快請追趕二女，最好生擒回來，聽候晚輩發落！」

南怪辛奇接道：「如若老夫失手把那兩個女娃兒擊斃了，又當如何？」

方兆南道：「最好是能夠生擒，必要時不妨打傷她們，以兩位老前輩的功力，生擒二女，豈不是易如反掌之事？」

南怪辛奇微微一笑，破袖拂處，忽然凌空而起，一躍四、五丈高，起落之間，人已到大殿外面了。

北怪黃煉回頭望了方兆南一眼，冷冷說道，「小心那頂黃色小轎……」

餘音未絕，人已凌空而起，下面之言隨著他劃空而去的身影，漸不可聞。

方兆南一皺眉頭，忖道：「那黃幔垂遮的小轎之中，如若坐的是冥嶽嶽主，南北二怪一去，只怕無人能夠擋得住她……」

忖思之間，忽聽一聲大叫，大方禪師疾向殿外衝去。

大道禪師急喝道：「師兄到哪裡去？」

他右手一伸，疾向大方禪師右腕抓去。

大方如瘋狂了一般，雙目圓睜，赤紅如火，聽得大道禪師一叫，立時揮臂拍出一掌。

這一掌大出人的意外，大道禪師疾抓向大方禪師的右腕，只好中途改變，易抓爲掌，手腕一翻，迎住了大方禪師劈來的一擊。

兩掌接實，大道禪師仍然靜站在原地未動，大方禪師卻被那擊來的掌力，震得直向前方撞去。

他原本就向殿外奔行，這一來，奔行的速度又加快了甚多。

只見橫衝直撞地衝開了一條出路，直向那黃幔垂遮的小轎奔去。

大愚禪師手中綠玉佛杖一揮，舉步追了出去。
大道禪師身軀搶在大愚前面，當先而出。
只見大方禪師直奔那黃幔垂遮的小轎後，突然停了下來，雙手垂膝，恭恭敬敬地站在那小轎前面，一動也不動。
大道禪師追了上去，舉手一把，向大方肩頭上面抓去。
這一次大方不再出手還擊，也未向一側讓避，被大道禪師一把抓在肩頭之上。
忽聽大方禪師冷哼了聲，舉拳直擊過來。
大方一拳擊中大道之後，站在那裡怔怔地看著大道，看了一陣，突然舉起右手又是一拳擊了過去。
這次大道有了準備，哪裡還容他得手，身子一側，左手橫裡疾抄過去。
大方的武功似是突然減弱，連他本身的內功也爲之突然消失了甚多，大道橫裡出手一抄，抓住了大方禪師的右腕。
凝神望去，只見大方面色難看無比，白中透黃，一滴滴汗珠，從他頭上滾了下來。
這時，大愚禪師已經趕到，目睹了大方禪師神態，心中一陣默然，低聲對大道禪師說道：「大道師弟，把他送入戒持院中休息去吧！」
大道道：「師兄似已失去理性，只怕難以靜得下來。」
大愚道：「如有必要，你就點了他的穴道吧！」
大道禪師應了一聲，右手疾出，點了大方兩處穴道，抱了起來，直向戒持院中奔去。
這時，這二重大殿中，突然間變得十分寂然，似是恢復了它過去的寧靜。

但這分安謐，立時爲大愚禪師打破，只見他回首望了方兆南一眼，問道：「方施主可知道這黃幔垂遮的小轎中，藏的什麼東西嗎？」

方兆南搖搖頭道：「不知道，看這小轎初來時十分神氣，頗似坐有什麼重要之人，但眼下看來又覺不像……」

大愚道：「待老衲打開，瞧瞧是什麼東西！」伸手向那垂下的黃幔拉去。

方兆南急急說道：「大師且慢動手！」

大愚禪師回頭問道：「爲什麼？」

方兆南道：「冥嶽中人，詭計多端，剛才那兩個分著紅、藍服色的少女，都是冥嶽嶽主的親傳弟子，武功不弱，前數日禪師已在狹谷中和她們動過手了，當知在下這話，決非過甚其詞……」

大愚點頭說道：「不錯。」

方兆南道：「這黃幔垂遮的小轎中，如若是她們輩份尊高的長輩，決不會棄之不顧，如果不是她們的長輩，但又裝出極大的氣魄，據此推論，這黃幔垂遮的小轎中，可能暗藏著什麼陰謀。」

回頭對大愚禪師說道：「老禪師快請下令，讓那盤坐在院中草坪上的貴門下弟子，各歸原來崗位，這一陣沉寂，不過是大風暴前的平靜，其實目下局勢，劍拔弩張，大戰一觸即發。」

大愚禪師道：「方施主對我們少林寺一番恩情，老衲深銘肺腑……」

方兆南微微一笑道：「我是奉命而來，老禪師不用心存感激。」

大愚奇道：「奉命而來，但不知方施主奉的是何人之命？」

方兆南笑道：「這件事，老禪師日後會知道，眼下寸陰如金，咱們爭取一寸一分的準備時間……」

他微微一頓之後，又道：「貴寺之中，如有寶劍，請替在下取來一把！」

大愚忽然探手入懷，取出一面長形銀牌，遞了過去，說道：「此物乃大悲師侄臨死之前，交付老衲，說是施主之物，命老衲交還施主。」

方兆南看那長牌，正是在抱犢崗山腹密洞之中，玉骨妖姬的死骨之下，撿得之物，當時隨手取來，也不知它有什麼用。

睹物思人，不禁想起了周蕙瑛來，黯然一嘆，伸手接過，隨手放入懷中。

大愚禪師抱著綠玉佛杖，大步走到台階前面，舉起手中佛杖，高聲說道：「掌門方丈，為敵所迫，不知服下了什麼毒物，神志已極不清。老衲為我少林寺萬代基業著想，不得不甘冒大不諱，暫代行使掌門方丈之職，待度過咱們這次空前的大劫之後，老衲自當謝罪於歷代祖師之前，恭領寺中長老會的裁決……」

群僧看到他手中高舉著綠玉佛杖，一個個相拜。

大愚禪師略一停頓，道：「眼下強敵似正在調兵遣將之際，方施主出手相助，似是破壞他們的計劃，因此他們不得不另行布署，各位請爭取這片刻時光，餘下之人，就在此地排成一座羅漢陣，以備拒敵。」

廣闊的草坪上，盤坐的群僧，突然一齊站了起來，急急奔去。

少林寺的僧侶們訓練有素，身經大變之後，仍然進退有序，一絲不亂，片刻間走去了十之七、八，草坪上只餘下一百餘人。

這時，方兆南已就大殿上死去的僧侶身側，取過一支鐵禪杖，遙遙地挑開那黃幔垂遮的小轎的垂簾。

黃幔挑起，一團白煙，緩緩散出。

原來那小轎正中，放著一座玉鼎，鼎中香煙裊裊，緩緩向上升起。

閃電般的往事，疾從方兆南腦際掠過，不禁心頭大震，高聲說道：「這鼎中白煙有毒，諸位千萬不可走近……」

少林寺中群僧，已對他十分信服，聽得一叫，果然個個閉住呼吸，向一側走開。

那垂遮的黃幔，一被挑開，玉鼎中火焰，突然大盛，一團團白煙，直冒出來。

方兆南運氣閉住呼吸，疾奔台階，就那草坪中，抓起兩把沙土，向鼎中投去，心中卻暗暗佩服南北二怪，耳目靈敏過人。

這小轎剛停下來，他們似已聞到異香之味，才一先一後出手，震斃了環守在四周的大漢，如非南北二怪及早警覺，讓他們在不知不覺中放出毒煙，那還得了……

草坪上的群僧，目睹方兆南連抓沙土，投入玉鼎，立時過來相助。

片刻之間，已把玉鼎埋了起來。

方兆南知毒煙厲害，低聲對大愚禪師說道：「大師請率門下弟子，離開此地，就貴寺最重要道上，排成一座羅漢陣，進可以攻敵，退可以守護，此地毒煙，一時間不易散淨，各位不宜在此逗留，在下去看看南北二怪追敵的情形如何。」

大愚禪師道：「方施主暫請留步，老衲還有要事請教。」

方兆南道：「大師不用客氣，此地非講話所在，咱們出去說吧！」

大愚禪師一舉手中綠玉佛杖，大步向外走去。
大殿中僅餘的兩位大字輩中高僧，也急奔出大殿，和大愚會合一起。
方兆南和大愚禪師並肩而行，兩人一齊出了大殿。
大愚輕車熟路，帶著方兆南繞過幾重屋角，到了一個道路交叉的所在。
兩人身後相隨的少林群僧，已借著這一段行程上，排好了羅漢陣，一停下來，立時陣式伸延開去，有如一座人牆，分堵了各條要道。
大愚輕輕嘆息一聲，道：「今日如非方施主出手相助，提醒老衲，只怕我們大字輩僅餘的四人，早已橫屍大殿，下三代弟子們，雖然有幾個才智過人，武功高強的弟子，但他們對上一輩，決不敢抗違掌門師尊之命。不用冥嶽中一兵一卒，千百年的少林基業，將毀於一時之間，那是何等淒涼悲慘之局，七、八百少林弟子，不用人一刀一槍，個個自絕，橫屍殿院……」
方兆南道：「眼下事情已過，老禪師必須振奮精神，準備對付強敵。」
大愚道：「就目下情勢而論，少林寺的大劫已過，現下不論強敵武功如何，但要想一舉把少林寺全數殲滅，決非容易之事，八百弟子，同心協力，拚死拒敵，強敵縱然集天下武林道上高手而來，也必將付出極大的代價。」
方兆南接道：「老禪師豪氣凌雲，不為強敵先聲所懾，晚輩極是佩服。」
大愚道：「老衲已派人替施主取兵刃去了……」
話還未完，只見兩個小沙彌疾奔而來，每人手中捧著一柄劍。
大愚禪師取過雙劍，送到方兆南面前說道：「這兩柄長劍，雖非我們少林寺中鎮山之寶，但已在敝寺存放有百年之久，雙劍分則各成一支兵刃，合則共成一劍，一青一白，鋒利無比，敝寺中弟子們從不用劍，老衲願以雙劍相贈，略謝施主今日挽救敝寺大危之情。」

方兆南接過雙劍，順手打開。

寶劍出鞘，冷氣迫人，閃起了一青一白，兩道劍氣。

這森森的寒芒，耀眼奪目的光華，不論任何人瞧上一眼，立可認出，這兩柄寶劍，不是凡品。

不禁心頭一跳，搖頭說道：「這等貴重之物，晚輩如何能夠接受，但願有一把平常的劍，用來克敵，就可以了，這兩柄寶劍，留做貴寺中弟子用吧！」

大愚輕輕嘆息一聲，道：「這兩支劍，確非凡品，數十年前，當年曾經叱吒江湖，武林中人，無不見愛……」

他微微一頓，笑道：「這就是馳名江湖的龍蛟雙劍，青劍號龍，白劍號蛟。」

方兆南道：「老禪師這麼一說，晚輩越發的不敢領受了！」

大愚正容說道：「方施主對我們少林寺施恩極大，這一雙寶劍，不過聊表謝意，施主如若拒受，那就瞧不起老衲了。」

方兆南心中一動，暗道：「冥嶽中人陰謀未能得逞，決不會善罷干休，說不定立時將有一場慘烈絕倫的大戰，有此一雙利器，助益甚大，不如暫時收下，待少林之危解除之後，再歸還他們也是一樣。」

心念一轉，歸劍入鞘，揹在身上笑道：「晚輩暫借這一雙利器劫敵，事完之後，原物奉還……」

大愚接道：「從此刻起，這龍蛟雙劍，已是方施主之物了。」

方兆南道：「這個咱們以後再說，老禪師請通令全寺僧侶準備迎敵，晚輩去追南北二怪的行蹤。」

縱身一躍，凌空而起，直向寺外奔去。

方兆南一口氣奔到了少林寺外，但仍未發現一個敵蹤，也未見南北二怪的蹤影，心中又是焦急，又是懷疑。

他暗自忖道：「冥嶽中人，鬼計多端，莫非故意把南、北二怪引開，先出全力，把二怪擊斃，然後再大舉來犯？」正感為難之際，忽覺一股無聲無息的功力，撞了過來。

他為人機警，又早已暗中運氣戒備，那力道雖然來得無聲無息，但微一相觸，立時警覺，隨著那擊來的力道，凌空飄起，落在一丈開外。

他這借勢避敵的一擊，已先把敵人的掌力卸去了一半，但仍然覺著胸腹之間，氣血在翻騰。

他心中暗自驚道：「什麼人的掌力，如此雄渾，這周圍一丈五尺之內，沒有隱身之處，這一股拳風掌力，最近也是來自一丈五尺之外，而且又是來得無聲無息，不同於一般的劈空掌力。」

心念電轉，靈機忽生，脫口叫道：「無影神拳……」

耳際響起一陣銀鈴般的笑聲，正西方兩丈外一座大岩石後，緩步走出一位紅衣少女。

方兆南一眼之下，立時辨認出正是那冥嶽三姝之一，不禁心頭一震，暗道：「南北二怪，武功何等高強，怎地竟然被她脫身而去……」

那紅衣少女右手仗劍，左手握住一柄拂塵，臉上雖然微現出驚愕之色，但嘴角間，卻仍然帶著盈盈笑容，說道：「怎麼？你還沒有摔死？」

方兆南眉頭一皺，說道：「你能逃過辛、黃兩位老前輩的手下，可也算得命大！」

那紅衣少女微微一怔後，忽然笑道：「姑娘化身千百，豈是你能夠辨認的？」

方兆南心中一動，暗道：「是呀！南北二怪所追趕的那兩位少女，一定是別人扮裝而成的。」

當下冷哼一聲，道：「冥嶽中人，果然詭計多端……」

那紅衣少女冷笑一聲，接道：「少林寺已陷入我們掌握之中，待家師今夜趕到，立時將展開屠殺……」

方兆南接道：「只怕事實難如妳們之願……」

忽覺一股暗勁，當胸直撞過來。

方兆南已吃過一次虧，早已暗中留心戒備。

那勁道雖然來得無聲無息，但在這等四外無人的荒野中，只要稍微留心，自是不難看出一點蛛絲馬跡，眼看氣流波動，立時警覺，右掌一揮，拍出一股掌風。

他似是自知自己的內力，不是那發拳人的敵手，一掌拍出之後，人卻疾向一側閃去，口中大聲喝道：「白作義你隱在暗中發拳，算得什麼英雄人物，有種的滾出來，我要領教一下你們西域武學，除了『無影神拳』之外，還有什麼本領？」

他想到以大方禪師的身分，都能變節降敵，何況無影神拳，因為除他之外，當今武林之中，還未聽到有人會此武功。

但見兩丈外的一株巨松之後，緩步走出一個矮胖之人。在他的身後，魚貫相隨著四、五個人。

方兆南看清楚幾個人後，不禁呆在當地。

那當先矮胖之人，正是無影神拳白作義，他身後跟著神刀羅昆，九星追魂侯振方，三劍一筆張鳳閣，和追風鵰伍宗義。

這些人的出現，使方兆南意識到局勢的嚴重，依此類推，蕭遙子和袖手樵隱史謀遁，都可能已爲對方收用。

這些人個個身懷絕技，一旦爲敵所用，後果實在可怕，而且這些人大都是雄據一方的霸主，如果他們被冥嶽收用之後，整個江湖形勢，亦將爲之大變，只恐怕武林道大部分地區，實力盡將爲冥嶽收用……

一念啓發，使他聯想到冥嶽中那場激烈淒慘的大戰經過，那些奇裝異服，臉上塗滿著五顏六色，裝扮各色各樣鬼形的人，武功似都不錯。

如果那冥嶽嶽主，把眼下這些人物，臉上塗上色彩，衣服改穿得奇形怪狀，豈不是和那些鬼形怪人一般模樣？

只聽那紅衣少女銀鈴般的嬌笑之聲，響蕩在空闊的山野，道：「這些人你可認識嗎？」

方兆南收斂一下震盪的心神，長長吸一口氣，目光緩緩由白作義臉上掃過，道：「認識又怎麼樣？」

紅衣少女道：「這些人過去都是你的朋友，可是現在都是你的敵人了……」

她回目緩緩地望了白作義等一眼，道：「你自信武功能勝過五人聯手的合擊嗎？」

方兆南被她問得心頭一震，暗道：「是啊！別說這五人聯手對付我了，就是他們一個個地出手，只怕我也難勝他們……」

忖思之間，忽見那紅衣少女素手一揚，九星追魂侯振方、三劍一筆張鳳閣、神刀羅昆三人，立時拔出兵刃，一湧而上。

方兆南左腕一翻，青龍、白蛟，雙劍一齊出鞘，森森劍芒，冷氣逼人。

那紅衣少女忽然嬌聲讚道：「好劍，單爲這一雙寶劍，今天也不能放你。」

縱身一躍，直飛過來，左手拂塵一揮，低聲說道：「你們上啊！」

羅昆掄動手中金背刀，當先出手，一招「力劈華山」，當頭劈下。

方兆南雙手分握青龍、白蛟二劍。

他初次施用這等寶劍，心中甚多顧忌，眼看羅昆手中金背刀力沉勢猛，怕傷了寶劍，縱身一躍，閃讓一刀。

哪知九星追魂侯振方健腕翻處，蛟筋蛇頭鞭，疾如流星般，直點過來，蛇頭銀芒閃閃，劃帶著輕微的嘯空之聲。

方兆南左手青龍劍斜斜推出，畫出一片劍影，封住了侯振方的蛟筋蛇頭鞭。

九星追魂侯振方看那寶劍揮動之間，帶起一大片似雲似霧的濛濛青光，不敢讓蛇鞭和寶劍相觸，右腕一挫，把蛇鞭收了回來。

但三劍一筆張鳳閣左手的鐵筆，卻疾施一招「驚鴻離葦」，猛向前胸點來。

方兆南右手白蛟劍振腕掃出，躍目的寒芒，幻化成一片劍影，護住身子。

張鳳閣鐵筆疾收，右手一抖，一道白光電射擊到。

他右手同時握著三柄劍，每一柄短劍後面，都有一道很細的銀索，連在手腕之上，既可握在手中，當做兵刃使用，亦可當做暗器，振腕擊出，叫人防不勝防。

方兆南大喝一聲，右手的青龍劍倏然收回，一劍「鐵索攔舟」，橫裡掃出。

青龍劍捲帶著一片精光冷芒，唦然一聲輕響，正削在張鳳閣那脫手擊來的短劍之上。

那百煉精鋼的短劍，登時被寶劍削做兩段，一半斷劍，挾著盈耳的嘯風之聲，掠著方兆南耳畔飛過。

方兆南雖知此劍於一般兵刃，鋒利無比，但卻沒有想到它竟能削鐵如泥，不禁一呆。

就在他一愣之間，羅昆的金背刀已然橫腰斬來，侯振方的蛟筋蛇頭鞭，也疾向前胸點到。

張鳳閣的一劍被削，右手中還握有兩柄短劍，左手中還握有一支鐵筆，略一怔神，欺身而攻上。

方兆南雙劍疾展，和三人打在一起，青、白雙劍，電奔輪轉，舞出一大片冷森森的光華，力戰三人。

那紅衣少女一側觀戰，見三人圍攻之勢竟然無法勝過方兆南。

心念轉動，殺機忽生，低聲對神拳白作義，道：「這人手中一對寶劍不錯，你幫助他們出手，早些把他打死，替我把那寶刃奪來。」

名震西域的無影神拳白作義，對那紅衣少女之命，竟然奉若神明，聽得吩咐，立時大喝一聲，縱身而上，雙拳連揮。

倏然之間，無影神拳連出四拳。

方兆南力戰三人，初時還恐力難勝任，以守爲主，打了十幾個回合之後，膽氣漸壯，暗道：「三人環攻之勢，也不過如此而已。」

正待施展辣手，先傷兩人，忽聽白作義大喝一聲，一股強猛絕倫的暗勁，直沖過來。但覺一陣潛力，直逼上身，全身一震，身不自主地向後退了三步，手中雙劍，也幾乎脫手而落地。

幸得方兆南早已知道無影神拳的厲害，始終留心戒備他突然施襲，覺出不對，立時借勢向後退去。

他應變雖快，但內腑氣血已然浮動不止，受了內傷，只好暗中運氣療息，表面上仍然維持鎮靜，裝出一副若無其事的樣子。

他心中很明白，如果環伺四周的強敵，只要看出他受了內傷，立時將全力逼攻。

白作義暗發一記無影神拳之後，緊接著欺身攻上，復攻四拳，迫得方兆南倒退了八、九尺之遠。

那紅衣少女柳眉一揚，嬌喝一聲，秀眉微晃，疾如流矢，紅影一閃，人已到了方兆南的身前。

只見她拂塵一揮，一招「金絲纏腕」，疾向方兆南右腕上掃去。

她自見得方兆南手中寶劍之後，立時動了貪念，一心一意想把它奪來。

方兆南左手一招「白雲出岫」，青龍劍帶著一片片青濛濛的劍氣，疾向那紅衣少女拂塵之上，掃了過去。

只聽那紅衣少女嬌笑道：「你已經受了內傷，如不及時運氣調息，傷勢發作起來，決難保得性命，縱然勉強和我動手，也如強弩之末，三十招內，非傷在我的手下不可。」

說話之間，手中寶劍已然連續攻出三劍。

方兆南聽得心頭一凜，暗道：「她已看出我受了內傷，決然不肯放過我，不如先下辣手，縱然不能傷她，也可一收先聲奪人之效。」

身軀連閃過那紅衣少女攻來三劍，說道：「我因和令尊有過數日之緣，故而不忍傷害於妳，妳這般苦苦相迫，難道我還真的怕妳不成？」

他想起那雲姓老人救命之恩，雲夫人那思念女兒之情，不知不覺間，說出了這幾句話來。

只聽那紅衣少女格格嬌笑之聲，傳入耳際，道：「你胡說八道什麼？我父母早已死去，由恩師教養長大，你想見我父母，那就到鬼門關中去找他們吧！」

唰、唰、唰又是三劍急攻。

卅四　浴血護寺

方兆南右手白蛟劍一招「野火燒天」，把那紅衣少女急攻的三劍封開，左手青龍劍突然施出了一招「西來梵音」，寶劍幻起一片濛濛青芒。

這一劍乃覺夢禪師傳授他「達摩三劍」之一，凌厲中隱含著緩和慈悲。那紅衣少女只覺滿天劍影，由四面八方擁了過來，雖然有很多破綻，但卻有著無從下手招架之感，嬌軀一晃，後退八尺。

忽聽神刀羅昆大喝一聲，掄動手中金背刀，一招「橫掃千軍」，攔腰掃來。

那達摩三劍，雖是曠絕千古的劍術絕學，但運用時，必須提聚真氣，方兆南前胸中了一記無影神拳，浮動的氣血，尚未平復，再運氣擊出一劍，人已微做喘息。

眼看羅昆掃來一刀十分猛惡，不敢用劍封架，縱身躍開五尺，心中暗暗忖道：「這兩支寶劍，雖有削鐵如泥之效，達摩三劍亦足和眼下強敵周旋，但內腑傷勢，必得早些運氣療息不可，白作義那無影神拳，更是防不勝防，不如暫時退入寺中，稍作養息，再圖克敵。」

心念轉動，也就不過是剎那間的時光，不待強敵再出手襲擊，突然反身一躍，疾向少林寺中退去。

那紅衣少女高聲叫道：「快點追他，他已受了內傷……」

群豪似是對那紅衣少女十分敬佩，聽得她大喝之言，立時急急追了過去。

方兆南勉強提著一口真氣，急向寺中奔去。

幸得距離不遠，眨眼間已到了寺門前面。

四個身披月白袈裟的和尚，分持著方便鏟，鐵禪杖，一排攔住去路。

方兆南低聲喝道：「擋住後面追兵……」

說著話，身子一側，從四僧之間衝了過去。

少林寺的和尚大都已認識方兆南，立時閃身向旁邊一讓，放過他去，一橫手中兵刃，擋住後面追兵。

方兆南奔入寺門之後，心中忽然一動，暗暗忖道：「白作義無影神拳，傷人於無聲無息之中，這四個和尚不知內情，只怕要吃大虧。」

當下停住身子，回頭叫道：「四位禪師請謹防對方的無影神拳……」

忽然想到那無影神拳乃西域奇技，少林寺中和尚只怕還不知道，世間有這樣一種武功。

他趕忙又接著說道：「無影神拳是一種奇異的武功，發時無聲無息，暗勁擊中後，才能覺到，那人是個又矮又胖的老頭子，你們要小心了，注意著他雙手的舉動……」

他話還沒說完，忽聽最左面一個和尚哼了一聲，向後退了三步，身軀搖了幾搖，才站穩了身子。

原來在他說話之時，那人已經中了一記無影神拳。

方兆南心頭一震，暗道：「我如爲療自己的傷勢，讓這四位少林和尚傷在他們手中，不但愧對大愚禪師，而且還被這般人衝入寺中。」

念頭一轉，重又緩步走了回來，一面運氣調息，一面監視觀戰，以備隨時出手相援。

這時，少林寺僧侶，已和敵人動上了手，除了那個先爲對方拳勢所傷的人之外，三個僧侶揮動兵刃，聯手拒敵。

三劍一筆張鳳閣、九星追魂侯振方和神刀羅昆等，雖然用盡了全力搶攻，但三僧手中的方便鏟、鐵禪杖相配合支援，攻拒之間，配合得十分嚴謹，絲毫找不出一點破綻、空隙。

三人全力搶攻了三十多招，三僧仍然是從從容容，毫無吃力的樣子。

那紅衣少女眼看三個少林僧侶，門戶防守得十分嚴密，看樣子再打下去，一、兩百招，也難分勝敗，心中大感焦急，而且打鬥激烈，只見杖影刀光，難分敵我，白作義的無影神拳，也不隨便出手。

當下一擺手中寶劍，縱身而上，衝入戰圈，舉手一劍，向右面一個和尚前腦刺去，左手拂塵回掃，纏擊向左面一個和尚手腕。

二僧被迫得向後退了一步。

她一加入之後，局勢立時改變，三個和尚被她詭奇的劍招，迫得有些應接不暇，聯手之陣逐漸散亂。

這時，方兆南已借機調息復元，眼看著三僧已有些招架不住，立時仗劍一躍而上。

他自服用過覺夢調製的全態糕後，又被覺夢大師施展內家真力，迫他出全力相抗，只累得筋疲力盡，當場暈倒。

但他卻不知覺夢大師在他暈倒之後，不惜消耗本身真元之氣，逐步推拿他身上的經脈，使他的功力大進。

是以，他只要極短的時間調息之後，消耗的體力，便立時復元。

驀然間，傳來了一聲宏亮悠長的佛號。

只見大慈禪師帶了十二個少林高手，疾奔而來。

方兆南回目一瞥，暗暗忖道：「目下情勢險惡，大可不必有什麼忠厚之心，群僧趕到之後，就讓他們一齊出手，先把眼下這些強敵制服，也好減少一些威脅。」

心中念頭電轉，手中青龍劍卻疾向那紅衣少女點擊過去。

那紅衣少女每和方兆南動手一次，就覺著他武功比以前進步甚多，是以心中對他已存了甚大戒心。

但方兆南卻誠心和她硬拚一場，劍勢一緊，把她分攻三僧的招術都接了下來。

白作義突然大喝一聲，疾衝而上，舉手一拳「直搗黃龍」，當胸擊來。

他功力深厚，每次出手拳勢，都帶著嘯風之聲，威勢十分嚇人。

方兆南擔心他再施展無影神拳傷人，那可是防不勝防，當下閃身避開一擊，手中劍勢一轉，全力向白作義猛攻過去。

那紅衣少女擺脫了方兆南後，神威立復，一連三劍，又把三僧聯手拒敵的陣勢衝亂。

幸好大慈禪師已率領群僧及時趕到，揮動手中禪杖，接住了那紅衣少女凌厲的攻勢。

他乃少林寺中大字輩高僧之一，功力深厚，卓然不同群僧，禪杖揮舞之間，力重勢猛，交手數回合，那紅衣少女已知遇上了勁敵，無暇再向群僧施襲，全神貫注迎敵。

少林僧侶聯手拒敵的陣勢，又從紊亂中穩定下來。

方兆南一和白作義上手後，立時施展出全力搶攻。他東一劍武當派的絕學「天河倒掛」，西一劍崑崙派的「萬蜂出巢」，再加上那寶刃的揮舞間，幻起來的森森劍氣，竟然把白作義迫得無暇施展無影神拳。

轉眼望去，大局已穩，當下劍勢一緊，擊出一招「巧奪造化」，青龍劍幻灑出漫天寒星，有如驟雨急落。

白作義駭然一震，縱身而退。

方兆南右腕一震，如影隨形，疾追而上，不容白作義有喘息運氣的機會，已揮劍攻到。

白作義右拳疾起，一招「推山填海」，打出一股奇猛拳風，左手卻施出擒拿法，疾向方兆南右腕上面扣去。

方兆南左手青龍劍斜出一招「一橋銀花」，封住了白作義左手擒拿之勢，身子一側，避開擊來的一拳，白蛟劍卻疾出一招「神龍三現」，劍勢搖舞，幻起三朵銀花，迫得白作義又向後退了兩大步。

方兆南借勢搶攻，青龍劍重演了一招「巧奪造化」，又把白作義迫得向後退去。

片刻工夫，白作義已被迫退了兩、三丈遠。

白作義暗暗忖道：「這娃兒劍招奇奧，而且又沒有一定路數，手中雙劍，寒氣逼人，光華奪目，分明是可斷金玉的寶刀。我這般和他纏鬥下去，只怕要吃大虧，強敵相搏，先下手者爲強，如再不施展毒手，把他擊傷，難免要傷在他的手中。」

心念一轉，殺機忽起，暗中提聚真氣，身子疾向旁側躍去。

方兆南怕他施展無影神拳，左腕一振，青龍劍幻出一片青芒，疾追過去。

白作義奔行之間，突然回身，右手一揚。

方兆南連番吃到無影神拳的苦頭，見他一揚右手，立時疾向一側閃去。

哪知白作義這一招，不過虛張聲勢，待方兆南身子站好，才真的發起一記神拳，緊接著疾撲而上。

目睹白作義過來，青龍劍斜斜推出，封住門戶，蓄勢待敵，忽覺一股暗勁，撞上身來，不禁心頭一震，趕忙借勢向後躍退。

白作義這一拳，已用出了八成的內力，勁道異常強猛。

方兆南雖然已有了讓避他無影神拳的經驗，仍然被那襲上身來的暗勁，震得全身氣血浮動，眼中金星亂冒。

就在他眼睛一花之下，白作義已疾如電光石火般撲到，右手一翻，已搭在方兆南左腕之上。

方兆南但覺左腕一麻，青龍劍已被白作義奪了過去。

他雖內腑重創，神智並未昏迷，大喝一聲，右手白蛟劍，突然施出了「達摩三劍」中一招「西來梵音」。

這一招，曠絕千古的奇學，出手之後，白作義登時被籠罩在一片劍影之下。

他欺身奪劍，相距過近，已無法退出方兆南撒出的重重劍影，形勢相迫，白作義不得不做死中求生的掙扎，揮動手中的青龍劍，猛向當頭罩下的劍影上面掃去。

方兆南這一劍乃達摩三劍起手劍式，凌厲劍勢中，仍含著慈悲心腸。

雙劍相觸，發出一陣龍吟之聲，白作義倒提青龍劍，滿身鮮血而退，原來他被形勢所迫，硬是接了一劍，身上受了三處劍傷。

方兆南內腑受傷，腕力已大減，白作義又沾了手青龍劍的光，才勉強把這一劍架開，劍傷白作義後，內腑氣血浮動甚烈，不由自主地噴出一口鮮血。

那紅衣少女正和大慈禪師相搏，聽得方兆南大喝一聲，不禁轉頭一瞥。

眼見白作義竟把方兆南手中的寶劍奪過一支，不禁心中大喜，高聲喝道：「快些把那寶劍送過來……」

她精神一分，立時被大慈禪師手中急如狂雨的禪杖，迫得險象環生。

白作義雖然奪過來一柄寶劍，但身上三處劍傷，卻是不輕，鮮血泉湧而出，片刻間濕了半個身子。

他只顧運氣止血，無力再發無影神拳，如他此時借機再發出幾記無影神拳，方兆南勢非被活活擊斃不可。

這是一個兩敗俱傷的局面，兩個人都無能立時再戰。

少林群僧們，眼看方兆南受了重傷，立時有四人疾奔過來，一個扶著方兆南向寺中退去，一個手橫禪杖相護。

另兩個卻撲向白作義，想奪回他手中的青龍寶劍。

那紅衣少女，雖被大慈禪師縱掃橫擊的禪杖，迫落下風，但她心中，仍然念念不忘白作義手中奪得的兵刃。

眼看二個少林僧侶衝了上去，白作義卻渾如不覺，心中大感焦急，手中長劍突然施出一招

「硃筆點魂」，劍尖上顫化出三點銀芒，疾刺向大慈禪師右腕。

那紅衣少女一劍迫退強敵，振劍斜躍而出，手中拂塵一振，掃向白作義左面一僧，右手長劍「攔江截斗」，點擊右面一個和尚，她動作迅快，拂塵、長劍雖然後發，卻和二僧擊向白作義的禪杖一齊攻到。

如果二僧不肯放手，白作義固然要傷在二僧禪杖之下，但二僧亦將傷在紅衣少女拂塵和長劍之下，形勢迫得兩人不得不先求自保，齊齊向後退開。

紅衣少女突然嬌喝一聲，右手一振，寶劍化成一道白光，疾向右面一僧投擲過去。

劍勢迅快，劃起了一股嘯風之聲，左手拂塵疾揮一招「雲霧金光」，擋住那左面一僧的攻勢，右手卻迅快絕倫地向白作義手中的青龍寶劍上抓去。

白作義雖然在運氣止血，但他武功並未失去。

那紅衣少女纖手將要觸及他手中寶劍時，白作義忽然一振手腕，手中青龍劍，疾翻而起，青芒閃起，直刺過來。

這一劍來得十分意外，那紅衣少女芳心一震，疾向旁側閃去，口中卻失聲喝道：「白作義，你瘋了，是我！」

她應變雖然很快，但仍然是晚了一步。

只見青芒閃動，掃中了大腿上的皮肉，鮮血順腿而下。

白作義劍勢出手的同時，微閉的雙目，也同時睜開，一見傷了那紅衣少女，不禁微微一怔，神智忽然清醒過來。

只聽噹的一聲金鐵相擊，紅衣少女投擲向右面一僧的長劍，被和尚一杖掃開，人也緊隨著疾衝過來。

紅衣少女急急叫道：「快把手中的寶劍給我。」

白作義臉色微微一變，但他終於依言把手中寶劍，遞了過去。

那紅衣少女接過寶劍，大慈禪師和兩個少林弟子，已分由三面攻到。

大慈禪師滿臉忿怒之容，一招「五丁劈山」，當頭直衝而下。

白作義突然大喝一聲，神威忽發，雙手齊出，連發兩記無影神拳。

那左右兩面衝上來的兩個少林僧侶，忽然覺得前胸一震，似是被人無聲無息地用鐵錘在前胸擊了一下。

但覺一陣氣血浮動，身不由已地各自向後退了三步，手中鐵禪杖，也隨著脫手落在地上。

那紅衣少女確有著過人的武功，身陷危境，心神不亂，突然一個大翻身，嬌軀橫向一側移動兩步，手中青龍劍「腕底翻雲」，疾向大慈禪師下擊的鐵禪杖削去。

她心中雖然愛惜寶劍，但在生死交關之時，也無法顧及到損傷寶劍了。

只聽一聲清脆的金鐵交鳴，大慈禪師下擊的杖閃，雖未被彈震開去，但卻被那紅衣少女利用滑字訣，滑到一側。

紅衣少女勉力封開一杖，立時疾向旁側閃避開去，大慈禪師也疾向後面躍過。

凝目望去，只見鴨蛋粗細的鐵禪杖，竟被那青龍寶劍生生削斷了一半。

那紅衣少女更是迫不及待，舉起手中寶劍查看。

但見全劍一片青濛的光芒，竟然是毫無損傷，不禁心中大喜，連腿上的傷疼也忘了，嬌喝一聲，疾衝而上，一劍「穿雲摘月」，疾刺向大慈前胸。

白作義雙手齊發一記無影神拳，雖然把兩個少林弟子震傷，但他剛剛運氣止住了流血的傷口，卻被他一提真氣，震得重新迸裂，登時血如流水而出。

守在寺門幾個少林弟子，一看同伴受傷，立時又有四個奔了過來，各揮手中兵刃，齊齊衝了過來。

那紅衣少女手中多了一柄斬金削玉的寶劍，如虎添翼，攻勢更是凌厲難當，大慈禪師卻擔心手中禪杖被人削斷。

兩人武功原來在伯仲之間，大慈多了一層顧慮，登時有一種施展不開的感覺，被那紅衣少女一連幾劍快攻，迫得手忙腳亂，大有應接不暇之感。

她的武功、劍招，全走偏激詭奇的路子，一占上風，鋒芒更健。

但見漫天劍氣，挾著手中拂塵的唰唰之聲，著著指襲向大慈禪師的要害大穴，五招之後，已把大慈禪師迫得險象環生。

九星追魂侯振方、三劍一筆張鳳閣、神刀羅昆、追風鵰伍宗義，正和少林寺僧侶們打到生死關頭之時，眼看到白作義身處危境，卻是無法救援。

突然間響起一聲嬌喝，一條人影，疾飛而到，一陣紅光閃動，四個攻向白作義僧侶手中的兵刃，一齊被彈震開去。

群僧退了兩步，定神看去，只見一個身著藍衣，頭挽宮髻，秀美絕倫的少女，左手執劍，右手卻握著一支形如鹿角，赤紅似火的怪兵刃，俏生生地站在白作義的身前。

此女和那紅衣少女一般地動人惹眼，只是眉目間有一種威嚴之肅，看上去比那紅衣少女冷酷甚多。

只聽她嬌喝一聲：「住手。」

那紅衣少女當先一收劍勢，縱身而退。

九星追魂侯振方、三劍一筆張鳳閣、追風鵰伍宗義、神刀羅昆，一齊猛攻兩招，迫退強敵，向後躍退。

那藍衣少女目光轉動，掃掠了全場一眼，冷冷說道：「你們這些和尚中，哪一個能夠作主？」

她氣度冷漠威嚴，一派自負不凡的神情。

大慈禪師冷哼一聲，道：「年輕的女孩子家，說話要有點分寸，有什麼事，只管向老衲說吧。」

他本是仁慈和藹，修養有素之人，只因目睹寺中慘變，對冥嶽中人，已恨之入骨，言詞之間，竟也充滿著火氣。

那藍衣少女微微一笑，道：「這一群和尚數你年紀最大，我該早看出來，就不用多此一問了。」

大慈道：「女施主最好少說廢話。」

藍衣少女柳眉一聳，滿臉陡現起一股肅殺之氣，道：「去告訴你們寺中當家和尚，今夜三更，家師親率冥嶽中高手入寺，三更以前，你們還可以派人求和，只要願歸冥嶽，可免一次大劫，三更前不見回音，入寺後雞犬不留。」

大慈禪師道：「少林寺在江湖上是何等的聲譽，妳這般信口開河，老衲本該立時教訓妳一頓。」

那紅衣少女突然格格一笑，道：「就憑你那點武功麼？哼！說話不怕山風閃了你的舌頭。」

藍衣少女素手一揮，道：「不用和他多費口舌了，我們走吧！」當先轉身而去。

那紅衣少女和三劍一筆張鳳閣等，緊隨那藍衣少女身後而去。

大慈禪師自和那紅衣少女動手之後，已覺出對方武功，實不在自己之下。一時之間，十分猶豫，不知是否該率領群僧追趕。

正感為難之際，忽聽方兆南細弱的聲音，傳了過來，道：「不要追他們！咱們也早些回去，商量一下禦敵之策。」

大慈禪師心中感激他相救少林群僧之情，對他十分尊敬，當下合掌應道：「方施主傷勢未癒，只管安心療息，老衲就去告訴大愚師兄！」

方兆南輕輕嘆息一聲，道：「我此刻正在運氣，不宜行動，如若能夠請得令師兄來此一行最好。」

他內傷不輕，在四個少林僧侶的保護之下，正在運氣療息，但聽得那藍衣少女一番話後，忍不住插口而言。

大慈禪師暗忖道：「大愚師兄，現下代行方丈之權，身分崇高，怎可隨隨便便地叫他來此相會……」

忽聞長嘯之聲，劃空傳了過來，而且來得迅快無比，倏忽之間，已到了群僧停身之處。定神看去，只見兩條人影，有如離弦流矢一般，疾射而來，嘯聲頓收，人影驟現，正是南北二怪。

北怪黃煉目光一掃方兆南，說道：「怎麼？你受了傷啦！」

方兆南點點頭，笑道：「不錯，受了傷啦！」

北怪黃煉大步走了過去，伸出鬼爪一般的手來，說道：「老夫助你早些恢復功力，如何？」

方兆南暗暗忖道：「他如想暗中殺我，不用這樣出手，亦立時可把我置於死地，與其畏首畏尾地逃避他，倒不如大大方方地死在他手中。」

當下一笑，道：「老前輩儘管出手。」

北怪黃煉，原本有暗中傷害方兆南之居心，但聽他這般豪氣地一說，反而有些不好意思起來。

當下一提真氣，緩緩舉起手來，頂在方兆南「玄機」要穴之上。

他功力深厚，非同小可，一和方兆南肌膚相觸，方兆南立時感覺到，有一股極強的熱力，直沖而入，趕忙運氣和那攻入內腑的熱力呼應。

南怪辛奇眼看北怪黃煉出手相助方兆南療息傷勢，好像很不甘心一般，也大步走了過去，伸出右手，頂在方兆南背後的「命門穴」上。

北怪一看南怪也跑了上來，冷哼一聲，右手突然加力，把方兆南的身子，突然向後一推，借著方兆南的身子傳過去一股暗勁。

南怪辛奇冷笑一聲，右手突然加力，也借方兆南的身子發出內勁，和北怪黃煉傳擊過來的內勁相抗。

這兩人借著方兆南的身體，互較內勁，逐漸各加功力，勁道愈來愈強，但卻苦了方兆南。只覺內腑之中，兩股互傳相擊的潛力在激蕩衝突，五臟六腑，都快要被翻了過來，氣血浮動。

可是黃煉、辛奇，這兩個冷僻孤傲的老怪物，生平做事，素來是只管自己的喜怒，不管別人的生死。

兩人雖然看出了方兆南受兩人內力相互衝擊的痛苦，但仍然不肯罷手，似是非得打出一場勝負不可。

方兆南只感到兩股力道，在內腑衝突得愈來愈強猛，承受十分痛苦，正待勸請兩人住手，忽覺一股奇熱，由背後命門上直沖而入。

方兆南微微一笑，也不答話，緩緩閉上雙目。

原來那灼熱、冰寒的兩股暗勁，在他身上經過一陣激烈的衝突後，便逐漸地穩了下來。方兆南所受內傷，被兩人一陣折騰，把積存在肝臟之間的兩口淤血吐了出來，傷勢霍然而癒，暈過去片刻之後，復生過來。

他覺出南北二怪一冷一熱的暗勁，雖然仍在自己體內沖擊，但卻不似先前那樣激烈，雖然還忽冷忽熱，但已勉強可以忍受。

一個本能，使他在不知不覺中，提聚了本身真氣，和那在內腑沖擊的力量相抗，加上他自行提聚的真氣一攪，那兩股漸趨穩定的暗勁，突然又加速沖蕩起來。

逐漸地他體會到，自己提聚的真氣，雖不能左右大局，但覺得灼熱時，幫助北怪黃煉抵抗辛奇的赤焰掌力，使那灼熱減少了不少。

如果在冰寒加重時，他以本身真氣相助南怪辛奇抗拒北怪的玄冰掌力，使那冰寒之氣，也爲之減少了甚多。

這樣，使他感覺到，承受的灼熱和冰寒已不似先前那樣強烈。

要知南北二怪的武功，雖然各走極端，一個焰熱，一個冰冷，但兩人的內力，卻是在伯仲之間，各出全力相搏，半斤八兩，僵持不下，寒熱中和，兩極對消，是以他慢慢覺得那寒熱已不怎麼厲害。

方兆南逐漸體會出這個道理，南北二怪，也體會出了這個道理，但兩人好勝之心極強，形成了騎虎難下之勢，誰也不肯先行停手。

鷸蚌相爭，漁人得利，方兆南忽然感覺本身真氣被南北二怪的寒熱之力沖擊之勢，通得直向「生死玄關」沖去。

卅五　千鈞一髮

方兆南這數月以來的際遇，雖是悲慘、淒涼，但也是曠世絕奇，他在感情上遭遇了無比的痛苦，但在武功上卻有了幻奇的進境。

北怪黃煉久持不勝，不禁心頭火起，冷哼一聲，按在方兆南前胸「玄機」要穴上的掌力，突然向前一送，全身功力一齊發出。

方兆南忽覺寒氣大增，「命門」穴上攻進來的焰熱之力，被那寒氣一逼，突然退縮回去，熱力消滅。

方兆南頓感到一陣冷意，不禁打了兩個冷顫。

他提聚的真氣經這寒氣一激，忽然又向上一沖。

方兆南身軀，也隨著那上沖的真氣，顫動了一陣。

忽覺熱力大增，南怪辛奇的反擊之力，像排山倒海一般直沖過來。

方兆南但感一陣灼熱，內腑間的寒冷之氣，完全被那攻來的熱力逐走。

這一冷一熱的突變，各盡其極。

方兆南湧在「生死玄關」的真氣，被這忽冷忽熱之力連翻迫逼，突然直沖而上，沖過「生死玄關」，直上十二重樓。

這當兒，北怪黃煉，又用出全力反擊過來，方兆南滿身炎熱，突然又被一股強大的寒氣掩去。

這一陣寒冷，當真是凍肌刺骨，使方兆南的身體起了極大的變化。

不知怎地，他內腑忽然僵止不動，一連打了幾個寒顫，臉色也成了一片鐵青，身上的血液，也似被這寒氣凍結起來一般。

除非一個內功修爲超過北怪黃煉的人，誰也無法抗拒這一股由極熱突變的酷寒。

由寺內趕來的大愚禪師，一直靜靜地站在一側，兩道眼神卻盯在方兆南的身上。

眼看他神情大變，臉色鐵青，全身一陣顫動後，突然僵直不動，不禁心頭大爲震駭，再也忍耐不住，大步直奔過去。

只聽南怪辛奇大喝一聲，按在方兆南後背「命門穴」上的右手，突然向前一推，一股奇熱，疾攻過來。

方兆南僵挺的身子，被這熱力一逼，又是一陣顫動，臉上的汗水，滾滾而下。

他沖上十二重樓的真氣，再經南怪辛奇這灼人肌膚的熱力一逼，一陣激蕩，沖過了「生死玄關」。

方兆南只覺一股極強的力道沖了上去，身子飄飄欲飛，身上又被那股強熱，灼燒得極難忍受，不自覺地一提真氣。

但感身子一輕，忽然離地而起，升飛起六、七尺高，飄落到一丈開外。

南北二怪看得微微一怔後，手上力道，齊齊減去。

大愚禪師本待要出手相救，忽見方兆南原姿不變地端坐飛起，脫離了兩人雙掌挾持，立時停下腳步。
方兆南飄落實地之後，挺身而起，運氣一試，不但毫無傷疼之感，反而有著一種爽快輕靈的感覺，心中大感奇怪，暗道：「這是怎麼回事呢？」
忽聽大愚禪師的聲音，繚繞在耳際，道：「方施主沒有傷著嗎？」
方兆南由沉思中驚醒過來，道：「還好。」
他自己也不知是否受了內傷，是以，對大愚之言，無法答覆，只好含含糊糊地支吾過去。
大慈禪師好不容易，等待這樣一個說話空隙，當下把那藍衣少女相約之言，一字不漏地轉告了大愚禪師。
大愚禪師抬頭望望天色道：「現下不過申初光景，諸位連番和強敵相搏，想都已睏倦，先請回寺，用上一頓素齋，休息一下體力，晚上好對付強敵。」
南怪辛奇一皺眉頭，道：「老夫無酒不餐，偏是你們這和尚廟中，有著甚多規矩……」
北怪黃煉忽然冷笑一聲，接道：「三十餘年酒未沾唇，你也沒有死啊！」
辛奇怒道：「你怎麼知道老夫沒有酒喝？」
大愚禪師怕兩人再吵起來，趕忙接道：「平常之日，敝寺待客，確不備酒，但寺中卻存有久年佳釀，兩位如若有興趣，老衲願供一醉。」說完，合掌肅客。
方兆南搶快兩步，走到大愚禪師身側，低聲說道：「晚輩已失去一劍，此劍如果再有失閃，實叫在下愧對禪師……」
大愚禪師不待他說完，已聽出弦外之音，微微一笑，接道：「青龍、白蛟，已非少林寺中之物，方施主如何處理，老衲不願多問。」

方兆南輕輕一嘆，道：「今夜之戰，不但事關貴寺的安危存亡，整個武林的命運，恐怕也將在這一戰之中……」

大愚禪師道：「敝寺中三代弟子都甘爲武林效命，方施主有何調度，但請吩咐就是。」

方兆南道：「晚輩發覺了一件驚人的事，心中一直爲此惶惶不安，今夜之戰，勝負之分，雖靠貴寺弟子們同心協力，不避生死，但是南、北二怪，亦將是此一決戰中的主要人物。兩人功力深厚，又練成了特殊的掌力，在晚輩心目之中，正好用做抗拒冥嶽嶽主的高手，但晚輩心中念念不忘的是，怕這兩人忽爲強敵收用。」

大愚禪師低聲問道：「你是怕他們積惡難改，易生動搖……」

方兆南搖搖頭道：「剛才寺門外面和晚輩動手之人，除了那紅衣少女之外，其餘三人，大都是大江南北的高手、雄主，月前泰山大會中的主要人物，曾幾何時，這般人竟然都做了冥嶽中的爪牙，這一點，實叫晚輩百思不解……」

他微微一頓之後，嘆道：「以南、北二怪的功力，生擒冥嶽中兩女弟子，也非什麼難事，但竟被敵人兔脫，而且事後，晚輩發覺那紅衣少女，尙非冥嶽中女弟子的真身，武功自然尙要遜上一著，南、北二怪見我之後，一直未提二女之事，想必連傷也未傷到敵人，晚輩因此擔心……」

大愚禪師道：「老衲就大方師弟情形而論，他似是服用過什麼藥物！」

方兆南道：「老前輩說的不錯，晚輩也想到他們可能用一種絕毒的藥物，威脅服藥人的生死，或是控制了他們的心神，使對方甘心效命，聽候遣派……」

兩人談話之間，已到了少林寺方丈室外。

南、北二怪和方兆南，早已被視爲少林寺中貴客，大愚禪師合掌肅容，把三人讓入室中。室中早已擺好了佳釀、素齋。

大愚、大慈、大立、大道，四個僅餘的大字輩中高僧，一齊留在方丈室中相陪。這是一個隆重的宴會，素守清規的大字輩高僧們，破例地開了酒戒。

南、北二怪生具了冷僻的性格，神色間，一片凜然難犯的冷漠。兩個人既不和少林寺僧侶們講話，也不和方兆南搭訕，你一杯，我一杯地喝個不停，兩個提壺斟酒的小沙彌，一直不能停止。

片刻工夫，兩人已各飲了四、五十杯。

方兆南暗暗忖道：「看樣子這兩人又在暗中拚上了酒，縱然量大如海，也禁不住這等手不停杯地啞然猛拚，今夜一戰，事關千萬武林同道的命運，如放任兩人這般相拚下去，勢必要喝個爛醉如泥不可了……」

心念一轉，趕忙端起案上酒杯說道：「兩位老前輩請滿飲此杯，晚輩有幾樁疑難不解之事請教。」

南、北二怪舉杯一飲而盡，齊齊說道：「什麼事？」

方兆南道：「今夜三更，由那冥嶽嶽主，親率她屬下高手，來寺相犯一事，兩位老前輩，想已經早知道了吧？」

南怪辛奇冷冷說道：「知道了又怎麼樣？」

方兆南道：「此事關係著今後的武林大局，並非是少林寺一門存亡之戰。」

南怪道：「我也不是少林門下弟子，與我何涉？」

北怪黃煉縱聲大笑，道：「不錯啊！少林寺和尚被殺光了，也與我們無關。」

大愚、大慈等四個少林高僧，臉色一齊大變，正待發作，卻被方兆南示意攔住。

他心中很明白，南北二怪在這次決戰之中，所占的比重甚大，這不是憑逞血氣之勇的時機，開罪了南北二怪，今夜之戰，就算先失去一半實力。

當下接口說道：「兩位老前輩雖和少林門戶毫無淵源，但已親口答應，相助在下一臂之力。」

南、北二怪互相望了一眼，齊聲說道：「答應助你之事，就是助你，不能把別人的事混爲一談。」

方兆南暗暗喜道：「還好，這兩人雖是生性冷怪一點，倒還遵守承諾之言。」

但見二人手不停筷地大口吃菜，片刻工夫，滿桌素齋被他兩人吃個杯盤狼藉，伏案睡去，不久工夫，竟呼呼入夢。

方兆南低聲對大愚禪師道：「這兩人剛才各以獨門奇功相拚，彼此耗去元氣甚多，讓他們好好地睡一會兒吧！咱們到別處談談。」

大愚禪師首先站了起來，走向外間，慈眉聳動，長嘆一聲，道：「少林寺八百弟子，都有著敵愾同仇之心……」

方兆南接道：「那就好了，由晚輩帶著南北二怪，以游殲強敵高手爲主，幾位也請各選十二個武功高強的弟子，分組成隊，以便隨時策應。」

大愚點頭說道：「老衲擔心南北二怪中途叛離……」

方兆南笑道：「這個老前輩儘管放心，南北二怪生性雖然孤傲、冷僻，但他們究竟是成名武林的人物，既然答應助我，當不致中途改變……」

他微微一笑後，接道：「和他們兩人相處，不能以常情、常理對付，晚輩已得個中三昧……」

大愚道：「如此就好，老衲念念難忘的就是這件事情。」

大慈禪師突然接口說道：「老衲心中有一事不明，得要向方施主請教。」

方兆南道：「晚輩知無不言，老禪師儘管說吧！」

大慈道：「南北二怪各以上乘內功相拚，會把方施主挾在中間，當時看去，施主似是甚爲難過，但此刻看來，方施主竟似毫未受傷？」

方兆南點頭笑道：「當時情景，確甚難過，也許因南北二怪功力相若，才有此奇蹟，晚輩此刻，不但沒有受傷之感，且覺真氣充沛，獲益匪淺。」

大愚禪師道：「方施主吉人天相，因禍得福，老衲爲施主慶賀。」

方兆南微微一笑道：「多謝老前輩關注了。」

大愚探身望望天色道：「老衲已派人在此靜院，嚴密戒備，方施主不妨小息片刻，一有動靜，老衲立時派人通知。」

說完起身告別。

方兆南送客室外，低聲說道：「南北二怪，野性難馴，對貴寺又有一段積忿，此刻正值用人之際，老禪師還請擔待一、二。」

大愚道：「老衲記下了，施主回房去吧！」

合掌一禮，欠身而去。

方兆南抱拳相送，直待幾人走出靜院，才回過頭來。步回禪室。

抬頭看去，只見三個斗大的金字「方丈室」，橫雕在一塊千載古松匾上。

想到數月之前，武林中對少林寺是何等的崇敬，視作泰山北斗，高不可攀，曾幾何時，自己竟然受盡了少林寺高僧關懷，以方丈之室讓做休息之地，此等榮寵，在數月之前，當真是作夢也難想到。

這時，已經是夕陽西下時分。

天際間，晚霞絢爛，一抹夕陽反照，撒在室外的盆花上，雲彩幻麗，花色生光，春天的黃昏，景物是這樣地動人美麗。

他長長吁一口氣，緩緩傍花而坐，仰首望著西天變幻的彩霞，神馳無際長空，數日緊張的心情，陡然爲之一鬆。

忽然間，一道閃光，劃空而過，緊接著一聲巨雷，震耳欲聾。

一片雲氣，生自那變幻難測的彩雲之下，片刻間，由淡生濃，逐漸擴展，掩遮去西天一片彩霞。

閃光群起，雷如連珠，倏忽之間，滿天盡都瀰漫著雲氣。

方兆南目不轉睛地看著這一幕自然景象的變化，不禁黯然一嘆，心中暗暗忖道：「天有不測風雲，人有旦夕禍福，果然不錯，剛才那美麗景色，片刻間，盡被烏雲遮去，今夜一番大戰，來勢將如這場暴雨一般，挾閃電鳴雷，忽忽而至……」

突然間，一個天真無邪的倩影，像那閃電一般，由他腦際間掠過，雷電的啓發，使他忽然回想到那遺留在山腹密洞中的周蕙瑛來。

一念閃起，萬念湧來，周蕙瑛的倩影尚未在心田間消失，熱情如火的陳玄霜，倏又突然泛現在腦際之中……

心念轉動間，又想起了冷若冰霜的梅絳雪來。

三個美麗的少女倩影，都極清晰地印在他的心靈上……

只覺著滿身情孽，無法補償，不禁失聲一嘆道：「天啊！我沒有存心害她們一個，可是三個都爲我牽連而死，唉！這究竟是誰的錯呢？」

他就帶著這樣的心情，傍花而坐，不知過了多久，突聞響動，一提丹田之氣，振臂而起。

此時，天已黑透，他起落之間，來到了寺門，正待左右查看，忽然由身後傳過來一陣沉重的步履之聲，緩緩接近身後。

他長長吸了一口氣，凝聚丹田，暗運功力，霍然轉過頭去。

星光下，只見大愚禪師帶著大道禪師走了過來。

夜風吹飄起兩僧寬大僧袍的衣角，兩人舉步落足之間，似是如負重鉛，顯然，這兩位少林高僧的心情，正有著無比的沉重。

大愚微微一笑道：「眼下時光已是初更過後，敝寺存亡絕續之戰，序幕將展，今宵是少林寺創立門戶以來，最艱苦的一夜。

「方施主以事外之人，爲敝寺捲入此是非漩渦之中，此時此情，老衲等如再談什麼感恩圖報之言，未免有傷方施主的俠情了，千句總一句，敝寺中上下三代弟子，人人心目之中，都深銘方施主這番相助之情意了……」

方兆南深受感動，抱拳一揖，說道：「貴寺的存亡，事關武林大局，但眼下卻只有貴寺弟子，擔負起這副沉重的擔子……」

他仰首望天，長長吸了一口氣，黯然接道：「晚輩的看法，貴寺如若不支而潰，整個武林形勢，亦將隨之發生劇變，九大門派，無一能倖免劫難。

「今宵之戰，應該是我中原武林同道，一大劫難，九大門派都應該盡出高手而來，共拒強敵，但別人卻是袖手不問，由貴派獨擋銳鋒。」

大愚微微一笑，道：「方施主話雖不錯，但冥嶽中人來得太過突然，使老衲柬邀助拳之人的時間，也是沒有，自是不能怪人。」

方兆南似是對少林寺抱甚大不平之氣，冷笑一聲，接道：「各大門派，都有弟子在江湖之上走動，似此等重大之事，竟然不知不覺，想來實覺好笑……」

大愚看他越說越是氣忿，合掌接道：「方施主也該休息一下了，趁尙有段餘暇，調息一下精神。」

方兆南拱手道：「多謝老禪師關心了。」

說罷，轉身大步而行。

這時，少林寺已是勺斗森嚴，到處人影閃動。

方兆南借星光看去，只見一群群少林僧侶，手橫兵刃，結隊而立，斷斷續續，銜接成一座陣圖，每一個轉角之處，都已裝好火把。

方兆南目睹嚴密布置，忍不住微微一笑道：「老禪師這等布置，當真是飛鳥也難偷渡。」

大道禪師接道：「三百條火把，都用麻桿和桐油合成，每一個火把，可照五丈方圓，若三百條火把一齊點燃，少林寺一、二兩進殿院，光耀如晝，除非冥嶽中人，殺盡我們少林弟子，否則絕難越雷池一步。」

大愚接道：「老衲決定由大立、大慈兩位師弟，主持羅漢陣的調度，並就二、三兩代弟子中選出四十八個，分組兩隊，仍由大慈、大立兩位師弟，各率領二十四人，馳援緊急之處……」

方兆南道：「老禪師運籌調度有方，晚輩佩服至極。」

大愚接道：「另由老衲和大道師弟，各選十二個弟子，迎戰冥嶽中人，先禮後兵。」

方兆南道：「正大門派，正當有此風度。」

大愚道：「另由方施主帶著南北二怪，和老衲同出迎敵。」

方兆南道：「老禪師布計周密，算無遺策，使人一開眼界。」

說話之間，已到方丈靜室之前。

大愚、大道齊齊合掌說道：「方施主請調息養神，一有警訊，老衲等立刻派人相請。」

方兆南抱拳相送，緩步入室。

只見南北二怪對面而坐，各自閉目運氣。

方兆南一入靜室，兩人同時睜開雙目，四道眼神，齊齊由方兆南臉上掃過。

方兆南微微一怔道：「兩位老前輩調息的還好吧？」

南怪辛奇冷哼一聲，道：「什麼老前輩、老前輩的，你年紀不大，忘性倒不小啊！」

方兆南笑道：「晚輩不知忘了什麼？」
南怪道：「我已跟你說明，咱們要結成金蘭，兄弟相稱。」
方兆南暗暗忖道：「此刻正值用人之際，我如能和他兄弟相稱，或可討他歡心。」當下拱手一笑，道：「辛老哥，兄弟這裡有禮了。」
南怪果然心花怒放，哈哈大笑，道：「兄弟你好啊！」
只聽北怪黃煉冷笑一聲，說道：「哼！沒老沒小的，有什麼好……」
辛奇怒道：「關你屁事。」
方兆南怕兩人再打了起來，趕忙勸住兩位繼續調息養神，約有更餘時間，突然聽得一陣步履之聲，一個面目清秀的小沙彌，手提燈籠而來，停身門外，合掌說道：「強敵蹤跡已現，小僧各位師伯、師叔，已然迎敵寺外，小僧奉命來請三位施主……」
方兆南一挺身，拱手對兩人說道：「辛大哥，黃老前輩，請各自運氣調息一下，咱們出去迎戰冥嶽中人！」
南怪辛奇突然挺身，道：「還要調息什麼，咱們現在就去吧！」
北怪黃煉哪肯示弱，也挺身站了起來。
方兆南急道：「冥嶽中人，個個武功不凡，尤以冥嶽嶽主，武功已入化境，兩位還是運氣調息一下，恢復體力，才好迎敵。」
南怪辛奇哈哈一笑，道：「兄弟不用替我擔心，相信在百步之內，爲兄可使消耗的內力復元。」
北怪黃煉冷冷接道：「那也算不得什麼稀奇之事，用不著出口誇耀於一個後生晚輩之前。」
方兆南怕兩人再打起來，趕忙對南怪辛奇說道：「大哥請看在兄弟份上，忍讓黃老前輩幾句。」
南怪辛奇果然一語未發忍了下去。
北怪黃煉卻是火氣甚大，冷冷看了方兆南一眼，道：「什麼老前輩不老前輩，哼！叫的也不覺得肉麻嗎？」
方兆南聽得微微一怔，抱拳一禮，笑道：「在下或有禮貌不周，開罪了黃老前輩，還望老前輩大量海涵。」
黃煉冷哼一聲，別過頭去，裝作沒有看見。
方兆南也不放在心上，微微一笑，大步向前走去。
南北二怪互望了一眼，齊齊舉步隨在方兆南身後而行，離開了方丈室，直奔寺外而去。
這是個月黑星朗之夜。
山風勁吹，林木蕭蕭。
大愚禪師帶著師弟大道，以及由二、三代弟子中選出的二十四位高手，早已恭候在寺門之外，一見方兆南帶著南北二怪走來，立時迎了上去，合掌說道：「有勞三位了。」
方兆南抱拳還禮，連稱不敢。
南北二怪卻仰首望天，視若無睹，一副傲然不群的冷漠。
大愚禪師心知兩人怪僻冷傲，索性也來個故作未見，低聲對方兆南說道：「現已三更時分，還未見冥嶽的人來。」
方兆南道：「以晚輩的看法，冥嶽中人，絕不致失約不來。」
話還未完，耳際間，突然飄傳來一陣弦管之聲。
這樂聲難聽至極，音調尖銳有如鬼哭狼嚎一般，深更半夜，聽來更使人有一種如置鬼域的感覺。
方兆南道：「來啦！晚輩在冥嶽中，也曾聽到過這等刺耳的樂器之聲。」
目光轉動，只見眼前的少林僧侶，裝束已自不同。
除了大愚、大道禪師兩人，尚穿的寬袖飄飄的僧袍外，那隨行的二十四名寺中高手，都已改著了深灰色的短裝。
每個僧侶的腰間，都還帶著不同的暗器，有小型的戒刀、短劍，最奇怪的是有兩個二十上下年紀的和尚，一個帶著三朵金色的蓮花，一個帶著七枚銅錢。
少林僧侶一向都不使用暗器，但方兆南今夜所見，除了大愚、大道之外，大部分的人，都帶暗器。
顯然今夜之戰，少林寺已竭盡所能，全力迎敵，平時不肯用以對敵的暗器，也準備施用克敵了。
只聽那鬼哭狼嚎的樂聲，愈來愈近。
四盞碧綠的燈光，突然由前面松林一角，繞現而出。
大愚禪師舉手一揮，身後二十四個弟子，突然散布開去。
方兆南低聲說道：「那些吹打樂器的人，一個個奇形怪狀，有如鬼魔一般。」

大愚禪師回目一掃方兆南，笑道：「強敵現身之後，由施主和她答話，需要老衲說話之時，我再說話不遲。」

幾人談話的當兒，那刺耳的樂聲，忽然停了下來，四盞碧綠的燈光，卻加速奔行過來。

大愚凝目望去，只見那四盞碧綠的燈光之後，緊隨著一頂黃色小轎，由四個身軀高大，臉上分塗著五顏六色的鬼形怪人抬著，奔行如電而來。

眨轉之間，已到了丈餘之處。

四盞碧綠的燈火，由四個分紅、白兩色的怪人提著，左手提燈，右手各拿著一支哭喪棒，夜暗之中看去。更顯得鬼氣森森。

在那黃色小轎之後，一排並立著數十個人。

小轎左右兩側，分站兩個容色絕世的少女，右面一個身著紅衣，手中拿著拂塵，背上斜插著方兆南失去的青龍寶劍。

方兆南目光掃掠了冥嶽中來人，果然不見冷艷絕倫的梅絳雪，想來她跳入火山口中之事，絕然是假不了，不禁暗暗一嘆，一縷惜念的悲傷，緩緩由心中泛了起來。

只聽那小轎之中，傳出一個嬌媚動人的聲音，問道：「要他們找一個能作主的人，上前來答我的問話。」

聲音雖然動人，但言詞之間，卻是傲然不可一世。

大愚禪師回目望了方兆南一眼，道：「方施主去和她談吧！」

方兆南道：「老禪師乃此地主人，晚輩怎敢逾越？」

大敵當前，大愚禪師反而變得鎮靜無比，微微一笑，道：「老衲和小施主一齊去吧！」

方兆南正待舉步而行，心中突然一動，暗道：「我們不能先被他人的氣勢所懾。」立時停下腳步，道：「老禪師，可以要她過來說話。」

大愚先是一怔，繼而一笑，正待開口，那站在小轎左面的藍衣少女，突然高聲說道：「你們那面，連一個活人也沒有嗎？」

大愚禪師也提高了聲音答道：「女施主不可出口傷人……」

右面那紅衣少女冷笑一聲，罵道：「天亮之前，少林寺別想再有一個活人，反正你們快要死了，罵上你們幾句，又有什麼關係？」

此人口齒伶俐，言詞咄咄逼人，一向步不出寺的大愚禪師，哪裡能夠說得過她，當下瞠目結舌，不知如何回答。

方兆南眼看大愚禪師尷尬之態，心知他是有道高僧，不能和那紅衣少女一般地胡言亂語，只好挺身而出，道：「鹿死誰手，還難預料，未見真章之前，姑娘先別把話說得太滿。」

那藍衣少女厲聲比道：「死在眼前，還敢這般無禮，誰要和你多費口舌，還不趕快要那老和尚出來答話。」

方兆南仰天大笑一陣，道：「好個利口的丫頭，妳既然作不了主，最好免開尊口，叫妳那師父出來答話。」

小轎中又傳出柔媚中隱帶冰冷的聲音，道：「什麼人這樣大的膽子？」

那藍衣少女躬身答道：「就是三師妹偷放的那位野孩子！」

垂簾啓動，一個身著黃衣黃裙的艷麗女人，緩緩由轎中走了出來，口中冷然接道：「絳雪一向眼高過頂，對男人素來不假詞色，居然能夠爲這人背叛我，我倒該仔細看看他，是一個什麼樣的人物了。」

言詞之中，隱含對梅絳雪的懷念，想來梅絳雪身在冥嶽之時，定然甚得她的寵愛。

方兆南只覺心神爲之一動，暗暗嘆道：「梅絳雪如非釋放我和玄霜師妹脫險，絕不致於落得那等淒慘的下場……」

場中群僧都不禁心頭爲之一動，原來在他們想像中，那冥嶽嶽主，定然是一位雞皮鶴髮，醜陋不堪的怪人，生性才會那等慘酷。

想不到竟然是一個艷光奪目的麗人，容色尤勝過那分著紅、藍衣的少女。

只見她款移蓮步，緩緩走了過來，步履移動之間，乳波臀浪，充滿無比的誘惑，只看她一眼，誰也忍不住怦怦心動。

她一直走到方兆南身前四、五尺處，才突然停下身軀，舉手一招，嫣然笑道：「你過來，我要仔仔細細地看看你。」

她的舉動，優美無比，舉手一招之間，風情萬種，使那些排列在大愚、大道身後的少林僧侶，個個爲之一怔。

連大道和尙也爲之神情一變，只有大愚和尙定力深厚，仍然神色不改。

方兆南也爲之心神一動，不自主地向前走去。

走了兩、三步後，突然停了下來。

那艷麗女人看他向前走動的身子，突然停了下來，不禁一皺眉頭，冷冷說道：「這世間沒有抗拒我令諭的活人！我既然叫你過來，絕不會借機傷害於你，對你這種晚生後輩，我還用不著施用機詐手段。」

她看去，只不過二十上下的年歲，但口氣卻一派老氣橫秋，托大元比。

方兆南暗中提聚一口真氣，使動蕩不定的神情，平靜下來，肅然答道：「聽妳的口氣，定然是那冥嶽嶽主了？」

那艷麗女人輕盈一笑，道：「不錯！」

方兆南道：「在下冥嶽之行，未能一睹嶽主真面，想不到今宵得見尊容。」

那艷麗女人一皺眉頭，默然不言，似是對方兆南這等人物，多講上幾句話，會失了她的身分一般。

方兆南突然放聲一陣大笑，道：「在下由冥嶽天羅地網之中，死裡逃生，早已把生死之事置之於度外了，嶽主如以生死作爲要脅，那可打錯了算盤。」

那艷麗女人星目閃光，一掠南北二怪，冷然說道：「你膽子不小啊！竟然敢這般頂撞於我！」

方兆南道：「嶽主言重了……」

那艷麗女人突然向前跨了一步，道：「你叫什麼名字？」

方兆南道：「在下叫方兆南。」

那艷麗女人突然又向前跨進一步，冷冷說道：「你認識梅絳雪嗎？」

方兆南道：「何止認識，而且她已和區區相訂下白首盟約……」話一出口，立知失言，但也無法收回了。

他只想激起對方怒火，隨口說了出來，話說出口已覺有錯，但轉念一想，梅絳雪已葬身火山口中，今生今世，難得再見……

只聽那艷麗女人冷笑一聲，道：「你可知道她已經死了嗎？葬身在火山之中。」

方兆南道：「想來定然是妳把她逼死了！」

那艷麗女人突然微微一笑道：「很多年來，就沒有人敢這般對我說話了，你的膽氣很夠，我要把你活捉回冥嶽，投入那火山之中，也好成全你們一對同命鴛鴦。」

她隨口一言，卻給了方兆南甚多便利。

要知冥嶽嶽主，令出如山，她說要生擒方兆南，以祭梅絳雪的亡魂，冥嶽中人，誰也不敢任意傷他性命了。

大愚禪師借兩人談話的工夫，回頭一瞥身後群僧。

只見一個個雙目神凝，投注那黃衣麗人身上，不禁暗暗一嘆，低聲對大道禪師說道：「師弟快請回寺，要他們打起法器，高誦大悲經文，周而復始，直到擊退強敵，或是咱們全寺中人，全數被人誅絕之後，無人誦經為止。」

這幾句話，說得沉痛無比。

大道禪師只聽得心頭凜然震動，低聲說道：「小弟遵命。」

原來他也為那黃衣麗人妖冶容光，吸引了心神，不自覺地凝目相注，大愚之言，如雷貫耳，使他登時神智一清，回目一瞥身後群僧，大步直向寺中走去。

這時，那黃衣麗人又向前欺進一步。

方兆南疾退兩步之後，霍然翻腕，拔出了背上的白蛟劍。

夜色中閃起了一道白芒。

那黃衣麗人臉上的笑容，已逐漸失去，泛起一片肅殺之氣。

目光一掠方兆南手中寶劍，淡淡一笑，道：「想不到白蛟劍落到你的手中了。」

方兆南聽她一開口，就叫出白蛟劍名，不禁心頭一動，暗道：「這人見識如此廣博，一眼能看出我手中的白蛟劍名，此劍已數十年不在江湖露面，看來倒不是故布疑陣，恐怕是貨真價實的冥嶽嶽主了。

「奇怪的是，此人已然出道江湖極久，算年齡至少也該有六十開外，就算她內功精深，駐顏有術，也不可能這般地嬌若春花……」

心頭疑慮不定，不禁多望了對方兩眼，冷冷說道：「嶽主見識甚廣，在下手中之劍，正是白蛟。」

黃衣麗人道：「此劍算得上是一柄鋒利之物，借我用上一宵，以誅少林群僧……」

她仰臉望天上的星河，自言自語地接道：「現下距子夜尚有一刻時光，不到子夜三更，我們絕不動手。」

方兆南道：「嶽主請留貴步，如再向前逼進一步，可別怪在下……」

黃衣麗人目光一閃，逼視到方兆南的臉上，道：「你要怎麼樣？」

方兆南只覺她逼視在臉上的目光，有如冷電中挾著霜刃，看得人由心底泛升起一股寒意，不自主地向後退了一步，道：「在下要開罪了。」

黃衣麗人淡淡一笑，目光緩緩地移注到南北二怪的臉上，似是根本就沒聽到方兆南說的什麼。

方兆南目光環掃，忽然發現遙遠的地方，閃亮起數點碧綠的光芒，有如就在面前所燃燒的那碧綠的火光一樣，瑩瑩綠光，有如鬼火。

只見那閃動的綠火，風馳電掣而行，直撲少林寺前而來。

他乃機智過人之人，心念連翻轉動一陣，恍然大悟，暗道：「是啦！每一點綠火，就是冥嶽中一隊人手，趕來此地助戰，想不到在冥嶽之中，所見那些面塗五顏六色的奇形怪人，竟有如此之多。」

愈想愈覺不錯，看那滾滾閃動的綠火，愈近愈多，不禁一皺眉頭，高聲問道：「那閃奔而來的綠火，可是嶽主的屬下嗎？」

那黃衣麗人的目光，一直盯注在南北二怪的臉上，對方兆南喝問之言，只是輕描淡寫地答道：「喔！不錯。」

突然間，一聲鼓響，由寺中傳了出來。

餘音蕩漾山谷，繞耳不絕。

那黃衣麗人柳眉微微一聳，目光轉投到大愚禪師身上，問道：「看你的神情，大概是接替了大方主持寺務的方丈了？」

大愚禪師滿臉肅穆之容，接道：「妳不用問老衲是誰，但有關少林寺中之事，老衲能夠作得主意就是了。」

黃衣麗人冷笑一聲，道：「只有片刻時光了，你還沒有決定嗎？」

大愚道：「老衲不解女施主言中之意？」

黃衣麗人道：「這麼看來，你們倒是甘冒全寺僧侶俱被劍誅絕滅之險，不惜一戰了。」

大愚禪師道：「少林寺迄立武林，歷數百年，不知見過了多少風浪，但仍安然無恙，老衲堅信女施主雖盡起冥嶽精銳而來，少林寺也不致覆滅於女施主的手中。」

黃衣麗人冷漠的一笑，目光掃掠過南北二怪，道：「想來你們是憑仗這兩人支持了。」

南北二怪一直未發一言，此刻似是再難忍耐。

北怪黃煉首先冷笑一聲，道：「妳可以在別人面前，唬唬嚇嚇，但在老夫面前，最好是規矩一些。」

那黃衣麗人道：「如果我記憶不錯，兩位好像是南北二怪了？」

南怪辛奇道：「是又怎樣？」

黃衣麗人道：「南北二怪素來水火不容，想不到如今倒言歸於好了？」

北怪黃煉冷哼一聲，道：「後生晚輩，說話竟敢這般放肆！」

那黃衣麗人忽地嫣然一笑，道：「我尊稱你們一聲老前輩，只不過是對兩位客氣一下罷了，難道我還當真怕你們不成嗎？」

方兆南聽得心中一動，暗道：「這冥嶽嶽主的底細、身世，只不過聽聞於傳說之中，究竟如何，只怕當今武林之中，能夠知道的，少之又少，南北二怪，倒像是知道她的來歷一般，倒不如借機探問一聲。」

當下說道：「辛大哥，你可知道這女人的來歷嗎？」

他素知北怪黃煉脾氣暴燥，而且對自己又無好感，如果問他，定然要碰一個釘子。

只聽南怪辛奇縱聲大笑道：「好兄弟，算你問對人了，除了老哥哥之外，當今之世，只怕再難找出知道她底細的人……」

北怪黃煉冷然接道：「你知道又怎麼樣？」

南怪辛奇拂髯一笑，道：「有我在場，你永遠吹不起牛了！」

方兆南急急接道：「辛大哥，小弟急欲了解內情……」

南怪淡然一笑，接道：「你不用擔心我和黃老怪的口角之事，我們已經爭吵打鬧了幾十年啦，哈哈，只要大哥能活一天，哼！黃老怪永遠也別想在武林獨樹一幟……」

北怪黃煉大聲喝道：「北怪要是不死，你也永遠難霸業江湖。」

南怪辛奇道：「反正咱們總要有一個先死。」

黃煉道：「只不知那人是誰！」

那久未說話的黃衣麗人，突然冷冰冰地接了一句，道：「如若兩位今宵一定要幫助少林僧侶，南北二怪只怕要一齊死亡。」

北怪黃煉怒道：「就算是羅玄復生，也不敢對老夫這等無禮，就憑妳這個晚生後輩，竟敢這樣對老夫說話？」

那黃衣麗人格格嬌笑一陣，道：「昔年你們兩人合手，各出絕學，對付那老牛鼻子一人，勉強撐到一百回合，今夜我要在百回合之內，使你們南北二怪，一起橫屍當場。」

南北二怪，似已被黃衣麗人激怒，目光閃動，鬚髮怒張，看樣子已有出手之意。

方兆南眼看形勢已成劍拔弩張之局，南北二怪如出手，定然全力施爲，不和那冥嶽嶽主分出生死，只怕不肯停手。

但這一戰，事關武林正邪消長，並非一、二人盛名之爭，少林寺八百僧侶，已排好羅漢陣式，蓄勢待敵，單人決戰，倒不如把強敵引入寺中，群策群力，一鼓而殲。

他趕忙接口說道：「嶽主斷梭代柬，邀請天下英雄，赴會冥嶽，想一舉殲滅天下高手，以成武林霸業，用心可算毒辣……」

那黃衣麗人突然舉起素手一招，嬌聲接道：「你再向前走近一步。」

方兆南只覺一股強大的吸引之力，猛地把自己向前一帶，不自禁地又向前走了一步。

這時，兩人相距只不過三、四步遠，夜風飄送來那黃衣麗人身上濃烈的幽香，撲鼻沁心，醉人如酒。

突然間，梵音裊裊，由那莊嚴的少林寺中傳了出來。

這聲音開始時異常低沉，但逐漸高拔。

夜靜人稀，空谷傳音，滿山盡都是一片梵唱之聲。

這聲聲梵音中，似是充滿了一片祥和，但又隱隱含著一股悲壯之氣。

莊嚴經文、梵音，使那排列在大愚、大道身後的二十四名少林高僧，神情逐漸地轉變成肅然之色。

那黃衣麗人微微一聳柳眉，高聲說道：「現在相距子夜三更，只餘下一盞熱茶工夫了，你們還可在抗拒和投降之間，任選一途。」

她的聲音不大，但卻如水銀瀉地一般，無孔不入，在那飄然梵唱聲音，鑽入人耳鼓之中，聽得人人心弦震動。

大愚禪師，急急提聚一口真氣，把震動的心神穩住，肅然說道：「少林寺自我達摩師祖，開創之後，沿傳數百年，經過了無數風浪，但卻從未有過降敵之事。」

那黃衣麗人回目一望，只見那團團碧綠的火光，已到了許里之內，在那碧綠燈光的閃映之下，隱隱可見人影幢幢。

她輕蔑地一陣冷笑，道：「如若沒有南北二怪替你們少林寺撐腰，諒你們也不敢妄動抗拒之心，大方和尚在你們寺中，地位何等崇高，想他的武功，也該是寺中頂尖高手，但他怎麼樣呢？想你們已經親眼看到他了。

「我很少一口氣對人說過這樣多話，現在是對你們最後的忠告了，一到三更，屠殺展開，手中大小僧侶，一個活口不留，那時候，你們後悔也來不及了……」

方兆南冷笑一聲，接道：「少林寺中，早已擺陣相待……」

他無限感慨地仰起頭來，輕輕嘆息一聲，接道：「這也許是一場慘烈的大戰，但鹿死誰手，卻是難以預料，少林寺八百僧侶，個個都身負幾種絕技，他們捨命相護少林聲譽，人人已存必死之心，何況各大門派都已盡出高手，趕來相援……」

他乃極富心機之人，耳聞目睹，局勢已到劍拔弩張之境，大戰一觸即發，倒不如來個氣勢奪人，以動搖強敵的銳氣和信念。

只見那黃衣麗人輕盈一笑，道：「那很好，各大門派的高手，如果都趕來此地，那倒可省去我一番跋涉之苦。」

素手突然一揮，疾向方兆南握劍右腕之上抓去。

她出手之勢，雖然疾如閃電，但此時方兆南已非昔日的吳下阿蒙，吃她以無上內功吸引之力，便向前走了一步，警惕之心更高，早已全身功力，凝聚丹田。

她一出手，立時飄身向後退出三、四尺遠，拔出白蛟劍，「劃分陰陽」，橫裡推出一劍。

那黃衣麗人先是一怔，繼而淡淡一笑道：「你能閃避開我的一擊，武功總算不錯了。」

方兆南拱手說道：「過獎了，目下已過三更，我們在寺中候駕。」

側身對大愚禪師，道：「咱們退回寺中去吧！」

他相度敵我形勢，不宜在寺外和強敵決戰。

大愚禪師也有同感，暗道：「我們如以眼下人手之力，和強敵在寺外展開一場決戰，不但難有取勝的機會，而且一旦動上了手，再想回寺中去，只怕不是容易的事，倒不如先退回寺中，主持大局，退可以守，進可以攻。」

當下點頭一笑道：「方施主說得不錯。」

這時，大道禪師已傳達了大愚禪師的令諭重返寺外。

方兆南警惕於剛才被黃衣麗人容色吸引的失態舉措，出寺之後，一直凝氣丹田，抱元守一，不敢多望那黃衣麗人一眼。

飄蕩在靜夜中的梵唱，使那些排列在大愚身後的少林弟子，增長了甚多定力，任那黃衣麗人的輕顰媚笑，動人的冶蕩嬌態，都無法再使群僧動心，一個個肅然而立。

方兆南手橫白蛟劍，低聲對大愚說道：「老禪師請帶貴寺中人，先行退回寺中，由晚輩和辛、黃兩位老前輩斷後。」

大愚已知他足智多謀，武功高強，又有南北二怪相助，不致有失，當下舉手一揮，道：「老衲恭敬不如從命。」

方兆南微微一怔，道：「老禪師言重了，晚輩當受不起。」

大愚微微一笑，舉手一揮，群僧就原位轉過身子，緩步向寺中走去。

方兆南機警地向後退了四步，和南北二怪並肩站在一起。

那黃衣麗人冷笑一聲，道：「你們不用緊張，本嶽主一言如山，天河星斗不到三更，絕然不出手。」

方兆南目光環掃了一周，只見那些奔馳而來的碧綠火光，已到了十丈之內，每一盞碧綠的燈光之後，都緊隨著五、六十人。

這些人分著各色不同的衣服，分用紅、黃、藍、白、黑五色，但每人的臉色，仍然和冥嶽中所見一般，五顏六色，各呈怪形。

在五盞碧綠的燈光導引之下，停在那黃轎之後。

這些人似是都受那燈光指揮，燈光一停，所有的人，都停下了腳步。

方兆南連經奇遇、大變之後，增長了不少見識，已能洞察微細，留心小節。看那遙奔而來的強敵，共分五隊，在五盞碧綠的燈光導引之下而來，而且又分穿不同的五色衣服，壁壘分明，一望之下，立時可以分辨得清清楚楚。

不禁心中一動，暗暗忖道：「他們爲什麼不分做四隊、八隊，暗合四面八方之數，攻守之間，也可以方便不少，何以分做五隊，而且每隊人數相若，又穿著五色不同的衣服，這其間決非無因……」

他雖發覺了可疑之處，但一時之間，卻是無法想出原因何在。

目光轉動，只見南北二怪兩人神情肅穆，目光一直怔怔地盯在那黃衣麗人身上，連眨動也不肯眨動一下，似是內心之中，有無比的緊張。

他不禁暗自奇怪，忖道：「聽兩人剛才說話的口氣，這冥嶽嶽主，分明是羅玄的弟子，而且隱隱之中說出，南北二怪在未被囚禁之前，似是和羅玄比過一次武功，這女人也在場中，兩人既以長輩自居，但卻對這女人有著懼怕之意，此中之情，實叫人大費猜疑。」

方兆南本想把所見疑慮，提出來詢問南北二怪，但見二人凝重緊張之態，大異平常自負狂傲之情，自是不好再出言相詢。

他只好把欲待出口之言，重又嚥了回去。

裊裊梵唱，漸轉嘹亮，彼起此和，響徹雲霄。

這聲音給予人一種無比的安詳定力。

方兆南目光回掃，只見大愚禪師帶著群僧，已然隱入那莊嚴的寺門之中，抬頭望天上星斗，高聲說道：「少林群僧已在寺內擺下了羅漢陣，等待嶽主入寺。」

那黃衣麗人似發覺一向被武林視作泰山北斗的少林寺，果然不容易對付，至低限度，南北二怪突然在此地出現助拳之事，出了她意料之外，凝目而立，半晌未語。

直待聽到方兆南大聲喝叫之言，才回目一掠，冷冷說道：「大約還有一盞熱茶工夫，天色就可到子夜了，我一向言出九鼎，在子夜時分之前，不論你們做何準備，我絕不會出手，既然無膽在寺外迎戰，你也快退回寺中準備受死去吧！」

方兆南正要逗她如此說，當下一笑，回顧南北二怪，道：「咱們也回到寺中去吧！」

南北二怪互相瞧了一眼，一齊轉過身子，大步向寺中走去。

這舉動和他們怪僻自負的性格，極不相稱。

方兆南暗自一皺眉頭，忖道：「這兩人一見那黃衣麗人之後，狂傲之態，似是減少了不少，看來他們心中，已生了怯敵之念，想那羅玄的威名、武功，果然是非同小可，人已消失於江湖數十年之久，但他威名，不但仍然震盪著武林，就是他門下的弟子，也似是得到了他威名的餘蔭。」

忖思之間，已到了寺門前面。

耳際間，突然響起一個嬌脆動人的聲音，道：「奏起樂聲。」

餘音未絕，那鬼哭狼嚎般的樂音，已然大聲響了起來。

這刺耳驚人的聲音，和那一聲聲發人深省梵唱，混合在一起，交織成一曲極不調和的樂章。

方兆南停下腳步，回頭望去，只見人影閃動，那五隊服色不同的鬼形怪人，已緩步向寺中移動過來。

但那黃衣麗人，卻仍然站在原地未動，隨她而來的一些人，也靜靜地停在原地。

大愚禪師，心惦方兆南等的安危，進了寺門之後，立時閃入暗影之中，監視著外面的情形，只要那黃衣麗人一下令施襲，立時將帶著二十四名少林高手出寺搶救。

但那黃衣麗人竟然很守信用，沒有派人追襲，也未暗中下手。

方兆南站在寺門外面，正在相度敵情形勢，突然被急探而出的一隻手，拉入寺中。

耳際間響起大愚禪師慈和的聲音，道：「方施主請恕老衲失禮，強敵已然發動攻勢，不宜在寺外停留了。」

方兆南回首一笑，道：「貴寺中弟子，都早已分配了工作，不知在下職司何責？」

大愚道：「施主和辛、黃二位前輩，乃今夜迎敵主要之人，勝敗關鍵，大半掌握在三位手中，老衲不才，實難派請職司。」

方兆南目光一掠南北二怪，正容說道：「兩位都已答允在下，拔刀相助，眼下大戰即將展開，借重兩位之處正多，還望兩位能夠力行承諾，全力以赴。」

南怪辛奇雙目一瞪，道：「那是當然，咱們既然有了兄弟之義，全力對敵，自是義不容辭了。」

北怪黃煉卻冷笑一聲，道：「老夫雖答應了助你克敵之言，但並無全力以赴的限制。」

方兆南一皺眉頭，忖道：「今晚之戰，雖以少林僧侶的羅漢陣爲主體，但到重要關頭，搏敵首腦之時，仍是要以武功爲主，南北二怪實是這一戰成敗關鍵的重要人物。如不設法把北怪黃煉說服，要他全力出手，單是南怪辛奇一人之力，只怕難以抵擋那強敵首腦。」

心念轉動，智計忽生，故意冷笑一聲，道：「老前輩如是害怕那冥嶽嶽主，晚輩絕不勉強，仍願把老前輩送回那石室之中。」

北怪黃煉雙目一瞪，道：「什麼？仍要把老夫送回那石室中？」

方兆南道：「是啊！以老前輩的身分，出爾反爾，實叫晚輩爲之心寒。」

北怪黃煉縱聲大笑，道：「解縛由你，可是再要老夫就縛返回石室，只怕由不得你了。」

方兆南淡然一笑道：「一個人不守信重諾，活在世上，要受人譏笑，死了之後，也會留給下一代的笑柄……」

他昂首一陣輕笑又道：「如若那是一個平平常常的俗凡之人，那也罷了，受人譏笑，也不過是三、五個人而已，如若是盛名震動江湖的人，那就不同了，天下武林同道，都要對他嗤之以鼻……」

黃煉大怒接道：「什麼人敢譏笑老夫？」

方兆南道：「眼下就有一人。」

黃煉大喝道：「什麼人？」

忽地揚手一掌，直劈過去。

方兆南早已暗中運氣戒備，看他一舉起手，立時舉掌護胸，準備硬接他一掌。

只覺一股疾凌的掌風，掠著身側而過，應手響起了一聲慘叫。

轉眼看去，只見一個身著奇服，面塗彩色的怪人，摔倒在寺門之內，口鼻之間鮮血急湧而出，但身軀卻僵直不動，看樣子已經氣絕而死。

方兆南心知北怪黃煉已為自己說服，但他生性冷僻，要他在眾目睽睽之下，改口服輸，絕不可能。

這一掌劈向冥嶽中人，分明已答應相助，趕忙一揮，道：「老前輩耳目靈敏過人，如非發此一掌，我等之中，必有一人，身受暗算了。」

這幾句頌揚之言，只說得北怪黃煉心中大感受用，但他生性冷傲，心中雖然快樂，外表之上，仍是一副冷若冰霜之情，冷哼一聲，別過頭去。

方兆南聰明絕頂，和南北二怪相處，這一些時間，已對二怪性格，了解甚多，對他的冷漠神情，也不放在心上，側臉對大愚禪師道：「咱們守在門後，看看當先衝進寺中的是什麼人。」

南怪辛奇突然接口說道：「那黃衣女人，乃羅玄衣缽弟子，也是他武功唯一的傳人，昔年我們和羅玄比武之時，她還不過是一個十二、三歲的女娃兒，想不到現在已經這樣大了，如非她提起昔年之事，我還當真無法認得出來……」

北怪黃煉冷笑一聲接道：「和羅玄比武之事，已是四、五十年前的事了，女娃兒也早該兩鬢斑白了。」

南怪辛奇道：「她看上去只不過二十幾歲之人，難道她不是咱們見到的那個女孩子嗎？」

黃煉道：「羅玄一身武功，完全走得偏激路子，講求養生駐顏，那女娃兒既然是他唯一的門人，自然已是盡得他的真傳，再過上二十年，她還是那般模樣。」

南怪辛奇被黃煉數說一頓，但又覺對方言之有理，無法反駁，仰首大笑，自解自嘲地說道：「再過二十年，她也許會更年輕了……」

卅六　冥嶽之主

只聽蓬然一聲，兩扇半尺厚薄，紅漆的木門突然大開。

方兆南凝目望去，只見一個白髮白鬍，手橫寶劍的獨目老人，當門而立，正是被人譽爲劍聖的一代大俠蕭遙子。

在他身後緊隨著袖手樵隱史謀遁、無影神拳白作義、神刀羅昆、三劍一筆張鳳閣、九星追魂侯振方、一掌鎮三湘伍宗漢、追風鵰伍宗義等大江南北的豪雄精英。

這些人，從前都是赴會冥嶽的主力，如今卻倒戈相向，爲人所用，變成攻打少林寺的先鋒了。

顯然那冥嶽嶽主，已存心讓這般人先擋少林寺銳鋒。

方兆南輕輕嘆息一聲，道：「好辣的手段，可誅的用心！」

大愚禪師察顏觀色，覺出方兆南和這些人似都相識，忍不住問道：「方施主可認識這些人嗎？」

方兆南道：「認識，這些人都是從前參加泰山英雄大會的高手，赴戰冥嶽的主力，如今卻成少林寺的強敵了，唉！不知那冥嶽嶽主用的什麼法子，竟然使這般人一個個俯首聽命，甘爲所用！」

大愚禪師道：「這麼說來，這些都是當今江湖上有名的人物了？」

方兆南道：「不錯，那當先橫劍而立的獨目老人，就是被譽為一代劍聖的蕭遙子……」

大愚禪師心頭一凜，道：「老衲久聞其名，想不到他竟為冥嶽利用。」

方兆南道：「他身後那手提菸袋的樵人模樣，就是以冷傲馳譽武林的袖手樵隱史謀遁。」

大愚禪師驚道：「什麼？這老樵子竟也歸順到冥嶽門下嗎？」

方兆南接道：「那第三個又矮又胖的老人，乃西域初來中土的無影神拳白作義，此人發出拳風，強勁絕倫，但卻無聲無息，最是不易防備。」

大愚禪師輕輕嘆息一聲，又道：「這般人一個個神情肅然，似是被什麼藥物控制……」

忽聽一聲尖銳刺耳，似哨非哨，似嘯非嘯的聲音，突起於梵唱、鬼哭的樂聲之中。

此聲一起，寺外強敵立時發動。

蕭遙子手中寶劍一揮，當先直衝過去。

大道禪師縱身而上，橫裡掃出一杖，口中說道：「小弟久聞武當派劍聖之名，先接他一陣試試。」

他手中禪杖，足有一丈二尺多長，掄動起來，威勢驚人，杖風若嘯。

這等威猛的杖勢，蕭遙子竟然視若無睹一般，手中長劍突然一震，疾點而出。

大愚禪師輕聲一嘆道：「師弟快退下來，你不是他的敵手，讓小兄試他一陣！」

原來蕭遙子施出一招上乘劍學「畫龍點睛」，借力打力，輕輕一撥大道禪杖，使他用出的力量，不受控制，一杖掃空，帶動了身子隨著轉了半圈。

大道禪師面孔一紅，疾退而下。

大愚禪師緩緩舉起手中禪杖，迎了上去。

蕭遙子舉劍橫胸，目光盯注在大愚禪師的臉上，一語不發，神情冷漠，有如從冰山裡拖出一具冷凍了幾十年的屍體，神情之間，一片冰冷。

大愚禪師向前緩緩移動的身子，突然停了下來，凝神而立，平胸橫杖，不再向前逼進。

他見多識廣，一見蕭遙子的神色，已知一代劍聖之名，並非虛傳，這等冰冷的神情，正是上乘劍術出手前的神態。

趕忙提聚全身真氣，凝神而立，蓄勢以待。

要知劍術一道，乃武學之中，最難登峰造極的一種武功，全憑一口真氣，劍術到了大成之境，攻敵之時，無孔不入，有如水銀瀉地一般，形而之上，則成馭劍之術，武功深淺，可殺人於數丈之外。

大愚禪師雖未習劍，但他對少林一脈正宗武學，卻已有極深修爲，一眼之下，已看出蕭遙子的劍術，進入了大成之境。

方兆南目光一轉，只見南北二怪四道眼神，齊齊盯注在蕭遙子的臉上，似是兩人亦看出蕭遙子，是個不可輕視之敵。

大愚禪師的神情，也逐漸變得肅穆起來，目光一直盯注在蕭遙子的臉上。

高昂的梵唱聲，和那刺耳的樂聲，混合成極不調和的樂章。

只見蕭遙子緩緩舉起手中的長劍，突然欺身而進，白光閃了一閃，人已退回原位。

他由極慢，突然間變成極快，劍光一閃，人又重歸原位，快得使人無法看清他如何攻敵施襲。

兩人一招交接，無聲無息，聽不到一點劍杖相觸之聲。

方兆南轉臉看去，不禁心頭一震。

只見大愚禪師，手中禪杖由橫舉變成直立，寬大的僧袍上，多了一道四、五寸長的裂口，隱隱之間，可見血跡。

顯然，蕭遙子這揮劍一擊，已然把大愚禪師傷在劍下。

方兆南劍眉一聳，暗道：「我自學得陳玄霜祖父相授劍術之後，又學了覺夢大師傳授了『達摩三劍』，但始終沒法找上一個對手試試。這蕭遙子被稱為一代劍聖，劍術上的成就，被中原武林中，公認為成就最高的一個，倒不如借機會和他試上一陣。」

一股強烈的衝動，使他忘記了凶險，一揮白蛟劍，縱身而上，橫移兩步擋在大愚禪師前面，高聲說道：「老禪師請讓晚輩一陣如何？」

大愚禪師微微一皺眉頭，道：「此人劍術甚高，方施主……」

方兆南道：「晚輩早已見識過他的武功了，老禪師只管放心。」

大愚禪師輕輕嘆息一聲，道：「如若今宵我們是比武定名，老衲已經算落敗了。」一收禪杖，向後退開了十幾步遠。

方兆南一提真氣，腳下不丁不八，右手平舉白蛟劍，左手一抱拳，說道：「蕭老前輩別來無恙？」

蕭遙子輕輕哼了一聲，但卻不答一言。

方兆南冷笑一聲，道：「老前輩俠名滿武林，被稱為一代劍聖，想不到竟然是這等沒有骨氣，不惜把一生俠名，盡付流水，甘願投效冥嶽。」

蕭遙子似欲反唇相激，但他口齒一啓動，竟又閉上不言。

方兆南看他始終不肯開口，心中甚覺奇怪，提高了聲音道：「老前輩耳聾了嗎？」

蕭遙子右手一起，長劍緩緩指向前胸刺來。

方兆南一招「腕底翻雲」，白蛟劍由下面疾翻而起，橫向蕭遙子長劍之上削去。

哪知蕭遙子向前推出的長劍，倏然向下一沉，劍勢突然由緩變快，冷芒電奔，削向方兆南的右腕。

劍招一變，避敵還擊，同時出手，一代劍聖之名，果不虛傳。

方兆南雙肩一晃，向後疾退三尺。

他應變雖然迅快，但蕭遙子劍轉如驚霆迅雷，只見一陣冷芒，掠腕而過，低頭一看，右袖已被劍勢劃破了，鮮血點點，滴在地上。

南怪辛奇長眉一聳，冷冰冰地問道：「兄弟，傷得很重嗎？」

方兆南暗中運氣一試，真氣仍能貫達握劍手指，心知並未傷到筋骨，當下答道：「多謝大哥關心，兄弟還能戰得。」

舉手一劍，「冰河開凍」，白蛟劍幻起一片劍影，疾刺過去。

這一招乃武當派太極慧劍中一記絕學，蕭遙子早已熟知於胸，本可隨手破解，但他眼見對方劍招，竟是武當派鎮山劍法中不傳之秘。

不覺心頭一震，就這一緩，方兆南劍招威力已發揮出來。

蕭遙子再想封架時，已來不及，只好橫向旁側跨了兩步，避開一劍。

方兆南一見蕭遙子退避開去，白蛟劍斜削而出，劍光閃動，橫斬過去。

這一招乃崑崙派中一記絕招，「落日斜照」，專以用做追擊，劍勢變動之間，迅捷如雷奔，縱是一流高手，在這一劍攻擊之中，亦有著措手不及之感。

蕭遙子一著失機，陷入被動，再加上方兆南手中白蛟劍，寶光耀目，一眼之下，立可分辨出是一柄可削金斷玉的寶刃。

蕭遙子不敢用劍封架，兵刃上已吃了虧，又被迫得向後退了三步。

方兆南反擊兩劍，已使他消去輕敵之心，不待方兆南第三劍出手，立時振腕反擊，長劍揮動，劍風如輪。

倏然之間，連續點出三劍，分襲方兆南三處部位，迫得方兆南回劍自保，搶回先機。

突聽方兆南一聲大喝，白蛟劍奇學突出，寒光閃閃，反守為攻，一招「巧奪造化」，幻起了滿天流星。

蕭遙子登時被這一劍奇攻，迫得疾向後面退去。

可惜方兆南未把這招劍式學全，眼看玄奇的劍勢，逼開了蕭遙子重重護身劍影，迫近前胸之際，劍勢突然頓挫不前，停了下來。

蕭遙子微微一怔，長劍突地一招「分花拂柳」，由左側疾翻而起，削斬方兆南的右腕，又把方兆南迫退了一步。

突然間，由身後傳來一個清脆冰冷的聲音，道：「住手！」

這聲音雖然不大，但卻如瀉地水銀一般，鑽入人們的雙耳之中，清晰無比，震人心弦。

蕭遙子、方兆南同時停下了手。

只見那身著黃衣，妖艷動人的冥嶽嶽主，蓮步款款地走了過來，她走路的姿態，優美至極，柳腰輕擺，衣袂飄飄，充滿著動人心魄的誘感。

蕭遙子抱劍而退，讓到一側。

那黃衣麗人緩緩走到方兆南身前，星目逼視在方兆南臉上，說道：「你剛才用的一招劍法，是何人傳給你的？」

方兆南道：「我如不告訴妳呢？」

那黃衣麗人冷笑一聲，道：「我說出的話，從來無人敢不聽從，你如有膽子不妨試試，那時候，只怕你要自願告訴我，已經遲了……」

方兆南縱聲大笑道：「大不了一個死字，有什麼可怕的？」

那黃衣麗人美麗的臉上，突然泛起一股忿怒之容，說道：「想死嗎？只怕沒有那樣輕鬆！」

方兆南凝目沉吟了片刻，道：「在下也相信，嶽主能夠把我擺弄到不死不活之境，但我並非在妳的威嚇之下屈服，嶽主既能看出我這一招劍式，自是知道這一招的源出之處。

「我如把那傳我此一劍招的經過相告，但深望嶽主也答覆在下幾個問題，至於今宵之戰，不論如何，都得分個勝敗出來，嶽主縱然不問此事，咱們也得拚上一陣，生死勝敗已非人力所能主宰，嶽主請三思在下之言，當知非嶽主的威勢，能迫使在下屈服得了。」

那黃衣麗人微一點頭，說道：「後生晚輩之中，從未有人敢這般對我說話，你這般抗我令諭，雖已罪該萬死，但你講的話倒是有幾分道理。」

她看去只不過二十幾歲，長得嬌若春花，這等托大的口氣，聽來和她的形貌，大不相襯。

方兆南道：「這麼說來，嶽主是答應了？」

那黃衣麗人目光環掃了四周一眼，道：「此地之人，都已活不過五更了，縱然讓他們聽去，也是無關緊要。」

方兆南微微一笑道：「在下剛才施出的一劍『巧奪造化』，想來嶽主十分熟悉，克敵變化之間，比在下更精妙了！」

黃衣麗人道：「不錯，你用那一招『巧奪造化』，不但變化不夠精妙，而且這一招下面尚有甚多奇妙變化，也未用出。」

方兆南道：「這一招劍式，不知源出哪一大劍派的門下？」

黃衣麗人冷笑一聲，道：「這一招劍式，乃近年來武林中，劍術一道中最高的成就之學，豈是平常之人所能會得。」

方兆南心念一轉，暗暗忖道：「這一劍式，既非當今武林中大劍派之學，那定然是有人創此一劍了。」

黃衣麗人微一點頭，繼道：「當今武林之世，除我之外，應該已無再會此一劍之人，不知你跟誰學得此劍？」

方兆南忽然想到那埋葬在冰雪之下的老人，由心底泛起一陣淒苦之感，仰臉長長吁一口氣，道：「有一位姓陳的老人，我不知他的姓名……」

那黃衣麗人道：「你為什麼不問他？」

方兆南道：「那老人很固執，他不願講的事，你問他也是無用，他要你做的事，你不做，也不行。」

黃衣麗人道：「那你總該記得他的形貌了。」

方兆南輕輕嘆息一聲道：「他是個很痛苦的老人，滿身痼疾，已非任何的藥物所能奏效，一副風燭殘年的形態，不論任何人見到他，都會覺著他隨時隨地可以氣絕而死，但他身負著絕世武功，和那博遠的見識。他告訴我一件事，那就是他已在死亡的邊緣上，生存了幾十年，那是一種非人所能想像的事，他半身已經癱瘓了，每天還要忍受經脈擴大硬化的痛苦……」

那黃衣麗人突然抬頭望著天上閃閃的星河，避開方兆南投注在她臉上的目光，接道：「他的臉上可有著一塊很大的疤痕嗎？」

方兆南道：「有一塊，而且那疤痕似是被兵刃所傷，占了他半個面頰，想他昔年所受的傷，定然十分慘重。」

那冷若冰霜的黃衣麗人，仍然抬頭望著天上的星辰，道：「講下去，二十年來，我第一次這樣耐心地聽人說話。」

方兆南道：「每天他的傷勢要發作一次，發作時就像死去一般，我想縱然是手無縛雞之力的人，在那個時間裡，也可一刀把他殺死……」

黃衣麗人輕輕喔了一聲，道：「說呀！」

方兆南道：「這一段傳奇的際遇，我們萍水相逢，但他傳授了我很多武功，這一招『巧奪造化』的劍式，就是他傳授的，可惜我還未能把這一招劍式學會，他就突然地死去了。」

那黃衣麗人道：「不知他的屍體，現在何處？」

方兆南沉吟了片刻，道：「這個恕我不能奉告了，他是個謎樣的人物，身負著驚世駭人的武功，但武林中卻不知有這樣一個人。他有著博深的醫學知識，但卻無法治療好自身的疾病，當今之世，知道他身世的人，只怕絕無僅有。」

那黃衣麗人突然一轉臉，星目電閃，逼視到方兆南臉上，說道：「不錯，知道他身世際遇的人，當今之世，恐怕只有我一個人。」

方兆南道：「在下也有此感。」

黃衣麗人冷漠一笑，道：「你很聰明，可惜你只有片刻生命了，我縱然最後殺你，你也無法看到明天的太陽。」

方兆南淡然一笑，道：「生死之事，我早已不放在心上……」

他微微一頓之後，笑道：「現在該我問問妳了！」

黃衣麗人道：「你問吧！」

方兆南提高了聲音，道：「數十年前用黑紗蒙面，橫行在江湖上，被武林中人稱做妖婦之人，可是嶽主嗎？」

黃衣麗人點點頭，道：「不錯！」

方兆南道：「那陳姓老人可是嶽主的同門師兄嗎？」

黃衣麗人星目中神光暴射，冷冷說道：「你的聯想之力很強。」

方兆南沉聲說道：「你們師兄妹可都是羅玄的弟子？」

黃衣麗人冷笑一聲道：「你全都說中了，不用我再多費唇舌答覆你了。」

突然舉起素手一揮，立時有數十個人一擁而上。

蕭遙子一馬當先，舉手一劍「平沙落雁」，直刺過來。

他的劍術已到了出神入化之境，內力充沛，雖是平平常常的一招，但在他手中施用出來，威勢卻自不同。

方兆南舉手一劍「鐵索橫舟」，白蛟劍橫裡掃出，一封蕭遙子的劍勢，人卻疾向後面退去。

他低聲地對大愚禪師道：「咱們退入羅漢陣中，保全實力，準備對付五更時分，最後一場決戰。」

大愚禪師還未及講話，突覺前胸之上，被人重重地擊了一拳，身不由主地向後連退了五步。

幸得他早已暗中運氣戒備，這一拳雖然打得奇重，內腑卻未受到傷害。

方兆南長劍突出一招「星河倒掛」，綿連八變，一氣呵成，迫退搶攻過來的袖手樵隱，急聲說道：「老禪師當心白作義的無影神拳，那人長得又矮又胖，一眼之下，就可以看出……」話還未完，忽聽北怪黃煉冷哼一聲，身軀微一晃動，顯然也中了白作義遙發的一記無影神拳了。

這一擊，激怒了北怪黃煉的野性，大喝一聲，劈出了一掌。

強猛的掌力，有如突起猛飀，挾著一股陰寒之氣，直撞過去，威勢有如排山倒海一般。

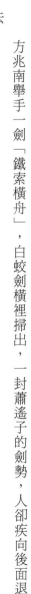

方兆南心中忽然一動，暗道：「冥嶽有備而來，今夜一戰，不論勝負，都難免造成一場慘重的殺劫，我如能仗著覺夢大師傳授的『達摩三劍』，和南北二怪之力，和他們單打獨鬥幾場，以決勝負，或可挽救一場殺劫……」

忖思之間，那黃衣麗人已自出手，只見素手一揮，一股柔和的暗勁，直衝過來，竟然把北怪黃煉的玄冰掌力擋住。

袖手樵隱突然施出「七星遁形」的身法，身子閃了幾閃，人已直逼過來，讓過方兆南的劍勢，直取大愚禪師。

那沉寂的刺耳樂聲，重又吹打起來，五隊服色不同的鬼形怪人，齊齊向寺中衝來。

南怪辛奇大喝一聲，發出一記赤焰掌，擊向那黃衣麗人。

那黃衣麗人冷笑一聲，左手一揮，接下一掌，右手食中二指一併，遙向辛奇點去。

冷傲無雙的南怪辛奇，一見那黃衣麗人併指點來，臉色一變，疾向旁側橫躍六尺。

方兆南看在眼裡，心頭大爲凜駭，忖道：「辛奇的功力，何等深厚，爲人何等狂傲，但竟然不敢硬接她這遙遙點來的一指，如非昔年吃過苦頭，絕不致這等畏怯。」

只聽大愚禪師用低聲對方兆南道：「咱們退回寺中吧！」

方兆南眼看那五種服色不同的鬼形怪人，已拔出兵刃，大決戰的形勢已成，慘酷的殺戳，勢所難免。

八百少林僧侶，都有著以身衛寺的決心，這一股銳氣，已到了高潮之頂，倒不如先讓群僧拒擋一陣，然後再隨機應變。

心念一轉，忽然大喝一聲，白蛟劍施出了一招「西來梵音」，閃動的劍芒，幻灑出一片劍影，迫退了蕭遙子和袖手樵隱。

那黃衣麗人似是爲方兆南這一招劍勢吸引，凝視而觀。

方兆南一劍迫退強敵，橫裡一躍，落到南北二怪身側，說道：「少林寺的羅漢陣馳譽武林，咱們退入寺中去，見識一下此陣的拒敵變化如何？」

冷傲的南北二怪，似是亦看出今夜情勢，非兩人之力所能解決，兩人互相望了一眼，當先向寺中退去。

方兆南橫劍斷後，緩緩向後退去。

突然間，一聲悠長的鐘聲，飄傳過來，嗡嗡餘音，掩蔽了群僧的梵唱，和那刺耳難聽的樂聲。

少林寺大門內三丈之處，突然亮起一支火炬，光焰熊熊，照亮了兩丈方圓。

十二個灰衣僧人，排成八字陣，每人的形色，都有著無比的莊嚴，六個手橫禪杖，六個手握戒刀，火炬光芒耀射下，銀光閃閃。

群僧迅快地向兩側移動數尺，讓開一條通路，放過了大愚禪師和方兆南等。

但見火光連連閃動，片刻間，亮起數十道火炬，光耀如晝，綿連四十丈，銜接不斷的少林僧侶。

剎那間，無邊無際，火炬和那排列的僧侶們，似是都有著一定的距離，人影幢幢，刀光閃爍，壯大的行列，莊嚴的氣氛，交織成一幅殺氣騰騰的畫面。

以南北二怪那等冷傲自負的人，看到這等氣勢，也不禁爲之暗自嘆服。

那黃衣麗人，也似被少林寺這壯大的氣勢所怯，右手向下一按，五隊服色不同的鬼形怪人，突然停住。

她凝神仔細打量了一陣，回手一招，那兩個分著藍衣、紅衣的少女，突然急奔而上，齊聲說道：「師父有什麼指示？」

那黃衣麗人輕輕嘆息一聲，說道：「少林寺這等戒備，分明是已存了寧爲玉碎、不作瓦全之想，南、北二怪突然出現於少林寺中助戰，更是出人意料。

「羅漢陣的變化奇奧，早已馳譽江湖，今宵之戰，恐非我事先想的那麼容易，妳們準備七毒神筒備用，傳令下去，只要一入敵陣，立時燃起『迷神香』，展開慘酷殺戮，先挫強敵一陣銳氣，借勢衝破他們的羅漢陣。」

二女一齊躬身說道：「弟子等遵命。」

黃衣麗人未待兩人離去，急急接道：「那施劍少年功力雖不足畏，但他詭計多端，而且劍招精奧，隱隱是主持大局的幕後人物，遇上此人之時，不要輕易放過。」

這時，大愚禪師和方兆南等已然深入了四、五丈遠，仍不聞動手之聲，方兆南心中忽然一動，暗道：「怎麼她們仍然不發動呢？」

心念電轉，停下腳步，回頭望去。

火炬光焰強烈，雖有四、五丈的距離，景物仍然清晰可見。

只見那些服色不同的鬼形怪人，左手提著兵刃，右手卻從背上取下一個粗如鴿蛋，長約兩尺的東西拿在手中。

突然間鐘聲再起，連聲鳴響，排列的少林僧侶，聞得鐘聲，立時開始移動起來。

顯然，這三聲鐘鳴，乃指揮羅漢陣發動的訊號。

但見群僧移動之勢，由緩漸快，片刻間行列已散，門戶大變，揮動的威力，在火炬照耀下，閃動著奪目的寒光。

方兆南眼珠轉了兩轉，低聲說道：「大哥請慢行一步，小弟有事請教。」

南怪辛奇霍然停下腳步，回過頭來，說道：「什麼事？」

方兆南道：「大哥見多識廣，可能看出些鬼形怪人手中，拿的是什麼東西嗎？」

南怪辛奇凝目一望，道：「似乎是薰香一類之物。」

方兆南道：「這些人可是想用薰香迷倒少林僧侶嗎？」

辛奇道：「牛鼻子羅玄，一肚皮古怪精靈的東西，那丫頭既然是他的嫡傳衣缽弟子，定然得了他的傳授。」

方兆南道：「少林寺數百年來，一直領袖著中原武林，寺中僧侶雖非個個身負絕世武功，但對付冥嶽中人，當是個勢均力敵之局，再加上羅漢陣的精奇變化，冥嶽中人縱然能衝入寺內，亦將要付出巨大的代價，但他們如果施用薰香一類的藥物，先把人迷倒，今夜之戰，我們算敗定了。」

南怪辛奇微一沉吟，道：「對於醫學一門，我是素無研究……」

方兆南接道：「小弟之意，是想要大哥想一個法子對付他們，使他們無法施用此物。」

南怪搖著長及腰間的鬚髮，說道：「沒法子，沒法子……」

這時，大愚、大道，都同時停下了腳步，望著遙在數丈外的鬼形怪人手中升起的縷縷濃煙，滿臉愁苦之色。

顯然，他們已為方兆南提出的問題，感到束手無策。

方兆南凝目沉思了一陣，突然回頭對大愚禪師說道：「貴寺這羅漢陣，不知是否可以伸縮移動？」

大愚道：「除了拒敵的方位和攻守的層次變化之外，陣圖的大小和移動，均可由主陣人隨心所欲。」

方兆南笑道：「那就好了。」

大愚禪師已對方兆南有些莫測高深，將信將疑地問道：「方施主可是已想到，拒敵使用薰香的法子？」

方兆南道：「他們定要施用，外人豈能阻止，不過咱們只要想出一個破他的辦法就行了。」

大愚道：「事關本寺成敗安危，深望方施主早些說出，也好早些準備。」

方兆南略一沉吟，說道：「我這辦法是否能行還難預料，但卻不妨一試，老禪師先請下令，爲免無謂的傷亡，羅漢陣緩向後撤，並盡量搶占上風，借陣法變動掩蔽調息。另外，一部分僧侶，設法取些水來，以水克火，燒滅他們燃起的薰香，這法子是否有用，我不知道，但想來總算是一個克敵的辦法。」

大愚禪師嘆道：「此法雖非新奇，但方施主能及時想到，非有過人的聰慧莫辦，老衲這就傳下令諭，著令兩位主持陣勢變化的師弟趕辦。」

這時，那分著紅、黃、藍、白、黑五色衣服的鬼形怪人，已開始向前移動，大有衝向羅漢陣中的來勢。

每人左手高舉一根濃煙橫生，二尺長短黃色之物，右手仗著兵刃，隨著服色的不同，排列成五隊，對著一個陣法。

只待那黃衣麗人一聲令下，立時將五隊並進。

可是那黃衣麗人卻似渾然不覺一般，只管揚臉看去，望著那天上半隱半現的星辰，口中不停地低聲誦言，右手食指在空中劃來劃去。

方兆南看了一陣，突然心中一動，道：「老禪師，快些傳諭，要那些取水的弟子，盡快趕來，對方分著五色衣服，絕非無因。

「那黃衣麗人現下似是在計算什麼，料想她那分著五色衣服的屬下，定然也是一種變化詭奇的陣法，如若被他們衝入羅漢陣，憑仗那迷香之力，迷倒咱們幾個人後，只怕全陣都要受到制……」

說話之間，只見大玄禪師帶著數十個少林僧侶，急奔過來，這些人手中都捧著一只銅缽，缽中滿裝清水。

眨眼間，已奔近大愚身側。

這時，那黃衣麗人也停下了手，兩道清澈的眼神，盯住在少林僧侶排成的羅漢陣上，緩緩舉起了右手。

大玄禪師欠身向大愚說道：「我已調集二代弟子中高手八十人，擔水而來，敬候令諭。」

大愚道：「他們快些上去，那些鬼形怪人，一衝入陣，你就用銅缽中的清水，向他手中冒著濃煙之物上潑。」

大玄道：「小弟記下來了。」

說罷，合掌一禮，直向前面衝去。

但見那高舉右手的黃衣麗人，突然一揮，那五隊蓄勢待發的鬼形怪人，應手而起，直向那羅漢陣衝去。

方兆南道：「幾位請走前一步，在下要去幫大玄禪師對付那些薰香。」

大愚道：「他們已經帶有清水，對付那些鬼形怪人手中燃燒的藥物，你上去於事何補，而目下借重之處正多，萬一你有了閃失，那就不是少林寺任何損失所能彌補了。」

他說話的神情，誠摯無比。

顯然，已把方兆南視做今宵一戰中，主持大局的首腦人物。

方兆南暗暗想道：「你們少林寺，代代以慈悲相傳，對付這等鬼詐的敵人，卻必須心狠手辣不可，一著失機，全盤皆輸。」

當下故意把臉色一沉，說道：「貴寺中的弟子，雖然個個武功高強，但不善機詐，穩健有餘，應變不足，晚輩之意，老禪師只管盡力主持陣勢變化，由晚輩和南北二怪，機動地應付大局變化。」

大愚禪師略一忖思，道：「老衲恭敬不如從命，一切借仗大力了。」

方兆南回目對南北二怪一拱手，道：「兩位先請養息一陣，以便對付冥嶽嶽主。」

說完，縱身一躍，直追大玄禪師而去。

這當兒，少林僧侶已和衝進羅漢陣中的鬼形怪人短兵相接。

火炬熊熊，光耀如晝，刀光如雪，禪杖嘯風，這是一場慘烈無比的群鬥，一動手間，就是數十個高手相接。

羅漢陣變化奇奧，方位移換之間，有如轉動的車輪，動手的僧侶經常變換。

那衝上來的鬼形怪人，也似有著一定的變化，人如波分，前面動手三人，猛攻上十幾二十招後，突然分向兩側退去，第二波立時疾衝而到，展開快攻。

這是用陣勢推動的一種車輪群戰，交接幾招之間，猛烈絕倫。

少林僧侶已得到大愚禪師的令諭，和敵人動手之間，盡量搶上風，閉住呼吸，以免被薰香迷倒。

方兆南閃身在變化莫測的羅漢陣中，只覺全陣發動之後，謹嚴無比，心中甚是驚服，暗道：「少林寺的羅漢陣，果然是名不虛傳，數百年來，一直被武林中公認爲第一奇陣，看來確實是毫無誇張之意。」

他的行動受了陣勢變化的影響，顯得十分緩慢，四、五丈的距離，他足足走了一盞熱茶的工夫。

忽聽撲通一聲，兩個少林僧侶，突然栽倒地上，只見兩個鬼形怪人，手中兵刃一閃，兩顆光頭，登時飛離軀體，滾開了五、六尺外。

原來那冒起的濃煙愈來愈多，少林僧侶雖搶了上風，也無法完全避開撲鼻的異香，只聞少許，便告暈倒。

迷香生效之後，那些鬼形怪人，精神隨著大振，個個齊發怪嘯，衝擊之勢，更見凌厲。

這些怪人的嘯聲，難聽至極，似是受傷的猛禽，發出了陣陣的怒嘯之聲，動人心魄。

只聽撲通之聲，不絕於耳，少林僧侶們一個個的倒了下去，血雨噴灑，片刻間，已有十五個少林僧侶，傷在那鬼形怪人手中，但卻無一個是傷在對方武功兵刃之下，全都是先中迷香，後被殺害。

要知羅漢陣，前排群僧，都是少林寺二、三代弟子中選出的高手，個個武功高強，再加上陣勢輪轉般的變化，雖然傷亡狼藉，血屍遍地，但防守之勢，仍是謹嚴無比。

任那鬼形怪人猛力衝打，卻無法攻越雷池一步。

但這連續不斷的傷亡，使整個陣勢變化，受了極大的影響。

處身陣中，已有著一種應接不暇的感覺，如非這些少林僧侶們，個個存著捨身衛寺之心，只怕羅漢陣早已被強敵衝亂。

方兆南看得心頭大急，高聲對大玄禪師說道：「老禪師還不快些衝上前去，難道要等到羅漢陣被人攻破不成？」

他哪知道，這羅漢陣的奧妙，一處牽動，全陣都隨著開始變化，愈是近敵，變化愈快，傷亡愈多，移形換位的速度愈大。

大玄禪師雖然深知此陣變化，但也無法衝得過去，眼看弟子們傷亡重大，心中早已痛苦萬分，再聽得方兆南大喝之聲，心中更是焦急。

當下低聲對主持前陣變化的一個二代弟子喝道：「快把陣勢向後撤去，我先對付他們手中迷香之後，再發動陣勢接戰。」

要知少林寺的羅漢陣，小由十八人，大到一百零八人組成，但人數如再增加，全陣的運用，即將失去靈活。

這次，大愚禪師為拒強敵，盡出少林僧侶，以八百僧侶，組成少林寺有史以來，最大的羅漢陣，但為求運用靈活，又把全陣分成五段，每一段有一個主持陣勢變化的人，五段連接成一個總陣。

那主持第一段陣勢變化的僧侶，聽得大玄禪師一聲低喝，立時把輪轉拒敵的變化，停了下來，群僧進退攻拒，全部有一定時間路子，主持人一停，全陣立時失去了作用，由兩側紛紛退下，那五隊鬼形怪人，亦藉機衝了上來。

大玄禪師大喝一聲，首先發動，雙手一振，手中銅缽存水，疾射而出。

當先兩個先至的鬼形怪人，忽覺臉上一涼，手中高燃的迷香，登時被水澆滅。一動群應，十個僧侶齊揮動手中銅缽，剎那間水氣瀰漫，空中水滴如雨，三丈內鬼形怪人手中的迷香，盡都被水勢澆滅。

方兆南目睹此情，微微一笑，暗道：「想不到這種辦法，竟有點效能，可見天下之事，繁簡之便，主要取精細二字……」

忖思之間，兩個鬼形怪人已然衝近身前，兩柄鬼頭刀，分由左右一齊襲到。

方兆南早已握劍在手，身子微一向後撤，揮手一劍掃去。

卅七　寧為玉碎

方兆南此時的的功力，已然大非昔比，出手一劍，劃帶起凌厲的劍風。

只聽一陣金鐵交響聲後，血光暴灑數尺，兩個鬼形怪人，連人帶刀，都被他一劍斬斷。

方兆南一劍得手，神威大發，揮劍直衝而上。

他已知今宵之戰，絕難有兩全之策。

心中早存殺機，出手劍招，盡都是各大門派中毒辣異常的劍學，再加上那白蛟劍的威力，和突飛猛進的內功，雄渾的腕力。

但見寒光閃閃，劍風似輪，耳際間一片金鐵交鳴暴響之聲，混入了噴灑的血雨中，片刻之間，被他連傷了十四、五人之多。

這時，潰退的少林僧侶，目睹方兆南神勇，戰志大增，紛紛停退搶攻，重又組合成拒敵的陣勢。

方兆南大喝一聲，揮劍又劈了兩個鬼形怪人，身軀移動，到大玄禪師身前，低聲說道：「今夜之戰，形勢出了我意料之外，貴寺中僧侶，個個神勇，而且又不畏死，看來阻敵入寺，並非是什麼難事，唯一可怕的是，怕敵人再燒起迷香，對付咱們……」

大玄禪師是何等人物，如何還聽不懂方兆南弦外之音？當下說道：「老衲再去取一些清水備用。」當下轉身疾奔而去。

那隨行的群僧隨在大玄禪師的身後，急急而去。

這當兒，衝入陣的鬼形怪人，大都傷亡在方兆南的劍下，餘下的人，又被少林僧侶們的快速攻勢，迫出陣外。

方兆南眼看少林陣勢已經穩住，正想疾退入陣，以便告訴大愚禪師，要他多備一些清水，只要分出一百個僧侶，分成兩次送水，就可對付強敵施用「迷香」了。

心念方動，忽聽得一聲嬌叱，一條人影，破空飛了過來。

方兆南心頭一震，暗道：「要糟，如若向我施襲的人是冥嶽嶽主的話，這一擊我絕難擋受得住。」

心中念頭電轉，手中並未閒著，白蛟劍盤頂旋飛，劃出一片護身光幕。

只聽得一聲百煉精鋼相擊的脆響過後，嗡嗡之聲長鳴不絕。

方兆南嚇了一跳，收劍看時，幸好白蛟劍完好無傷。

目光一轉，只見一個全身藍衣的美艷少女，左手握著一支形如鹿角，赤紅似火的兵刃，右手握著一柄劍。

她落入陣中，立時遭到群僧內層的圍擊，但見杖影閃動，刀光翻滾，紛紛向她的身上攻去。

藍衣少女一面揮動左手那形如鹿角的怪兵刃，封架那綿連不絕攻襲過來的禪杖、戒刀，一面平舉著劍，防備方兆南出手搶攻。

她和方兆南對面而立，雖處身陣中，也只有一面受到攻襲，另一面卻有方兆南替她擋住。

方兆南冷笑一聲，道：「妳膽子很大，竟敢躍入陣中……」

少林僧侶雖只能從一面攻襲，但那輪轉的攻勢，強猛至極，那藍衣少女雖身負絕世武功，也有著招架不住之感。

當下說道：「你要他們停下攻勢，我有話要對你說。」

方兆南冷冷地說道：「戰陣之間，生死一髮之際，一著失錯，滿盤皆輸，妳想得倒是不錯啊！」

那藍衣少女揮動手中形如鹿角的兵刃，封架開急襲而來的禪杖、戒刀，冷笑一聲，道：「我是奉命而來，你不信那也沒法子。」

方兆南看她說話時神情莊重，不禁心中一動，暗道：「冥嶽妖婦，又不知要耍什麼花招，倒不如聽她一遍，也好早做準備。」

心念轉動，瀟灑的一笑，道：「少林寺羅漢陣，乃當今武林中第一奇陣，變化的奇奧、精微，自非常人能解，我縱有讓他們停手之心，卻無讓他們停手之能。」

他這幾句話，故意說得很高，而且又正對著主持陣勢變化的人。

果然，那主持前陣變化的和尚回過頭來，望了方兆南一眼，突然舉起右手，斜斜向外一推。

經過那藍衣少女身後的僧侶們，突然向外移動了三尺，全陣輪轉的變化依舊，但已無人再向藍衣少女施襲。

方兆南目注那藍衣少女道：「現在姑娘已經有足夠的說話時間了，不知有何見教？」

那藍衣少女星目一陣眨動，道：「家師命我轉達一句話。」

方兆南笑道：「幸運得很，不知是什麼話？」

那藍衣少女道：「她要問你，能不能歸依到冥嶽門下？」

方兆南仰臉一笑，道：「在下也有一句話，要請姑娘轉告令師。」

藍衣少女道：「什麼事？」

方兆南道：「你問她能不能剃度出家，跳出紅牆，皈依佛門之中？」

藍衣少女道：「我說的字字都是真實之言。」

方兆南笑道：「我說的句句出自肺腑……」

藍衣少女突然微微一笑，道：「你不肯答應也就算了，爲什麼要這樣譏諷於我……」說話之時，已把右手兵刃交左手之中，緩緩向懷中摸去。

方兆南機警無比，右手白蛟劍突然一揚，白芒一閃，寒鋒已指在藍衣少女的手腕之上，冷冷說道：「姑娘最好不要妄動心機！」

藍衣少女冷笑一聲，五指緩緩伸開，食中二指，挾著一條紅色絹帕，說道：「你不覺得太緊張嗎？」

方兆南肅容說道：「對妳們冥嶽中人，在下確有著甚高的戒心。」

藍衣少女道：「事情既然不成，我就要告別了。」

方兆南道：「姑娘請先把取出的絹帕放入懷中，咱們再談不遲。」

那藍衣少女雖然生性冷傲，但此刻雙方已然正值動手相搏的當兒，方兆南劍尖已指罩住她三處大穴，手腕推送之間，立可把她重創在劍下。

情勢所迫，她雖有倔強之心，也不能不屈服在白蛟劍下，緩緩把手中絹帕，放入懷中，冷然說道：「天亮之前，咱們總要有一場生死之摶。」

方兆南手腕一挫，收了劍勢，笑道：「當得奉陪。」

藍衣少女道：「我要出去。」

方兆南道：「請便，請便！」

藍衣少女道：「四周人轉如輪，要我如何個走法？」

方兆南道：「妳怎麼來的？」

藍衣少女道：「我飛躍人牆而來。」

方兆南道：「是啊！妳再飛躍人牆而去。」

藍衣少女冷笑一聲道：「羅漢陣又號稱武林第一奇陣，但卻未必就能困得住我。」

方兆南暗暗忖道：「這鬼丫頭飛入此陣，絕非無因而來，我雖已提高了警覺，使她無法施展其技，但冥嶽中人，陰險鬼詐，無孔不入，眼下已然翻臉動手，戰陣傷亡累累，大可不必再留什麼情面。」

一振手中白蛟劍，說道：「在下絕不信姑娘只爲令師一句鬼話，冒險闖入羅漢陣來，妳既然覺得出陣不易，那就不用去了。」

藍衣少女聽他竟然不肯中自己激將之法，心中大感焦急，暗暗忖道：「此人這般難以對付，只怕我要弄巧成拙了……」

只聽方兆南冷冷說道：「眼下局勢，姑娘大概已經看到了，鹿死誰手，只怕姑娘也不敢預作斷言，姑娘如肯聽在下相勸……」

藍衣少女嫣然一笑，接道：「怎麼樣？你可是想勸我皈依少林，棄劍投降？」

方兆南道：「天下各大門派，都已經得到了少林傳出邀請之柬，估計最早的一批援手，明日天亮之前，就可以趕到，令師夜郎自大，坐井觀天，大概此時，她已經明白了武林霸業，並非如她想的那般容易。」

藍衣少女冷笑道：「現在天到什麼時候了？」

方兆南頭也不抬地答道：「妳自己不會望望天色嗎？」

他心中警覺之心，特別高強，縱是抬頭看看天色，也是不肯。

藍衣少女倒吸一口涼氣，暗道：「這人如此機警，只怕我今夜難出這羅漢陣了，看來只有冒險一拚了。」

方兆南目光轉也不轉地，一直盯在那藍衣少女的臉上，看她眼睛亂轉，立時一推白蛟劍，寒芒閃動，直向那藍衣少女刺去。

那藍衣少女一身武功，實非等閒，方兆南劍勢一動，嬌軀立時向左面移開兩尺，劍已然交到右手，橫裡一擋，一陣龍吟之聲，封開了方兆南的劍勢。

方兆南挫腕收回白蛟劍，第二劍還未及攻出，藍衣少女左手中那赤紅如火，形似鹿角的怪兵刃，已搶先點到，直襲前胸。

此物通體晶光，而且散出很多枝尖，一招點來，分襲前胸數處要穴。

方兆南右腕一振，一招「橫掃五嶽」，白蛟劍疾揮，向那藍衣少女怪兵刃上掃去。

但聞噹的一聲，如擊在堅石之上，那形同鹿角的兵刃，雖然被震開去，但竟然未被削傷分毫。

方兆南心頭一震，暗道：「這是什麼東西做成的兵刃，這等堅牢？」

方兆南殺機已動，大喝一聲，又是一劍「孔雀剔翎」，白蛟劍斜斜地劃出了一道銀虹，橫斬過去。

藍衣少女青龍劍一沉，不退反進，突然向前欺進了兩步，左手中那形如鹿角的怪兵刃，迅快無比地疾向方兆南胸前「玄機」要穴之上點去。

這是一個兩敗俱傷的打法，方兆南如果不回劍自救，固然可以把那藍衣少女傷在白蛟劍下，但那藍衣少女手中形如鹿角的兵刃，勢必要點在方兆南制命要穴之上不可。

形勢迫得方兆南不得不先求自保，健腕一挫，收回白蛟劍，身隨劍轉，向左側橫跨了兩步，讓避開去。

那藍衣少女借此一緩之機，突然疾快無倫地反擊三劍，這三劍招數詭辣，著著指襲向人身要害大穴，足可制人死命。

方兆南被迫得退了兩步，但立即又揮劍反擊過去。

兩個人在羅漢陣中，展開了一場生死決於瞬間的慘烈搏鬥。

那藍衣少女身置險地，別存用心，盡展所學，一味搶攻，她想借此緊張慘烈的搏鬥，使群僧無法插手相助。

這時，那力攻羅漢陣的鬼形怪人，愈來攻勢愈猛，羅漢陣的輪轉之勢，也隨著轉變得更爲迅快。

方兆南擔心藍衣少女施展什麼詭計，白蛟劍絕學頻出，一劍緊接一劍，不讓對方有絲毫喘息的機會。

那藍衣少女卻擔心身後少林僧侶輪轉群攻之勢，絲毫不敢鬆懈，盡展本身所學，和方兆南打在一起。

在兩人各出全力地猛烈拚搏之中，交織成一片嚴密的劍網，那輪轉的少林僧侶，雖有助戰之心，但卻有無從下手之感。

正在激鬥之中，突聽一聲振耳的長嘯之聲，傳了過來。

這時，那藍衣少女已呈現不支狀態，方兆南愈戰愈勇，他心中很明白，得覺夢大師之助，及南北二怪借身體相較掌力的奇遇，使自己的功力，在數日之間，大進甚多，所以，他對自己這耐戰之力，絲毫也不覺得驚奇。

但那藍衣少女聽得長嘯之聲後，精神卻突然一振，連出三劍奇招，扳回劣勢。

方兆南天賦聰明，過人一等，一見那藍衣少女聞得長嘯聲後，精神忽然大振，不禁心中一動，暗道：「這長嘯聲，不知是何人所發，但其聲的高昂尖亮，非有上乘內功莫辦，雙方激戰正烈，互有傷亡，這一聲長嘯，只怕和戰局大有關連……」

心念一轉，立時全力運劍，封開藍衣少女三招快攻之後，突然疾出一招「巧奪造化」。

那藍衣少女目睹方兆南的劍勢疾快攻到，若點若劈，帶起一片流動銀芒，來勢奇幻，無法封架，但又覺這一劍奇學，似曾相識。

匆忙之間，雙手齊舉，劍和那形如鹿角的怪兵刃，齊齊推出，一道白光中混著一片晶瑩奪目的紅光，護住了身軀。

她的武功，得自冥嶽嶽主親自傳授，和羅玄一脈相承，這一招巧奪造化，乃羅玄手創劍學中，最毒辣的一劍。

雖是獨立的一擊，但和羅玄劍法相輔相成，她雖未學過此招，但一眼看去，卻又似相識。

只聽一陣金鐵相觸之聲，方兆南的白蛟劍，有如瀉地水銀一般，乘空抵隙而入，疾沉而去。

眼看閃閃白芒，就要刺中那藍衣少女的咽喉，白蛟劍卻突然停頓下來。

原來他變化至此，不會之後的變化，劍勢驟然一頓。

耳際間突聽得一陣連續的慘叫，那疾轉如輪的羅漢陣，忽然大亂。

藍衣少女驚魂略定，青劍忽然斜劃而出。

方兆南閃身避開，轉眼一顧，只見三、四十具少林僧侶的屍體，橫臥在地上，也不知被什麼東西所傷。

五隊鬼形怪人，行列鮮明地直向陣中衝來。

少林僧侶們陣勢已亂，那主持陣勢的和尚，似是也已死去，大局已無人主持，群僧雖然在自行分頭迎敵，但步調雜亂無章，忙成一團，已無法阻止那疾衝入陣的五隊奇形怪人。

那藍衣少女忽然大奮雌威，嬌喝一聲，劍一揮之間，登時把一個少林僧侶斬作兩段。

她一劍得手，殺機大起，不再攻襲方兆南，左手揮動那形如鹿角的奇形兵刃，右手揮舞劍，單找人多之處衝去。

紅光青虹，交互閃轉，片刻之間，又被她連傷七個少林僧侶。

方兆南目睹少林僧侶們慘重的傷亡，不禁黯然一嘆，提聚聲氣大聲喝道：「各自停在原地拒敵，不可亂動，以待援手。」

說完，長劍一揮，疾向那藍衣少女衝了過去。

這一擊凌厲無比，白光閃閃，直向那交互閃轉的紅光、青虹衝去。

那藍衣少女目睹方兆南疾衝而來，顧不得再殺群僧，反手一招「海市蜃樓」，幻起了一層層青芒的劍影，護住了身子。

方兆南一擊之後，劍勢立變，綿綿絕招，有如長江大河一般，全都是天下各大門派中精奇之學。

這一輪急攻，盡展了他胸中所學，勢道之猛，甚是少見，那藍衣少女登時被迫落下風，只餘下招架之力，沒有了還手之能。

她的武功，雖是以詭奇見稱，但在先機全失之下，詭奇的劍招，已無法發揮出詭變的威力，再加上方兆南近日內功的進境，運劍擊出的雄渾腕力，更迫使那藍衣少女劍勢疲緩無力。

這是一場激烈絕倫的惡鬥，方兆南雖然占盡了優勢，但他已用了全力，那藍衣少女雖然被迫落下風，但她詭奇的劍招，支撐住她暫時還不致落敗。

雙劍輪轉如飛，凌厲的劍風，劃起嘶嘶破空之聲。

不大工夫，兩人已交手了四十餘回合。

方兆南愈戰愈勇，發出的戰招力道愈強，那藍衣少女卻已漸呈不支，形勢已到了將要分出生死勝敗的關頭大局。

只要方兆南能夠保持他搶盡先機的攻勢，再有十回合，那藍衣少女勢非傷在方兆南的劍下不可了。

就在勝敗即將分曉的當兒，突聽一聲嬌叱傳入耳際，一團紅影，疾射而至，一縷劍風，直掃後背。

方兆南身子一轉，橫向旁側讓開三尺，凝目望去，只見那紅衣少女右手仗劍，左手握著拂塵，和那藍衣少女相對而立。

七尺之外，站著那黃衣麗人，她身後一排橫立著蕭遙子、袖手樵隱、白作義和三劍一筆等武林群豪。

顯然，那黃衣麗人，忽然改變了主意，改以那五隊鬼形怪人，做爲攻打羅漢陣的身軀，而把中原武林群豪，留做後隊，做爲最後的決戰之用。

那藍衣少女、紅衣少女並未再出手搶攻，形成了相對立的僵持之局。

連經大敵，已使方兆南變得十分沉著，目光轉動，環掃了一周，已不見一個少林僧侶，只餘下遍地的屍體，大約一顧間，屍體多達四、五十具，幾乎盡都是少林僧侶。

這時，那發人深省的梵唱，和那音如鬼嘯的樂器之聲，都已經停了下去，隱隱間可聞兵刃相觸的激鬥之聲。

轉目回顧，少林僧侶，已後撤十丈開外，高照的火炬，熊熊的火光耀照之下，清晰可見十丈外正展開激烈的拚搏。

第一環節的羅漢陣，在慘重的傷亡之下，已然完全崩潰了。

那黃衣麗人忽然舉手一揮，排立她身後的中原群豪，迅快地散布開來，團團地把方兆南圍了起來。

方兆南長長吁一口氣，納入丹田，凝聚真氣，準備迎接一場群攻。

哪知群豪布成了包圍之勢，但卻不立刻出手。

那黃衣麗人卻突然舉步而行，穿過群豪，且向方兆南走了過來。

方兆南心頭微微一震，暗道：「她把身隨精銳高手，布置在四周，防我逃走，卻親自出手對付我，顯然是有了置我於死的決心。」

當下一橫白蛟劍，封住門戶，準備以「達摩三劍」，做孤注一擲的一戰。

黃衣麗人，姍姍行來，不慌不忙，相距方兆南還有三步左右時，突然停了下來，目睹方兆南，冷冷地說道：「現在你該相信我在天亮之前，能夠把少林僧侶完全殲滅了吧！」

方兆南抬頭望望天色，還不到四更時分，以這片刻間少林寺慘重的傷亡而論，天亮前一鼓盡殲少林僧侶，似是並非什麼難事。

他覺得這問題甚難答覆，沉吟了片刻，道：「以鬼謀毒計取勝，縱然勝得，那也算不得什麼英雄！」

黃衣麗人笑道：「戰陣之間，旨在傷敵求勝，不論用什麼方法，都無關宏旨，兵不厭詐，愈詐愈好……」

方兆南接道：「武林之中，江湖之上，講求的是真功實學，正大光明，才能使天下、武林同道，心服口服。以妳嶽主的身分，暗施算計，未免有損英名。」

黃衣麗人笑道：「少林僧侶，不下千人，就算他們個個束手就戳，也要殺上一陣工夫……」

方兆南雖善機變，但他天性之中卻帶有一種俠情之心，眼看少林僧侶慘重的傷亡，心中大感不忍。

當下心中一動，暗忖道：「這妖婦不知用什麼手段，一瞬之間，傷了數十個少林僧侶，使這賴以拒敵的羅漢陣完全解體。

「以此推論，天亮之前，盡傷少林僧侶，並非什麼難事，雖然不能完全斬盡殺絕，但那慘重的傷亡，也足以使少林寺爲之解體。

「這些可憐與世無爭，常伴青燈黃卷的和尚們，爲了維護少林寺的存續，卻付出了寶貴的性命，這些人大都和十丈紅塵，無干無涉……」

心念轉動，也就不過眨眼之間的工夫，武斷地做了重大的決定。

他仰臉望夜空中閃爍的明星，嚴肅地說道：「嶽主說得不錯，如若少林寺千餘僧侶，個個用命，今夜這一場血戰，不論誰勝誰負，都將是武林中一次空前的浩劫……」

他淒冷地嘆息一聲，接道：「這些人既無領導江湖霸業，亦無爭名武林的宏願，他們只不過是嶽主一念錯動的犧牲之人。

「縱然讓嶽主心願得償，一夜之間盡殲少林僧侶，但天下九大門派中人，也不甘雌服在嶽主之下，這將是一場永無休止的搏鬥，古往今來，從沒有一個人，能在武林中締造出一統天下的局面……」

他突然提高了聲音，神情肅然地接道：「妳自信比令師如何？但令師並沒創造武林一統霸業的野心，至低限度，他沒有這等狂妄的行動……」

那黃衣麗人似是被方兆南滔滔不絕的言詞所動，兩道秋水一般明亮的秋波，怔怔地盯住在方兆南的臉上。

方兆南重重地咳了一聲，接道：「令師的成就，雖然留給了天下武林同道，無比的敬重，但他的成就，也並非武林中唯一之一人，如若把令師和少林派開山鼻祖的達摩禪師相比，聲譽的高低，嶽主的心中，亦必有分寸，不用在下多說了。

「手創武當派的張三丰，只怕也不會在令師之下，這些人，天份之高，胸羅之廣，被天下武林同道，公認爲一代宗師之才，但他們也不過僅造成武林中一大門派而已……」

那黃衣麗人星目微一眨動，冷然說道：「此刻時光，寸陰如金，你這般滔滔不絕地大發宏論，說給哪一個聽啊！」

方兆南道：「在下不惜唇乾舌焦，無非希望嶽主能夠稍存慈悲……」

黃衣麗人笑道：「你要少林僧侶們放下手中之兵刃，束手就縛，我就網開一面，全部免死。」

方兆南聽得打了一個冷顫，說道：「這麼說來，我這一番相勸之言，完全是白說了，嶽主既然存了誓不兩立之心，在下倒有一個辦法，可免除甚多殺劫。」

黃衣麗人道：「刪繁從簡，扼要說明，不要再囉囉嗦嗦，叫人聽得不耐。」

方兆南道：「打蛇打頭，打鳥打翼，嶽主如若能把少林寺幾個首腦人物制服，群僧失去了主宰之人，當無再戰之能。」

黃衣麗人道：「你言中之意，可是要少林僧侶們選出幾個高手，作最後一勝負？」

方兆南道：「在下正是此意。」

黃衣麗人道：「這辦法不錯……」

她右手一擺，那包圍在方兆南四面的群豪，登時讓出一條路來，接道：「你去對他們說吧！」

方兆南左手搭在右手白蛟劍上，微一欠身說道：「嶽主也請即時下令，要那些奇裝異服的怪人，暫時停攻。」

黃衣麗人道：「這個不難。」

方兆南一收白蛟劍，大步闖出群豪包圍，走了幾步，突然又回過頭來說道：「在下還有一事，想請嶽主答允。」

黃衣麗人怒道：「你這人太煩人了，我要殺你，只不過是舉手之勞，快些說吧！」

方兆南大聲說道：「我想請嶽主答允不用暗器，不許下毒，大家憑藉著真功實學，一分生死。」

黃衣麗人略一沉吟，說道：「就依你之言。」

方兆南道：「嶽主身分尊高，一言九鼎，咱們就此一言為定了。」

說完之後，轉身疾奔而去。

那藍衣少女目睹方兆南背影逐漸遠去，回頭對黃衣麗人說道：「此人武功不弱，師父何以不借機會把他除去？」

黃衣麗人道：「他說得不錯，少林千餘僧侶，如果個個用命，不但咱們要造成極大的傷亡，而且天亮之前能否盡殲群僧，實無把握。

「借他之言，讓少林寺挑出一些精銳高手，一戰而定，對咱們也是大大有利的事，只要幾個少林寺的首腦被擒，群僧勢將形成群龍無首之狀，那時，咱們或以他們生死要挾，迫使少林群僧就範，或是盡情殺戮一番，盡其在我了。」

站在右側的紅衣少女道：「師父答允他不用暗器，不許下毒，豈不被他們占去便宜不少？」

黃衣麗人冷峻的目光，橫掃了二女一眼，道：「如果妳們三師妹還活在世上，這些話，她一定不會問我，縱然妳們會提出來，也用不到我來答覆妳們……」

二女雖然狂傲，但對這黃衣麗人卻有著無比的敬畏，當時一齊垂下頭去低聲說道：「弟子愚蠢，萬望師父見恕。」

黃衣麗人緩步向前移動身子，說道：「快去招呼他們停下手來，咱們的五行奇陣，絕不是羅漢陣的敵手。」

那藍衣少女探手入懷，摸出了一個銀色的哨子，放入口中，一陣尖厲驚心的哨聲，劃空而起，飄落全寺。

那分著紅、黃、藍、白、黑五隊鬼形怪人，聽得那尖厲的哨聲之後，立時停下了強攻之勢，齊齊向後撤退下來。

少林僧侶們輪轉拒敵的羅漢陣，也隨著停頓，夜風吹搖著高燃的火炬，激烈的惡戰停下之後，恢復了夜的沉寂。

滿地濺飛的鮮血，橫臥的屍體，使沉寂的夜又增加無限的淒涼。

那黃衣麗人的目光，緩緩地環掃了四周一眼，低聲對那藍衣少女說道：「妳留心聽我號令，等我制服了少林寺首腦，立時揮隊衝殺，一面放火燒寺，造成最恐怖、最淒涼的景象，以瓦解少林寺僧侶的戰志。」

那藍衣少女垂首應道：「弟子遵命。」

黃衣麗人素手一揮，帶著那紅衣少女和蕭遙子等群豪，緩步向前走去。

對面少林群僧中，忽然步出一隊月白僧袍的和尚。當下一個面貌清瘦的老僧，右手橫著禪杖，左手托著銅缽，慢步而行。

那老僧左面，並肩而行著南北二怪，右面緊隨著手橫長劍的方兆南魚貫而行，相隨在身後。

雙方都走得十分緩慢，但氣氛卻有著無比的嚴肅，兩方面都盡出精銳高手，這一戰乃雙方存亡所繫，每人的臉色上，都顯得異常嚴肅緊張。

雙方的距離，逐漸地接近，但卻聽不到一點聲息，似乎是每一個人，在舉步落足之間，都有著無比的謹慎。

那黃衣麗人柳眉一聳，突然加快了速度，疾步向前奔行，眨眼之間，已到了群僧前面。

那當先而行的老僧，正是少林寺「戒持院」的主持，代行方丈大權的大愚禪師。

只見他一頓手中禪杖，恭敬地揭開那合蓋的兩面銅缽。

凝目望去，只見那雙缽合口之間，端放著一座白玉佛像，玉像口鼻之間，緩緩冒出一絲淡藍的煙霧。

黃衣麗人眉頭一皺，冷冷喝道：「那是什麼東西？」

大愚禪師肅然答道：「嶽主儘管放心，少林寺屹立江湖數百年，沿傳數十代，從未暗算過人，更未用過毒物害人，這玉佛像冒出的青藍色煙霧，乃本寺精煉禪香，此物不但對人無害，且可解各種薰香之毒。」

黃衣麗人怒道：「咱們講好以武功相搏，大可不必再用此物。」

大愚道：「害人之心不可有，防人之心不可無，此香在我們少林寺，已燃最後一支，如非老衲敬重嶽主的身分，也不致動用到它。」

言辭之間，已隱隱說出，不相信黃衣麗人不用迷藥的承諾。

黃衣麗人冷笑一聲，道：「你這話叫我如何能信？」

虛空一指，直向那銅缽點了過去。

大愚心知眼下強敵，武功高不可測，哪敢怠慢，暗運功力，僧袖疾拂而出，打出了一股強猛的潛力。

那黃衣麗人冷然一笑，突然向前欺去，舉步一跨，腿不屈膝地向前行進三尺。

大愚拂出的勁力，雖然剛猛絕倫，但一和那黃衣麗人點來的指力相較，登時覺出不對，只覺對方那點來的指風，有如一柄尖椎般，打入那一片強勁力之中，不禁心頭大駭。

南怪辛奇似是看出不對，右手一舉，借拂長髯之勢，暗中發出內功，擋住了那黃衣麗人點來的一指。

方兆南眼看雙方已經暗中較量上內功，趕忙急奔而出，高聲說道：「在下已把嶽主之言，轉告了大愚禪師，爲了千餘無辜的生命，大愚禪師同意嶽主之見，咱們自雙方人手之中，選出一部分高手，代表雙方作一決戰……」

他抬頭望望天色，說道：「眼下時光，已經不早，嶽主快請立個規矩，咱們也好早些動手。」

黃衣麗人冷冷說道：「主意是你出的，規矩就由你來訂。」

方兆南笑道：「規矩不論誰立，但總得雙方同意，在下就恭敬不如從命了。」

黃衣麗人冷笑一聲，道：「動手之時，我先殺了你。」

方兆南道：「如以嶽主殺人之多，在下倒是信得，不過在下極不願束手待斃，嶽主縱然能殺得了我，只怕也得費上一點工夫。」

黃衣麗人道：「舉手之勞而已。」

方兆南輕輕咳了一聲，回頭一瞥排立在大愚身後七十二個少林寺精銳高手，轉移話題說道：「如若嶽主能在天亮之前，把我們這些人全都殺死，少林餘下僧侶，個個束手就縛，不再抗拒，聽憑嶽主發落。」

黃衣麗人冷笑道：「那也不算什麼英雄。」

方兆南道：「只怕嶽主天亮之前，無法把我們全部殺完，不知那該當如何？」

黃衣麗人雖然明知中了方兆南激將之計，但仍然冷冷漠漠地答道：「天亮之前，殺不完你們，我就立時撤走，三年內不再問鼎武林霸業。」

方兆南微微一笑道：「嶽主約賭之法，雖嫌輕了一點，但三年時光，不算太短，那時武林形勢，不知會有何等變化，也許令師未死，重現仙蹤，也許少林寺還有長輩出面主謀大事，就這樣一言為定了。」

黃衣麗人緩緩舉起雪白的玉掌，說道：「第一個我先殺了你。」

方兆南道：「嶽主既然這般看得起在下，敢不捨命奉陪，但動手之前，在下還有兩句話要說。」

黃衣麗人舉起的手掌，不得不放了下來，說道：「什麼話？快說！」

方兆南道：「咱們動手相搏，不知是單打獨鬥呢？還是一齊混戰？」

黃衣麗人道：「主意是你出的，規矩由你立，單打群戰，也由你選擇吧！」

方兆南道：「在下之意，單打最好……」

那黃衣麗人似已想通，單打獨鬥，拖延時間甚長，對自己大是不利，櫻唇啟動，話還未來得及出口，方兆南已搶先說道：「這第一陣，由在下奉陪嶽主。」

黃衣麗人怒道：「便宜讓你們占盡……」

方兆南不容她再接下去，一揮手中白蛟劍道：「嶽主留神，在下就要出手了。」

大愚禪師高聲叫道：「方施主乃客位身分，這第一陣該老衲出手……」

方兆南早有了預謀，先不理會大愚禪師之言，舉手一劍，「西來梵音」，疾向那黃衣麗人刺去。

這一招殺機中隱藏慈悲的劍招出手，那黃衣麗人神色一變，嬌軀微微一晃，人已避到四尺開外。

方兆南心中有數，知道只要一給對方出手的機會，自己恐怕將再無還手之能，當下一提真氣，連人帶劍疾衝而上。

但那黃衣麗人的身法，太快、太奇，方兆南雖然緊追而上，但對方仍然有著足夠的還手時間，奇怪的是，她並未立時出手還擊，只靜靜地站著不動，似是在等待方兆南的第二招劍勢出手。

他聰明過人，一看那黃衣麗人的神情，立時猜出對方心意，想默查自己的劍勢來路，心中一動，暗暗忖道：「此刻時光，拖延愈久，對己方愈是有利。」

當下一沉丹田真氣，收住疾衝之勢，說道：「在下還有幾句，不得不事先說明。」

黃衣麗人眉宇間，泛現出一抹殺機，冷冷說道：「這是你最後一次說話的機會了。」

方兆南微微一笑道：「咱們這場相搏，是以性命相拚呢？還是點到爲止……」

黃衣麗人接道：「自然是以性命相搏，不死不休！」

方兆南怕她搶先出手，自己的功力，本已不如強敵，如再讓人搶去先機，更是無法抗拒，立時一振長劍，說道：「嶽主小心，在下這第二劍，要較第一劍強凌多了。」

他不肯放過任何一個拖延時間的機會，縱是一句話，一寸時光，也不肯輕易放過。

黃衣麗人道：「你就不覺得說話太多了嗎？」

方兆南道：「不敢！不敢！在下只不過是先把話說得清楚，免得事後有什麼怨言。」振腕一劍「一柱擎天」，疾攻過去。

這一招大氣磅礴，有如君王臨朝，百官齊拜，劍勢出手，高漲起經丈銀虹，山立波翻一般倒瀉下來。

這等驚人的劍勢，世所罕見。

雙方觀戰之人，都看得不禁為之一呆，那黃衣麗人也似被這驚人的劍勢所怯，雙肩晃動，人又向一旁閃開八尺。

她的身法雖然快速絕倫，但仍然被那倒瀉而下的暴漲銀虹，掃中了身著的黃裙，劃破了一片衣袂。

方兆南實未想到這一劍竟有著如此驚人的威勢，而且一劍出手，膽氣也隨著大增，肅然說道：「在下的第三招，毒辣無比，嶽主要小心了。」

那黃衣麗人驚魂未定，聽得方兆南這幾句話，心中果然為之一震，暗道：「看他這前兩招的劍勢，似非誇大之言，如若再試他一招，坐讓先機，萬一傷在他的劍下，那可是一件大不上算的事。」

她翠眉微聳，突然舉手拍出一掌。

這一擊雖是輕描淡寫，但隨著那揮動的玉掌，疾沖一股強猛的暗勁，裂空成風，直撞了過來。

方兆南早已暗中提聚了全身功力準備，目睹那襲身掌風的凌厲之勢，自知難以硬接，但如縱身閃避，勢將給敵人以可乘之機。

念轉慧生，忽地一舉手中白蛟劍，暗勁貫注劍身之上，左右一搖，顫出三朵劍花，迎著疾撞而來的暗勁點去。

一陣嘶嘶輕響，白蛟劍上突然感受到萬鈞壓力。

方兆南一面運氣貫注劍身，一面疾側身軀，以減承受那撞來勁力的幅面。

那黃衣麗人暗發出的真氣，凝成的掌風雖然強固，但在這等絕世的利器之下，亦被那劍芒穿破。

方兆南忽覺全身一震，如被人高高舉起，摔在地上一般，內腑血液，都起劇烈波蕩，全身血液，忽然加速流行，眼睛昏花，耳際間長鳴不絕，手中的白蛟劍不自覺地垂了下來。

這一擊，已使他全身受到震盪，好的是那白蛟劍裂穿擊來的暗勁，護住了前胸要害，人還未暈倒過去。

那黃衣麗人發掌時雖然輕描淡寫，若無其事，其實已暗中凝聚了六成功力，目睹方兆南承受一擊之後，還沒暈倒，心中暗自讚道：「想不到此人的功力，竟然這等深厚。」

舉步一跨，疾如閃電欺了上來，揚手一指，疾向方兆南前胸點去。

這時的方兆南，已是毫無抗拒之能，眼看那點來一指，即將近身，他仍然不知閃避。

眼看那黃衣麗人纖纖的玉指，即將和方兆南前胸相觸之際，忽見他的身子一仰，直向後面倒去。

表面上看起來，他似是被那黃衣麗人的指力所傷，應手而倒，但那黃衣麗人，心中卻極明這一指點擊之中，含勁未吐，強猛的勁力，完全蘊藏指上，還未發出，方兆南應手而倒，心中甚感奇怪。

方兆南背脊著地之後，突然向旁側一個翻滾，緊接著一挺而起，躍起了七、八尺高，口中大聲喝道：「兵不厭詐，愈詐愈好……」

說話之間，手中白蛟劍已施出「達摩劍法」中最凌厲毒辣的一招「天羅地網」，灑下漫天劍影，直罩下來。

那黃衣麗人看他突然躍起，心中微微一愣，念頭還未來得及多轉，那漫天劍影，已若劍山倒塌一般，直罩下來。

勢道的凌厲，生平未見，心頭為之大駭，仰身一躍，疾向後面退去。

一則方兆南身受重傷，無法把這招劍勢的威力，完全發揮出來，再者他初度用此招和人動手，還未熟悉這招變化。

那黃衣麗人的身法、武功，又是當今武林中一等一的高手，進退舉動，靈快如電，竟然被她倒飛的疾退，逃出了這一招千古奇學的籠罩之下。

如若方兆南武功再高一些，劍招的變化，再熟悉一些，懸空運氣追襲，那黃衣麗人雖身負傲視塵寰的武功，也無法逃出劍下。

原來方兆南身擋那黃衣麗人掌風一擊，已知內腑受到了劇烈的震盪，只要對方再及時遙發一掌，自已非傷在對方的強猛掌下不可。

唯一的求生之望，就是讓對方誤認為自己已受傷不支，大意輕敵，出其不意揮劍一擊，他七分真傷，三分裝作，竟然把那黃衣麗人騙了過去。

方兆南揮劍一擊未中，人重落實地，哇的一聲，張嘴吐出兩口鮮血。

大愚禪師沉聲說道：「阿彌陀佛，方大俠請稍微養息一下，讓老衲試試這位女施主的強勁掌力。」

方兆南重傷之後，又勉力揮劍攻敵，全身真氣浮動不穩，逼出內腑鮮血，但他心中仍然明白，除非自己傷勢，盡快復元，憑仗達摩三劍的精奇變化，或可一阻那黃衣麗人之外，只有南北二怪親自出手，或可憑藉本身深厚的功力，和那嶽主一拚。

他心中雖然明白，但卻又不好直接了當地說出口來，沉吟了一陣，道：「大師乃主持大局之人，最好不要親身臨敵……」

他突然放低聲音，接道：「我和那黃衣麗人這一戰，憑藉貴派中奇奧絕世的劍招，已挫了她的銳氣，我雖受傷，但目的已達，可設法激勸南北二怪出手。

「當今武林之世，能夠和這妖婦抗拒的人，只怕難以找得出三、五個來，南北二怪聯手，或可和那妖婦成一場勢均力敵的拚搏。要知對方心地陰詐險惡，絕不會遵守和咱們相訂之約，但不到必要關頭，以她的身分，當不致賴去承諾。

「老禪師心地忠厚，光明磊落，或不屑在下之言，但今宵之戰，並非老禪師一人的生死榮辱，而是貴派在武林上沿傳數百年的基業存亡，不是爭一時之長短，而是千秋的延續，老禪師大可不必拘泥於一、兩句相約之言。」

大愚禪師肅容說道：「老衲記下。」

他心中對方兆南所說的，憑藉貴派奇奧絕世的劍招之語，雖不甚解，但見他嘴角間鮮血汩汩而出，顯示他已說話夠多，不忍再相追問，只好悶在心中。

方兆南口在和大愚禪師說話，兩道眼神卻一直緊緊地盯注在那黃衣麗人的身上，怕她突然率眾疾衝過來，以防措手不及。

哪知黃衣麗人似已被方兆南劍招所驚，竟然不敢輕進，低語吩咐相隨身後的紅衣少女和蕭遙子，似在變更原定的攻敵計劃。

顯然，方兆南這達摩三劍，已使那傲視群倫的冥嶽嶽主，收斂輕敵之心。

回頭望去，只見相隨出戰的少林高僧，已自動排成了一座羅漢陣。

方兆南扶劍而退，直向南北二怪走去。

兩個昔年威震江湖的魔頭，相距有三、四尺遠，一排而立，覆面及腰的長髮長髯，隨著夜風飄拂，兩人的面孔，一般的冷漠肅穆，似是對剛才一番凶險相搏，全然未睹。

方兆南強提真氣，走近兩人，望著南怪說道：「辛大哥，剛才小弟和那冥嶽嶽主動手相搏，所用的幾招劍法如何？」

南怪辛奇皮笑肉不笑地一咧嘴巴，道：「奇幻有餘，功力卻不足，傷敵緊要關頭，變化遲滯，不夠靈活，如果那劍招是我出手，早已把她活劈劍下。」

方兆南笑道：「大哥的武功、內力，早已使小弟仰慕，但不知劍術一道，是否也有成就？」

南怪辛奇道：「劍爲兵刃之祖，自是早已通達。」

方兆南伸手將白蛟劍遞了過去，道：「小弟剛才和那妖婦相搏，功力不敵，內腑已然被她震傷，恐怕再難出手，此劍暫交大哥，出馬擋她一陣如何？」

南怪辛奇回目望了北怪一眼，緩緩接過白蛟劍，道：「我已六十年未用過兵刃和人動手了。」

方兆南已從他言詞之中，隱隱聽出怯敵之意，心中暗暗忖道：「我如不設法激起他求勝之心，只怕未曾出敵，心裡已敗。」

心念一轉，高聲說道：「昔年大哥和羅玄動手，可曾用過兵刃嗎？」

南怪辛奇道：「憑藉一雙肉掌。」

方兆南道：「如今辛大哥有劍在手，難道還怕羅玄女弟子不成？」

南怪辛奇怒道：「誰說我怕她了？」

說罷，橫劍大步而上。

方兆南眼看南怪已然被激起豪氣，橫劍而上，目光一轉，投注到北怪黃煉臉上，道：「老前輩可也和羅玄動過手嗎？」

北怪黃煉道：「自然打過了。」

方兆南道：「你和他單打獨鬥，還是有我大哥助你？」

北怪黃煉道：「我們雙雙鬥他一人。」

方兆南道：「那時候，你和我大哥，交情定然甚好了？」

北怪黃煉道：「我們一直未曾好過！」

方兆南道：「那你爲什麼要幫助他？」

北怪黃煉怒道：「你囉囉嗦嗦問個不停，也不覺得討人厭嗎？」

方兆南道：「這次你還要不要幫他？」

北怪黃煉冷冷一笑道：「那要看老夫高興不高興了。」

方兆南道：「你最好不要幫他，讓他傷在那黃衣妖婦手中，你豈不是當今江湖上第一位高手了？」

北怪黃煉臉色一變，道：「怎麼？你認爲我打他不過嗎？」

方兆南道：「據在下之見，南北二怪，半斤八兩，誰也無法勝誰……」

他微微一頓，接道：「就和你們的威名一般，並馳江湖，人們一提南怪辛奇，必然也聯想起北怪黃煉……」

北怪哈哈大笑，道：「這話說得不錯……」忽然笑聲頓住，默默不語，兩道目光，凝神相注。

方兆南順著他的眼光望去，只見南怪辛奇橫劍而立，那黃衣麗人也緩步向場中走去，兩人相距，只不過餘下了一丈多遠的距離。

偷眼回顧北怪黃煉，只見他兩腳不自主地向前緩緩移動，關注之情，洋溢於行動之間。

方兆南目睹其情，放下了心中一塊石頭。

他暗道：「看來他們南北二怪，明雖格格不入，實則相互關切，只因兩人全都生具冷僻孤傲的性格，言詞行動之間，誰也不願吃虧，誰也不肯相讓，動不動就打了起來，但暗地之中，卻是傾心相交，生死一體，我不用這一番言語相激，只怕北怪黃煉也不會坐視不管……」

他這月餘時光，雖然有很多的奇遇，使他的武功大進，但比起那冥嶽嶽主，自是相差了極遠。

剛才身受那黃衣麗人一記劈空掌風，內腑已受到劇烈的震盪，中掌之後，又未能及時運氣調息，反而運劍擊敵，致使傷勢更重。

但他心中一直緊記覺夢大師之言，以南北二怪之力合手，或可抵擋冥嶽嶽主，爲了少林寺千百僧侶的安危，他勉強提聚了一口真氣，激勸南怪辛奇出手，又用言詞說勸北怪黃煉，眼看二怪雙雙出敵，心願得償，精神隨之一懈，再也提不住殘餘的真氣，仰身栽倒地上。

大愚禪師急急奔了過來，從懷中摸出一個瓷瓶，倒出兩粒白色丹丸，放入方兆南的口中，一面運氣，在他命門穴上推拿。

大約過了一盞熱茶工夫之久，方兆南才長長地緩過來一口氣，睜眼望過去，場中已經展開了一場生死存亡的搏鬥。

南怪手中一柄白蛟劍，幻起重重劍光，裹著一團黃影，翻滾在丈餘見方之中。

兩人攻守之勢，大概過於迅快，已無法看清出手的詳細情形。

北怪黃煉，仍然靜靜地站在一側，袖手旁觀。

顯然，南怪辛奇尚未遇上凶險的招數。

方兆南長長吐一口氣，道：「南北二怪的威名，果非虛傳。」

他這幾句話用盡了剛剛恢復的體力，說得聲音甚高，似是有意讓那站在一側觀戰的北怪黃煉聽到。

大愚禪師低聲說道：「方施主氣血尚未平靜下來，不宜大聲說話。」

方兆南淡然一笑，回過頭望了望那排成的羅漢陣一眼，低聲說道：「這些人可都是貴派中的精銳高手嗎？」

大愚禪師道：「每人都有二十年以上的火候……」

方兆南急急接道：「那很好，大師請把大道、大玄兩位禪師請過來吧！咱們要盡全力守住此地，戰死不退寸步……」

大愚肅然接道：「方施主但請放心，不得老衲之命，他們絕不致畏死避命。」

方兆南長長嘆息一聲，道：「如若南北二怪，和在下以及貴寺群集此地的高手，不幸戰死，只怕貴寺中餘下的人手，也無法抵擋得住冥嶽中人的攻勢。」

大愚禪師道：「方施主有何吩咐，但請直說，老衲無不遵辦。」

方兆南道：「老禪師心地磊落，可比日月，不善江湖機詐，需知今夜一戰，關係著貴派命脈的絕續，如若貴寺高手，聯合了南北二怪之力，仍然無法拒擋得住強敵的猛銳之勢，似乎大可不必再讓他們做無謂的犧牲。

「在下之意，是想請大師把後隊中所有的高手，連同大道、大玄禪師，一齊調集，以做保護貴寺的決戰。

「餘下之人盡放出寺，要他們準備逃命，一見訊號，立時分頭離開嵩山，這樣一來，貴寺縱然被強敵所毀，但散布在江湖上的弟子不下數百之多，日後自有重建嵩山本院之日。」

他剛才目睹少林寺僧侶們慘重的傷亡，心中大生不忍之感，這些人日夕常伴著青燈黃卷，毫無是非恩怨牽纏，一縷憫憐之情油然而生。

大愚禪師低聲說道：「阿彌陀佛，方施主仁心俠膽，實叫老衲敬佩，老衲立刻吩咐他們遵辦。」

方兆南淡然一笑，接道：「老禪師手中瓷瓶，裝的什麼藥物？」

大愚禪師道：「是我們少林寺鎮神繼命金丹。」
方兆南道：「此藥有何功用？」
大愚道：「療傷鎮神，強命健身，奇藥難尋，煉制不易。」
方兆南道：「不知有沒有提神之效？」
大愚道：「自然是有。」
方兆南伸手說道：「這瓶金丹，可否送給在下？」
大愚道：「方施主對我們少林寺施恩如山，豈是這區區一瓶金丹能報萬一？」
當下把手中瓷瓶，交到了方兆南的手中。
方兆南也不客氣，接過瓷瓶，打開瓶蓋，一連吞服四粒之多，然後合上瓶蓋，揣入懷中說道：「老禪師快去調集人手，天色已然四更過後，那妖婦大概快要發動了。」
大愚禪師道：「發動什麼？」
方兆南道：「大概是一種絕毒的暗器，一出手間，可傷數十人之多。」
大愚略一忖思，道：「不是施主提起，老衲倒忘懷了，我們少林寺中，有一種專門破解暗器的巨形銅缽……」
方兆南道：「那好極了，可有人會施用嗎？」
大愚道：「寺中二代高手，大都會用此物，只是不常用它罷了……」
兆南喜道：「那是最好不過，快些把那銅缽取來，如果那銅缽能克制對方的暗器，在下再仗這藥物之力支撐，憑藉那達摩三劍之力，或可拒擋冥嶽嶽主！」
大愚道：「達摩三劍？」

方兆南道：「此刻無暇奉告，老禪師快去調集人手。」

大愚合掌說道：「方施主最好能運氣調息一會兒。」僧袍一揮，轉身而去。

但見人影閃動，八個身披灰袍的和尚，急急奔了過來，並肩站在方兆南的身前，排成了一堵人牆，保護他不致受到傷害。

方兆南默算以南北二怪之力，最少也要和那冥嶽嶽主力搏個數百招，那黃衣麗人騰不出手，料想不致發動，倒不如藉此片刻時機，運氣調息一下。當下閉上雙目，運行真氣。

他心懸南北二怪勝負，哪裡能坐得住，勉強把真氣運行一周，立時挺身而起。

排開群僧望去，只見北怪黃煉已加入戰圈，不禁心頭大駭，暗道：「黃煉加入助戰，想是南怪辛奇已經顯出不支之勢。」

他回頭問群僧道：「他們搏鬥幾個照面？」

右側一僧欠身答道：「至少在百招以上。」

方兆南一揮手道：「諸位請歸原位。」大步向前走去。

這當兒，南北二怪已經和那黃衣麗人打到了生死關頭，只見人影閃閃，翻翻滾滾，但卻聽不到一點聲息。

這是搶制先機的快打，雙方都把真力蓄蘊在掌指兵刃之上，不擊中對方，不肯發出，是以看去人影翻滾，但卻不聞聲息。

突然間響起了一聲長嘯，北怪黃煉忽然躍出戰圈，雙手齊揮，連發兩掌。

一股激旋的氣流，劃帶起嘯風怪響，直向那黃衣麗人湧撞過去。

他不耐久戰，當先發出了玄冰掌。

卅八　砥柱中流

風起雲湧的狂飆，挾帶著浸入肌膚的陰寒之氣，周圍七尺內，都隱隱覺得寒意襲人。

那黃衣麗人獨鬥南北二怪，甚感吃力。

二怪數十年的石室囚禁，終日以調息運氣，排遣寂寞歲月，內力大進，招術上雖不及那黃衣麗人詭奇辛辣，但渾雄的內力，卻彌補了招術上的奇變不足。

北怪黃煉似是看出了那黃衣麗人弱點，立時閃身退出，然後以雄厚的內力，和她硬拚，是以用盡了全力，雙掌連環劈擊出手。

那黃衣麗人嬌叱一聲，疾發兩指，迫得南怪辛奇回劍自保，人卻借機躍退，雙掌平胸，並腕推出。

南怪辛奇雖然兼通各種兵刃技擊之術，但用劍終非所長，雖然寶刀在手，但仍有著礙手礙腳的感覺。

那黃衣麗人，縱身而退，南怪立時也借機停手，回頭喝道：「兄弟接劍。」

手腕一抖，白蛟劍疾射而出，嗆的微響，插在方兆南身前數尺之處的堅地上，直沒及柄。

南、北二怪，搭擋半生，雖然因生性孤傲，從未和顏悅色歡洽相處過一日，但彼此心意，卻是早已相通。

昔年二怪雙鬥羅玄，不過百招，雙雙傷在羅玄的手下。

那時冥嶽嶽主，還不過十一、二歲，頭梳雙辮，一片天真，看雙怪傷在師父手中，心中甚覺好玩，她童心未泯，曾經出言譏笑二怪，南北二怪心畏羅玄，不敢出手傷她，但是兩人氣度狹小，雖對三尺之童，亦有著極強的記恨之心。

當時曾把那女童特徵、面貌，默記在心，數十年來這女童的音容笑貌，仍然經常盤旋在兩人的腦際之中。

她雖已由天真爛漫的女童成人，但面形特徵並未改變，是以兩人見那黃衣麗人，立時認出正是昔年追隨羅玄的女童。

在南北二怪的心中，仍留著羅玄曾力敗過兩人的往事印象，那是他們生平之中，最慘的一次失敗。

在二怪心底深處，潛在著矛盾的結，兩人都深恨羅玄，但也畏怯羅玄，因這矛盾的死結作祟，使兩人初見那黃衣麗人時，心中又恨又怕。

怕的是她繼承了羅玄武功的衣缽，恨的是受她譏笑之辱，尚未一雪，這心理使一向自負的南北二怪，遲遲不敢出手。

方兆南巧言激動，使南怪在無法下台的情勢下，勉強出手，鬥了幾十個照面之後，怯敵之心大減。

原來他發覺了這位繼承羅玄衣缽的黃衣麗人，在招數上，雖然和羅玄一般奇詭辛辣，但掌指之間，卻沒羅玄那一股凜厲的勁道，幻奇而不夠扎實，辛辣而不夠犀銳，膽氣大增。

北怪黃煉出手之後，形勢更是一變，但因那黃衣麗人忽掌忽指，變化莫測的招數，使得南北二怪亦有勝敵不易之感。

黃煉默查敵勢，最弱的一環，是內力不足，當機立斷，躍退發掌，想以深厚的功力和她硬拚。

但見那黃衣麗人緩緩推出的掌勢，接觸到北怪黃煉波翻浪湧般的玄冰掌之後，有如撞擊在一堵無形的堅壁之上，去勢受到了強力的阻擋，激蕩排空的陰寒之氣，突然倒捲回來。

黃衣麗人心頭一震，暗道：「這是什麼武功？」

她趕忙凝神運掌，準備硬接那強大的反震之力。

南怪辛奇投卻了白蛟劍，回過身形，倏然疾發一掌。

赤焰掌力，挾著灼人肌膚的熱風，緊接著北怪黃煉的玄冰掌力，直撞過去。

那黃衣麗人嬌軀微一顫動，向後退了兩步，但卻仍然把南怪辛奇這一掌接下。

那停在丈外觀戰的紅衣少女，似是看出師父不敵，高舉右手長劍一揮，帶著蕭遙子等疾衝而上。

只聽那黃衣麗人冷漠嬌脆的聲音，傳入了耳際，道：「站住！誰要你們亂出手了？」

那向前奔的紅衣少女，聽得這聲喝叱之言後，立時停下腳步。

北怪黃煉大喝一聲，又是一掌劈了過去。

這一掌的勢道，比起第一掌更加凌厲，隨手湧起一股狂飆，直撞過來。

這等真功實力的硬拚，那黃衣麗人極顯然地難敵二怪，但她卻有著無比的鎮靜，似是早已胸有成竹。

南怪辛奇緊隨著北怪黃煉的玄冰掌，又發出一記赤焰掌。

掌風颯然，寒熱交集，南怪的赤焰掌，銜接著北怪的玄冰掌後，重疊擊去。

北怪二次發出玄冰掌力，已啓動了南怪辛奇的殺機，想以兩人合擊之力，一舉之力，把冥嶽嶽主震斃。

但見那黃衣麗人嬌軀一側，右腕一甩，突然撤出一片形如雲彩的白影。

二怪排山倒海的掌風潛力，一和那白雲般的絹布接觸，那白絹突然向上升去，呼嘯而去的掌風，盡在那白絹之下，疾沖而去。

原來，她自知難以硬接南北二怪雙掌合擊之力，立時把預藏在袖中的天絲絹，振腕抖開，默算了和二怪相隔的距離，取準角度，暗運真氣，布滿那天絲絹上。

此絹薄如蟬翼，但卻光滑堅韌，世無其匹，二怪掌力擊在絲絹上，強猛的掌風碰到柔軟光滑的天絲絹，登時被擋，向下滑撞過去。

那黃衣麗人手中的天絲絹，早已取好了一定的斜度，那滑落之勢，甚是迅快，直待那滑落的強猛掌力，撞擊在地上之後，一部分反彈而起，一部分掠地而過。

南北二怪合力強猛的一擊，就這般輕易地被人解去。

但見黃影閃動，那黃衣麗人有如踏雲而降，由天絲絹上一躍而下，疾快絕倫地撲向南怪辛奇，左手一揮，一道金芒，橫削過去。

南怪辛奇內功耳目靈敏，聽得衣袖飄風之聲，立時警覺，匆忙之間，急向一側跨了兩步避開了一旁。

黃衣麗人殺機已起，哪還容南怪輕易逃出，手腕一送，手中金芒，忽地脫手而出，直向那南怪辛奇追擊過去。

這一擊，迅快無比，南怪雖然身負絕世的武功，也未料到對方竟肯把兵刃當做暗器，投擲出手。

北怪黃煉橫裡疾發出一掌，一股強猛勁力，應手而出，把那疾襲辛奇的黃芒，撞得向一側斜飛過去。

那黃衣麗人，一擊未中，立時欺身而上，一掌拍向南怪前胸。

她發掌極快，掌指攻取之處，又是人身要害大穴，迫得南怪辛奇，沒有運氣發掌的機會。

北怪黃煉雖可遙發掌力，但那黃衣麗人，卻借南怪辛奇的身子，掩擋自己身軀。

南怪辛奇在那黃衣麗人掌指交互迫攻之下，只有揮掌拒敵。

轉瞬之間，兩人又對拆了三十餘招。

那黃衣麗人一出手，搶去了先機之後，招招緊迫，著著逼進，南怪辛奇始終被迫處於下風，只有拆解招架之功，沒有還擊之能。

北怪雙目圓睜，注視著兩人動手的情形，運集了功力，蓄勢以待，只要有機會，全力發出掌力擊敵。

但那黃衣麗人靈巧異常，始終以辛辣凌厲的近身相搏招數，和南怪辛奇纏在一起，不肯離開半步。

方兆南冷眼旁觀，發覺那冥嶽嶽主以搶得先機爭取到的主動，有意地把南怪辛奇向北怪黃煉停身之處相逼。

他不禁心中一動，高聲叫道：「黃老前輩留心，那妖婦定有什麼陰謀……」

黃煉冷笑一聲道：「你不用擔心，辛老怪雖失先機，也不致傷到她的手中，今夜之戰，他們絕難討得便宜！」
餘音未絕，忽聽那黃衣麗人嬌叱一聲，右手駢指如箭，直向南怪前胸點去。
辛奇一直在招架防守之下，無法還手回擊一拳一掌，心中憋著一腔怒火，看那黃衣麗人點來這一指，勢道雖狠，但招數甚慢，只要硬把她這點來的一指避開，當可把失去的先機爭回。
當下一吸真氣，突然向後退了兩步，正待舉手反擊，忽見那黃衣麗人點擊過來的右手之中，疾飛出一道青芒，電射而到。
這一擊不但出人意料，而且隨指而出，快捷無倫，南怪辛奇的身子還未站穩，掌勢還未舉起，那青芒挾著一縷尖風，已到胸前。
南怪辛奇雖身負絕世武功，但也無法閃避開這意外的一擊，慌忙之間，身子突然向旁一閃，避開了「玄機」要穴。
只覺左肩一陣劇疼，那青芒直刺入左肩之上，穿透肩骨而過。
北怪黃煉冷哼一聲，疾欺而上，一掌劈出，口中還大聲喝道：「牛鼻子羅玄，專以創出這鬼鬼祟祟的東西傷人，你這小娃兒，真實本領沒有學到，這方面倒承繼了他的衣缽。」
那黃衣麗人身子一側，避開一掌，反手一指疾點過來。
這一擊乃羅玄生死絕技之一的天罡指，全身功力凝集於一指之上發出，威力十分強大，雖有上乘護身氣功，也是難以抵擋。
昔年北怪黃煉，曾經吃過這一指的大虧，心中餘悸猶存，聽指風破空擊來，趕忙橫向一側跨去。
那黃衣麗人不待北怪黃煉還手，左腕一揮間，又是一道青芒，疾飛而出，直刺過來。

北怪黃煉大聲喝道：「鬼丫頭就只會暗箭傷人。」

說完，呼地劈出一掌，把那一道青芒震飛。

卻沒料到那黃衣麗人之左手，發出袖藏短劍的同時，右手疾搶，撒出一道極細的絲網，罩了下來。

方兆南旁觀者清，高聲喊道：「老前輩留心了……」

北怪黃煉目光一瞥，看那落下絲網，籠罩了數丈方圓大小，不論何等高強的輕功，也無法逃得出去。

當下大喝一聲，用盡全力發了一掌。

一股奇猛的掌風，直向那黃衣麗人擊去。

雙方相距，不過八、九尺遠近，那黃衣麗人如想閃身避開，勢非鬆手丟網不可，不丟網，就只有硬接對方這一擊。

她微一猶豫，北怪發出的暗勁挾帶的掌風，已襲上身。

只見那黃衣麗人長長吸一口氣，身子突然隨著北怪黃煉擊來的掌風，飄飛起來。

在一側觀戰的方兆南和大愚禪師，都已看出了情形不對，北怪黃煉全身的功力，凝聚發出的一掌，顯然已無法再擊中那黃衣麗人，而漫天疾落的絲網，卻已將要罩落在北怪黃煉的身上了。

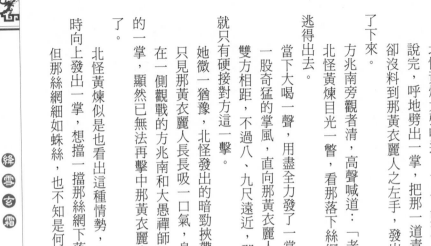

北怪黃煉似是也看出這種情勢，忽然一伏身子，疾快絕倫地滾到了南怪辛奇身旁，右手同時向上發出一掌，想擋一擋那絲網下落之勢。

但那絲網細如蛛絲，也不知是何物編成，其間空隙甚大，著力之處極小，北怪黃煉倏然發出的一掌，雖極強猛，但卻無法擋住那絲網下落之勢。

方兆南目睹其情，心中忽然一動，一振手中自蛟劍，縱身而起，直向那黃衣麗人衝擊過去。

他忽然想到這白蛟劍能夠切金斷玉，削鐵如泥，或許能削破這蛛絲般的怪網。

那黃衣麗人眼看南、北二怪盡已被罩在網下，突然一鬆手，施出「八步登空」上乘輕功，人如海燕掠波，直向少林群僧之中飛去，避開方兆南連人帶劍的衝擊。

方兆南一擊落空，疾墜實地，凝目望去，不禁一呆。

原來那細如髮絲的怪網，一經那黃衣麗人鬆手之後，突然緊緊收縮，把南北二怪齊齊緊罩在網下。

在這危亡生死之間，才看出了南北二怪半生相處深厚的交情，只見北怪黃煉雙手張緊，把那逐漸緊收的絲網，撐了起來。

北怪黃煉低聲說道：「老怪快把肩上暗器拔出來，趕快運氣療息一下傷勢，咱們合力把這絲網震斷。」

大愚禪師橫舉禪杖，急急對方兆南道：「方施主設法照顧辛、黃兩位，這妖婦由老衲等對付。」

說完，他舉起手中禪杖，一招「風起雲湧」，用足勁力，向那黃衣麗人掃擊過去。

在他舉杖掃擊出手的同時，少林群僧，突然散布開去，中間空出丈餘見方的一塊地方。

那黃衣麗人突然一沉真氣，疾如蒼鷹束翼，疾快地落著實地，也避開大愚禪師的一擊。

她不過剛剛站穩了身子，少林僧侶的羅漢陣已開始了疾快地輪轉，陣勢顯然已經發動。

她冷冷地環顧了疾轉的群僧一眼，厲聲喝道：「停下來！」

大愚禪師目睹羅漢陣已擺出衝擊之勢，當下舉手一揮，全陣登時停了下來，肅容說道：「嶽主有什麼話，快些請說，老衲洗耳恭聽。」

那黃衣麗人冷漠一笑道：「你們憑仗的不過是南北二怪，不錯，這兩個老魔頭，確是我一大勁敵，被你們請出來助戰，大出我意料之外，可是眼下兩人都已爲我罩在天蠶網下，自身已然難保，自無餘力爲你們助戰……」

她突然提高了聲音，道：「這是你們最後的機會了，束手聽命，尚可勉強，如再一味頑抗，可別怪我心狠手辣，放火屠殺了。」

大愚禪師慈和的臉上，泛起一片悲壯之情，肅然說道：「老衲和本寺中千餘名弟子，都存下了寧做玉碎之心，嶽主想放火燒寺，勢非先把老衲等殺完誅絕！」

那黃衣麗人冷然一笑道：「我先試試你們馳名武林的羅漢陣，究竟有多大威力？」

說話之間，隨手向上一拋，一點黑影，破空而上，直升起七、八丈高，呼的一聲，爆散出一片火花。

只聽北怪黃煉的聲音，由那絲網中傳了出來，道：「羅玄那牛鼻子老道，最是愛弄玄虛，你們要小心一點了。」

這時，方兆南正手舉白蛟劍，面對著南北二怪發楞。

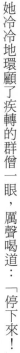

原來那細如髮絲，空間極大的絲網，眨眼之間，已收縮得十分緊密，包緊了南北二怪的身軀。

似是那剛才大張的絲網，有著極大的收縮之力，那細如髮，肉眼難見的網絲，此刻已根根可見，而且粗壯了甚多，有如打魚的網般，撒開時暴張數丈方圓，收縮時卻只餘下幾尺大小，緊緊地貼在南北二怪身上。

方兆南發覺其中有著一種原理，但一時間，卻是想它不出。

他手中雖有著削鐵如泥的白蛟劍，但因那絲網緊貼南北二怪身上，卻無法下手把它斬斷。

只聽南怪辛奇冷冷地說道：「她袖中藏劍之上，早有劇毒，此刻我已感受劍下之毒，十分猛烈，如若拔出短劍，只怕將促使毒性提早發作。」

這時，北怪黃煉憑藉著雙手之力，支撐著那迅快收縮的絲網，以便南怪辛奇有著舒適的休息了。

方兆南一直被那張大絲網，突然會收縮起來一事困擾，心神集中在思索此事，直待聽到那黃衣麗人投出的流星火炮，在高空暴響之後，神智才忽然一清。

他暗道：「不論這絲網如何能暴張收縮，我手中現在鋒利無倫的寶刀，先試試看能否把這細絲斬斷，只要能夠斬斷，就不難設法使他們脫出此網之困。」

心念一轉，舉劍向那絲網之上劃去。

那白蛟劍一和那絲網相觸，那絲網收縮之勢，突然加速起來。

方兆南怔了一怔，暗運腕力，猛地向外一挑，一個網結應手而斷。

只聽北怪黃煉冷哼一聲，那絲網突然又向裡收縮了甚多。

方兆南不敢揮劍再斬，立時停了下來。

他聰明絕頂，發覺手中白蛟劍雖有斬斷那絲網之能，但必須極大的腕力才行，而且白蛟劍每一和那絲網相觸，那絲網收束之勢，必然加快了甚多。

如若挑斷一個結，絲網會強力的收縮甚多，似乎每個細小的網結，都和整個網子有著極大的連帶關係，動一結而牽全網。

這絲網之上，小結孔洞，近千近萬，如若把每個小結個個挑斷，勢非要需時甚久，而且那一股迅快地收縮，只怕也不是南北二怪所能承受。

因爲那絲網太過細微，收縮起來，鋒利如刃，雖有著極上乘的內功，也是不能長久抵受。

那黃衣麗人倒十分輕鬆，連回頭望那絲網一言也沒有，似是她心中已成竹在胸，方兆南有斬鐵如泥的白蛟劍，也是無法斬開那一片緊快收縮的絲網。

這時，羅漢陣已正式發動，禪杖、戒刀一波接一波地攻向那黃衣麗人。

這些和尙，無一不是少林寺中選了又選的高手，出手的攻勢，不但力道強猛，招術上亦極辛辣，陣勢又是變化最爲靈活的一百零八人組成。

大立、大道分據南、北斗之位，主持陣勢變化，更增加了這陣勢的威力。

大愚禪師橫握禪杖，監視著遠距數丈的蕭遙子，和那五隊鬼形怪人。

他預料那黃衣麗人放出的流星火炮，定然有她的用意。

果然那五隊鬼形怪人，每人手中多了一把碧光閃閃的綠火。

那紅衣少女一擺手中拂塵，帶著蕭遙子等群豪，疾向前面衝來。

剎那間，莊嚴的少林寺中，閃起了片片綠火，佛門勝地，被那瑩瑩碧光一照，變成了人間鬼域。

方兆南迅快地從懷中取出瓷瓶，打開了瓶蓋，一連吞下了三粒續命金丹，大喝一聲，急躍而上。

右手白蛟劍一招「西來梵音」，撒出點點寒芒，擋住了那紅衣少女和群豪衝進之勢，緊接著移劍換掌，一招「佛法無邊」，欺入人群，一掌擊在蕭遙子的前胸之上。

這一掌蓄勢而發，勁道極是強大，蕭遙子被那一掌震得向後退了三步。

方兆南一掌擊傷了蕭遙子，白蛟劍一揮，疾向無影神拳白作義刺去。

忽聽袖手樵隱冷哼一聲，施開「七星遁形」身法，疾快無倫地閃了過來，斜裡一掌，劈向方兆南握劍右腕。

方兆南左腕一沉，白蛟劍忽然變了一招「巧奪造化」，仍然攻向無影神拳白作義，左手一揮，硬接了袖手樵隱的一掌。

只聽砰然一聲大震，方兆南被袖手樵隱深厚的內力，震得身體亂晃，刺向白作義的劍勢，不自主地一偏。

森森劍鋒，劃破了白作義的右臂，鮮血泉湧而出。

但方兆南也被袖手樵隱震得血翻氣湧，張嘴噴出一口鮮血。

只聽袖手樵隱冷哼一聲，掩面疾退，已近方兆南前胸的掌勢，也突然收了回去。

原來方兆南一口鮮血，正噴在袖手樵隱的臉上，迷了他的雙目，迫得他不得不收掌而退，如非這一口鮮血及時噴出，方兆南勢必將傷在袖手樵隱的掌下。

噴出一口鮮血後，方兆南的神志一清，疾快地向後退了五步，又吞服了兩粒丹藥。

大愚禪師此刻才了然了方兆南討藥之心，不禁黯然一嘆，暗道：「他中那妖婦一掌之時，已知內腑受了重傷，只怕再無拒敵之能，才討去這瓶靈丹，借靈丹的藥力，助他迎敵……」

忖思之間，三劍一筆張鳳閣、九星追魂侯振方，已又向方兆南撲了過去。

那紅衣少女卻悄無聲息地繞過方兆南，直向南北二怪走去。

大愚高喧一聲佛號，縱身而起，僧袍飄處，人已到了方兆南的身前，暗運真力，鐵禪杖一招「力掃五嶽」，橫掄了半周。

杖風如嘯，迫得三劍一筆張鳳閣、九星追魂侯振方急急避開。

方兆南低聲說道：「老禪師快去保護南北二怪，這裡有晚輩對付。」

大愚沉聲說道：「方施主小心了，你的傷勢……」

方兆南一揮手道：「快去吧！」話未完，又張嘴噴出一口鮮血，振腕一劍「一柱擎天」，直攻過去。

但見白光暴張，有如無際大海中，翻湧起一片波濤，直向群豪倒壓下去，劍勢威力遍及一丈方圓。

群豪之中被尊為劍聖的蕭遙子，前胸被擊，內腑受傷，正在運氣調息，無影神拳白作義，右臂劍創極重，無法再發無影神拳。

群豪人手雖眾，從未見過方兆南這等凌厲奇奧的劍招，個個被駭得倒躍而退。

精奇的劍招，必須要以深厚的內力為佐，才能把劍招上的威力，發揮出來。

方兆南內腑已受重傷，勉強運劍擊敵，已盡了最大之力，雖然一擊駭退了強敵，但已無追擊之能，勉強收住劍勢。

扶劍而立，只覺內腑之中氣血翻滾，背上如負千斤重鉛，眼前黑影亂閃，搖搖欲倒。

但他神智仍然十分清楚，心知只要自己摔倒下去，強敵必將一湧而上。

他用盡了所有的氣力，才站穩了腳根。

圓睜星目，逼視著強敵，神威凜凜，其實他已到了精疲力竭之境，雙目凝注著強敵，只不過看到一團團黑影而已。

這時，只要對方有人衝了上來，方兆南都無法擋得一擊。

可惜三劍一筆張鳳閣、九星追魂侯振方等，都已被方兆南的劍勢所振怯，看他怒目而立的威武神態，竟然無人敢當先衝上。

耳際間杖風如嘯，大愚禪師也和那紅衣少女，展開了激烈絕倫的搏鬥。

仗著少林寺續命金丹之力，方兆南經過片刻調息之後，體力稍復，眼前閃動的黑影也逐漸地消去，已可看清楚人體形貌。

他長長吸一口氣，緩緩提起白蛟劍，橫在胸前，封往門戶，右手迅快地探入懷中，摸出瓷瓶，倒出兩粒續命金丹，吞了下去。

少林寺這續命金丹本有益神補氣之效，乃療治內傷的奇藥，但因幾味主藥難尋，配治極是不易。

方兆南卻借這靈丹，做了壓制傷勢發作之用，一瓶奇藥，在片刻之間，亦被他吃下了一半之多。

方兆南心知難以拒強敵之勢，頭也不回顧，一提白蛟劍，冷冷喝道：「站著，再要前進一步，當心寶劍無眼。」

逼近群豪，果然都依言停了下來，只有袖手樵隱，仍然向前逼近。

方兆南提聚真氣，準備把所有的力量全用了出來，做同歸於盡的一擊。

驀地，又響起一聲暴震，半空中散起一片火花，流星橫飛。

方兆南和袖手樵隱，似是都被那一聲暴響所動，齊齊抬頭望去。

那空中暴散的火花未熄，少林寺挑選出精銳高手擺成的羅漢陣，突然一陣大亂。

隱隱的，聽出了幾聲悶哼。

那尖銳刺耳，鬼哭一般的樂聲，緊接著響了起來。

方兆南聞聲驚心，那隱隱的悶哼，似是一個人身受了極重的劍傷之後，勉強忍耐而又忍耐不住，所發出來的聲音。

這聲音，他已非第一次聽到。

他意識到那黃衣麗人，又施出絕毒的暗器，不知有多少少林和尚，送命在她的手中。

袖手樵隱抹去了臉上的血跡之後，目光環掃了四周一眼，看那黃衣麗人，縱橫在羅漢陣中，和群僧搏鬥。

那紅衣少女和大愚禪師放單獨鬥，那藍衣少女帶領著五隊鬼形怪人，每人手中舉著一把碧光瑩瑩的綠火，靜站不動，不知在幹什麼。

除了那黃衣麗人之外，冥嶽中人，還沒有第二個衝入羅漢陣中。

他自負武功領袖群豪，當下冷笑一聲，舉手一揮，道：「咱們衝過去吧！」

說罷，當先向前走去。

他舉步行動，十分緩慢，但落足卻十分有力，一步一個腳印。

原來他借著逼進的機會，暗中提聚功力。

方兆南暗暗嘆息一聲，忖道：「此人功力深厚，我又在重傷之下，只怕無能擋他一擊。」

回頭望去，只見南北二怪，緊緊地被那絲網捆綁，動彈起來也十分吃力，別說讓他們震脫絲網，脫捆而出了。

目下的情景，除了向羅漢陣中的僧侶們求援之外，已然別無可想之法。

但聞沉重的步履之聲，自遠而近，逐漸到了身前不遠之處。

一股忿怒之氣，由胸中直沖上來，激發了他生命中所有的潛力，大喝一聲，揮劍直向袖手樵隱劈去。

袖手樵隱聽得那大喝之聲，已警覺到方兆南揮劍攻來，頭也未轉地縱身一旁閃避開去。

他的「七星遁形」乃舉世獨步之學，奇奧無比，方兆南這一擊雖然淩厲無比，但仍被袖手樵隱輕巧地一閃，讓避開去。

方兆南一擊未中，趕忙一沉丹田真氣，運氣調息。

耳際間傳來一聲嬌笑道：「老和尚武功不錯，可惜大勢已去了，回頭看看你們的羅漢陣吧！」

方兆南目光微轉，首先看到那紅衣少女已被大愚禪師困在鐵禪杖之下，迫得只有招架之功，沒有了還手之力。

但羅漢陣卻顯出了零亂的跡象，那黃衣麗人飄飄衣袖，縱橫在羅漢陣中，如入無人之境一般，幾十具屍體，橫七豎八地倒臥在地上。

顯然，那羅漢陣已快被那黃衣麗人衝亂。

這一座馳譽天下，傳言數百年來從未被人衝破的奇異陣勢，在那黃衣麗人連番衝擊之下，已經處處流露出破綻。

此陣如若被破，少林僧侶最後一道拒敵陣線，亦將隨之瓦解，因爲全寺的精英高手，都已集中此一陣中。

忽然間，鐘聲震耳，連鳴三響，悠悠餘音，繞耳不絕。

方兆南心中輕嘆一聲，忖道：「這三聲鐘響，大概就是指示其餘僧侶逃亡的信號了，一座屹立於武林數百年的名刹，片刻之後，即將煙消雲散了……」

已被黃衣麗人將要衝散的羅漢陣，在三聲鐘鳴過後，忽然又疾轉起來，那橫臥在陣中的屍體，紛紛被挑摔出陣。

原來這三聲鐘鳴，啓發少林僧侶們衛寺之心，把橫臥陣中，有礙陣勢的屍體，紛紛地挑摔出來。

有些僧侶雖然未死，但亦被用禪杖挑摔出來。

這些人平日同堂學藝，一室禮佛，彼此間情意是何等深切，但形勢迫得這些和尚們，不但不能對傷殘的師兄們施以救護，而且還得殘忍地用兵刃把他們挑摔出來，以免他們防礙陣勢的變化。

群僧似都已忘記了自己的血肉之軀，個個勇猛絕倫，揮杖衝打，只求傷敵，不顧自保。

這一來，那黃衣麗人奇猛無比的攻勢，又被壓制下來。

方兆南又探手入懷，摸出瓷瓶，一口氣把瓶中所餘的續命金丹，完全吞了下去，長長吸一口氣，揮劍疾衝而上。

他似是已知自己這等飲鴆止渴之法，已把用以保心護命的精力，完全發揮了出來，縱有起死回生的靈丹，也難以保得性命，與其坐以待斃，倒不如轟轟烈烈戰死得好。

他已存下必死之心，劍招上也沒有了顧忌，每一劍式，都發揮出十二成的威力，寒芒閃爍，充滿著殺機。

袖手樵隱等群豪，竟然被他凌厲的劍勢擋住，難越雷池。

這時，那藍衣少女卻悄然無聲地率領五隊鬼形怪人，繞過羅漢陣，撲熄了那高燃的火炬，火光熊熊，光耀如晝的少林寺，片刻間恢復了一片夜暗，一團團碧綠的火光，到處閃動，景象忽然轉變得十分恐怖。

雙方激鬥間，忽聽那黃衣麗人一聲嬌喝，雙臂一振，凌空而起。

就在她躍飛而起的同時，兩手一揮，兩蓬銀芒，隨手而出。

十個少林僧侶，應手而倒。

那黃衣麗人卻借機衝了出來。

大愚禪師眼見全寺中選出來的精銳高手，傷亡近半，心知大勢已去，不禁輕輕一嘆，他低聲地對大道說道：「三師弟請整理殘餘，再排羅漢陣，準備再戰，小兄單人去鬥一下那冥嶽嶽主。」

要知羅漢陣乃是群鬥陣式，攻拒之間，全陣一體，武功過於高強，處身陣中，也不易全部施展出手。

大玄禪師眼看寺中弟子傷亡慘重，激起了拚命之心，未等大愚禪師出手，一見那黃衣麗人，衝出了羅漢陣，便大步直追了過去

那黃衣麗人飛出羅漢陣後，高聲喝道：「住手。」

袖手樵隱和那紅衣少女等，首先停下手來，縱身而退。

那黃衣麗人清脆的聲音，響蕩在耳際，道：「這是你們最後機會了，如若再不束手就縛，

全寺僧侶，一體誅絕。」

大愚禪師環視四周一眼，看那選出的高手，已然傷亡過半，不禁暗暗一嘆，高聲說道：「嶽主儘管下令出手，若不把我們少林寺中的僧侶悉數誅絕，只怕妳也難動少林寺中的一瓦一木。」

黃衣麗人冷笑一聲，突然舉手一掌，遙遙推出。

她劈出的掌力，未顯出強猛的威勢，也沒有一點嘯風之聲，但那疾奔而來的大玄禪師，卻悶哼一聲，身軀向後倒退了四、五步遠。

忽聽砰的一聲輕響，大玄禪師，倒了下去。

大愚禪師暗提一口真氣，大步而上，滿臉肅穆之色，說道：「老衲先和嶽主決一死戰……」

黃衣麗人冷笑一聲，接道：「你們既是至死不悟，我只有一體誅絕了。」

大愚禪師一揮禪杖，道：「老衲先行領教，嶽主請亮兵刃。」

少林寺的僧侶們，雖已經傷亡累累，但大愚禪師仍然不肯有失身分。

扶劍站在一側的方兆南，突然插口說道：「老禪師請退開兩步，這第一陣就讓給在下打吧！」

黃衣麗人環顧四周一眼，笑道：「你們已被困入了五鬼陣中，只要我一聲令下，同時有三十二種不同見血封喉的淬毒暗器，一齊發出，在這暗夜之下，縱然有著過人的眼力，也是無法避開，一盞熱茶工夫之內，你們都將與世長辭了。」

大愚流目四顧，果然發覺已被困入重圍，原來那些鬼形怪人，借著四下閃動的碧火，掩人耳目，大部分卻悄無聲息地把群僧包圍起來。

方兆南仔細地打量了幾眼，發覺那些鬼形怪人，都選了一定的方位，如若他們當真的齊齊發出暗器，場中所有的少林僧侶，都無法避開那交叉射出的暗器。

心知那黃衣麗人並非恫嚇之言，心中暗暗忖道：「眼下之策，只有纏住那冥嶽嶽主，使她不能下令，讓那些鬼形怪人們發出暗器……」

心念一轉，立時大喝一聲，揮劍向那黃衣麗人攻去。

他未出手前，已覺內腑傷勢，有了急劇的變化，目下所以能支持著不倒下去，全靠那一瓶續命金丹的藥力。

當那藥力耗盡之前，他即將隨著那惡化的傷勢，離開人間。

卅九　絳雪傳音

方兆南的心目中，認爲這是自己生平最後的一戰，無論勝敗，都得盡出全力，留給後人一份追慕憑弔。

是以，他出手就用出了「達摩三劍」。

這三招曠古絕今的劍學，乃一代人傑，達摩祖師九年面壁中靜悟而成，威勢凌厲，世無倫比。

那黃衣麗人雖然身負絕世武功，但也無法破這等奇異之學，登時竟被圈在劍光之下。

劍勢剛變到「天羅一網」，方兆南人已不支，噴出一口鮮血，由空中跌摔到地上。

那黃衣麗人用盡了本領，連招架帶閃避，才算把兩式劍招避過，正感手忙腳亂，應付不暇之際，忽見方兆南自行摔倒地上。

心中暗叫一聲僥倖，口中卻冷笑一聲，道：「螢火之光，也妄敢和日月爭輝。」言下之意，似是她把方兆南傷在手下。

南北二怪被那絲網所困，自顧不暇，方兆南重傷臥地，奄奄一息，遍地死屍，盡都是少林寺僧侶中的高手。

鬼火般的碧光，流動閃爍，橫躺的屍體，和滿地鮮血，使這淒涼的夜，增加了無限的恐怖。

大愚禪師長長吸一口氣，平橫禪杖，大步而上，悲壯地說道：「嶽主要把沿傳數百年的少林寺，夷爲平地，看來已非什麼難事了……」

方兆南的暈死，已使這位德高望群的老和尙，感覺到再無能抗拒強敵，少林僧侶們慘重傷亡，使他豪氣頓消。

他微微一頓之後，接道：「但嶽主在將少林寺夷爲平地之時，必須先把老衲殺死。」

黃衣麗人道：「殺你並非難事。」邊說邊緩緩舉起右掌。

這當兒，突然飄傳來一縷裊裊的笛聲。

這聲音似是由老遠處飄傳過來，又似近在身邊。

那黃衣麗人舉起的右手，突然放了下來，凝神靜聽。

笛聲漸高，金聲玉振，悲壯中隱含著一種飄逸不群的氣概。

那黃衣麗人聽了一陣，突然舉手掩面，大叫一聲：「快走。」

說完，當先轉過身子，疾向前面奔去。

這突然的變故，使大愚禪師，爲之一呆，想不通強敵何以在大勝之下突然撤走。

那黃衣麗人的急奔而去，立時使劍拔弩張的局勢大變，只見那鬼形怪人和蕭遙子等群豪轉身而奔。

這般人來得如潮水驟至，去得也似電閃風飄，片刻工夫，走得一個不剩。

大愚禪師長長吁一口氣，急步奔到方兆南的身側，只見口鼻之間，汩汩向外流著鮮血，一息奄奄，若繼還續，不禁黯然神傷。

伸手摸去，只覺他心臟還是微微有些跳動，但也是弱不勝力，頻將斷絕。

只聽大道禪師的聲音，傳入了耳際，道：「大師兄，這位方施主還有救嗎？」

大愚禪師緩緩抬起頭，兩行老淚，滾下面頰，搖頭嘆道：「希望很小，但願我佛有靈，能保他重傷得救。」

大道禪師傷感地說道：「大玄師兄，傷勢也很慘重。」

大愚禪師抬頭望去，只見大道抱著身軀僵硬的大玄，滿面愁苦之色，不覺又是一聲長嘆，仰面長長吸一口氣，道：「這一戰，可算得盡傷了咱們少林寺精銳……」

大道禪師似是忽然想起了一件重大之事，道：「羅漢陣中的弟子，也不知被那妖婦旋展的什麼歹毒暗器，連傷了六十餘人，全陣已潰不成軍，眼看咱們就要全軍覆沒，不知她爲何忽然撤走，難道還有什麼詭計不成？」

大愚道：「就目前形勢而論，咱們敗象已呈，大可不必再用什麼詭計求勝了。」

大道禪師道：「這就使人糊塗了。」

大愚沉思了片刻，說道：「那妖婦撤走之前，師弟可聽見什麼異聲嗎？」

他那時運集全身功力，準備和那黃衣麗人做生死的一搏，全神貫注，耳目也失去了靈敏，雖然那笛聲激昂高拔，但在他記憶之中，卻無法肯定是什麼聲音。

大道禪師若有所悟地接道：「不錯，好像是一種笛聲，吹得悲壯動人，那妖婦聽到那聲音之後，立時就倉惶逃走。」

大愚禪師道：「那妖婦武功卓絕，全身又都是用之不盡的奇毒暗器，一陣笛聲，竟能使她驚慌而去，這其間定有著什麼隱密……」

他微微一頓之後，接道：「你代我傳諭下去，要大家清掃屍體，凡是殉職弟子，一律記下名號，合葬在一起，三日之後，由全寺弟子為他們佛事百日，以慰亡魂，重傷弟子一律移送達摩院，從速救治。」

他微微嘆息一聲，又道：「少林寺能逃得覆亡之劫，這位方施主功德最大，不論他傷勢是否還有救，咱們也得為他一盡心力。」

大道禪師低聲說道：「南北二怪仍然被困在那絲網之中，不知要如何處理？」

大愚道：「用這白蛟劍斬斷絲網放他們出來。」

大道禪師道：「兩人心中對咱們少林寺似有著一股積恨甚深的怨忿，大劫之後，元氣未復，如若放出兩人，他們萬一要記恨前嫌，不分清紅皂白，動手傷人，那就麻煩了，小弟之意……」

大愚禪師搖頭說道：「南北二怪，為咱們少林寺，才和那妖婦動手，縱然他們心記前嫌，咱們也不能坐視不救，快些去吧！」

大道禪師肅然說道：「師兄教誨得不錯。」

探手撿起白蛟劍，正待轉身而行，突聽一個嬌細的聲音，傳了過來，道：「冥嶽嶽主，狡狠無比，雖然被我笛聲嚇走，但我料她不會就此甘心而去，一頓飯工夫，定會先帶部分高手，暗中潛返寺內，企圖查明真相……」

那嬌細的聲音，說到此處，忽然停頓，似在忖思措詞，又像在籌謀對策，半晌之後，才接著說道：「此時此地，我還不便現身，本來我要以解開南北二怪被困的天蠶絲網，讓他們幫同你們拒敵。」

「但兩人心中既然和你少林寺有著前嫌，釋放之後，未必能爲你們所用，不論他們倒戈相向，或是袖手旁觀，對貴寺都是大爲不利的事，還是暫時不放的好。

「好在兩人武功高強，內功深厚，那天蠶絲網，雖有著強大的縮收之力，但憑兩人武功，足可抵擋一陣，只要他們自知無能掙脫之後，一時之間，絕不致被那收縮的活結勒斃……」話到此處，又是一頓。

大愚禪師高聲說道：「哪位高人，既肯相助，何以不肯……」

那嬌細的聲音急急傳來，打斷了大愚禪師之言，接道：「我現在用的傳音入密工夫，和兩位說話，因那冥主，隨時可能潛返回寺，兩位最好能暫時聽我吩咐，不要答話。」

聲音又一停頓，道：「那姓方的傷勢好像很重，最好能把他移送到一處密室，別讓他再受到什麼驚擾。」

大愚禪師滿腹欲吐之言，不便出口，急得來回直踱方步。

那嬌細的聲音重又傳入耳際，道：「兩位最好要裝出一副胸有成竹的樣了，貴寺中高手甚多，雖然傷亡極重，足有重排羅漢陣的能力，爲防萬一，最好能再調集一部分人手，重整殘陣，以備迎敵，一面派人點燃火炬，防敵暗中施襲。」

大愚、大道，雖然都是修爲甚深的高僧，但在這等大敗大挫之後，也有些心神無主，思慮不周之感，聽人一提，覺得甚有道理，立時由大道傳諭下去，一面再選高手，原地重布羅漢陣，一面派人燃起那些被鬼形怪人弄熄的火炬。

耳際間又響起那嬌細的聲音，道：「那些鬼形怪人，大部是武林中的高手，被那冥獄獄主網羅手下，割去舌頭，服下迷藥，受她遣差，是以這般人個個都有著極好的武功……」

大愚只聽得全身一顫，不自禁地合掌當胸，口喧一聲佛號。

但聽那嬌細的聲音繼續說道：「你們快些把那姓方的，移到一處隱密的地方去吧！那冥嶽嶽主雖然狡猾如狐，但她生性多疑，查不出真相，絕不致胡亂出手，只要能裝出一副若無其事的樣子，縱然有發覺，也漠然視之，啓動她的疑心，可保無事，我不宜再和你們交談了。」

那聲音突然隱去，久久不再聽到。

大愚禪師低聲對大道說道：「師弟可把這位方施主，護送回方丈室去。」

大道應了一聲，帶著兩個少林僧侶，抱起奄奄一息的方兆南，急步而去。

這時，那熄去的火炬，重行點燃，少林寺光耀如晝，一片通明。

殘缺的羅漢陣，重又整排完全，百具以上的屍體，整齊地排列在羅漢陣前，肅殺的畫面中，泛生起一股悲壯淒涼之情。

大愚禪師緩緩移動腳步，繞著那些屍體走了一周，目光移注到群僧臉上。

每一個僧侶的臉上，都泛現出肅然的神色，沉痛中隱見莊嚴。

大愚輕輕嘆息一聲，閉上雙目，暗中運氣調息，準備再迎接一場慘烈的搏鬥。

廣大的草坪中，雖然站滿了少林僧侶，但卻鴉雀無聲，聽不到一點聲息。

大愚的焦慮心情，使他生出寸陰難度之感，好不容易斗轉星移，過去了一個更次，仍不聞有何動靜。

他緩緩地睜開眼睛，望望天色，距天亮還有一段時間。

火炬閃耀下，忽然瞥見一條人影，疾如流星，直向群僧飛馳而來。

大愚禪師暗暗地嘆息一聲，忖道：「終於來了，這一戰，又不知將折傷多少少林寺弟子了……」

忖思之間，那疾奔而來的人影，已到丈餘處停下了腳步。

大愚凝目望去，只見來人一身黑色勁裝，背插長劍，遙遙抱拳作禮，朗聲說道：「大師父請了。」

大愚慈眉一皺，單掌交胸答道：「施主有何見教？」

那人一聽大愚回答之言，緩步向前走來，直到相距三、四步遠，才停了下來，目光一掃那排列的少林僧侶的屍體，突然一個長揖。

大愚禪師霍然嘆息一聲，道：「尊駕何人？」

那勁裝少年神態十分恭謹，垂首而立，恭恭敬敬地答道：「在下乃青城門下，弟子張雁，大師怎麼稱呼？」

大愚道：「老衲大愚，張施主連夜來此，有何見教？」

張雁道：「家師因煉一爐靈丹，未克親赴泰山英雄大會，但對武林中形勢變幻，一直十分關心，近聞江湖上出現了一批行蹤可疑之人，晝夜趕來中原，家師爐火功行已滿，聞訊生疑，親率本派中十二弟子下山，一路追查到此，現在在貴寺門外，未得貴寺中人接迎，不敢擅闖……」

大愚輕輕嘆道：「令師可是當今青城派的掌門之人青雲道長嗎？」

張雁道：「正是家師。」

大愚嘆道：「多年的故友了……」

他微微一頓，又道：「就請張施主上覆令師，說我們少林寺正值空前大劫，強敵雖退，但極可能去而復返，老衲不便出寺迎接……」
張雁接道：「看貴寺傷亡累累，想必是大戰方過，晚輩就此上覆家師，請命裁奪。」
說完，也不容大愚禪師接口，立時轉身向前疾奔而去。
大愚禪師原想讓他轉告青雲道長，早些離開這是非之地，免得惹禍上身，哪知那張雁不容話完，就轉身出去。
在他的預想之中，少林寺羅漢陣難阻強敵，青城縱然出手相助，也不過是徒增傷亡而已。
張雁去勢奇快，人影閃了幾閃，便已消失不見。
片刻之後，入寺的大道上，出現了十數條人影，風馳電掣般，直奔過來。
看來人的身法，就可知道這般人中，個個都有極佳的上乘輕功。
當先一人，長髯長袍，頭挽道髻，背插長劍，手執拂塵，仙風飄飄，正是青城派掌門人青雲道長。
他目光一掠那排列的屍體，輕輕嘆息一聲，道：「貧僧助拳來遲，心中甚是不安……」
大愚合掌接道：「有勞道兄鶴駕，老衲感銘五內。」
青雲道長緩緩把目光移注到群僧排列的羅漢陣上，拂髯問道：「這可是貴寺中馳名的羅漢陣嗎？」
大愚道：「見笑道兄。」
青雲道長道：「敵人想已爲貴派逐退了？」
大愚沉吟了一陣，道：「強敵來勢凌厲，敝寺傷亡慘重，目下雖退，但甚可能去而復返。」

青雲道長臉色一整，肅然說道：「大方道兄所召集的泰山大會，適因貧道煉丹爐中火候正緊，不克分身，未能親身趕往參加，指派了門下兩位成就最高的弟子，松風、松月趕往應命……」

大愚道：「道兄兩位高足，可都回去了嗎？」

青雲道長道：「去如黃鶴，久無訊息，貧道爲此，還派了門下精明弟子數十人，趕往泰山附近，尋訪兩人行蹤，近據弟子飛鴿傳訊，泰山附近，忽然而現了一群行蹤詭秘，奇裝異服的怪人，貧道雖已久不下山，但對江湖上的形勢變幻，始終不敢稍有疏察。

「這般人似是從未在江湖上出現過，因此引起了貧道的疑心，日夜推索此事，一日夜後又接得門下弟子飛鴿傳書，說這般奇裝異服的怪人晝伏夜行，算計行程，直對中嶽而來。

「貧道愈想愈覺事情不對，匆匆決定趕來中嶽一查究竟，行色過急，來不及召集門下弟子，僅就護寺弟子中，挑選了十二個高手，兼程趕來此地，想不到仍是來得晚了一步。」

大愚合掌說道：「道兄的盛情，老衲和敝寺弟子，無不感戴……」

忽聽一陣急促的步履之聲，傳了過來。

轉頭望去，只見大道禪師滿頭大汗，急急奔了過來。

大愚急急替兩位引見道：「師弟快來見禮，這位是青城派的青雲道長，跋涉千里，風塵僕僕，特地趕來替我們助拳來了。」

大道合掌欠身，說道：「貧僧大道，拜見道兄。」

青雲道長道：「不敢，不敢。」單掌平胸，欠身還禮。

大愚似是已看出大道慌急的神色，忍不住問道：「師弟，可是方施主出了事情？」

他已看出方兆南的慘重傷勢醫救不易，但這位慈善的老僧，卻一直不敢去想那淒涼悲慘的後果。

只聽大道禪師霍然嘆息一聲，說道：「方施主三度昏去，兩次斷氣，小弟已盡我之能，用本身真氣助他復生……」

大愚似是突然被人在前胸處，重重地擊了一拳，全身一陣顫動，接道：「他現在可好些了嗎？」

他低沉的聲音中，充滿了淒涼。

青雲道長看兩個老和尙緊張的神色，心中甚是奇怪，忍不住問道：「那一位姓方的受傷很重嗎？」

大愚嘆道：「敝寺能保持現下這等局面，全虧了那位方施主之力了……」

大道禪師激動地道：「他不但爲我們少林盡了最大的心力，就是對整個武林而言，也是功不可沒。」

青雲道長道：「不知是哪路英雄？有此能耐，也許貧道聽過他的盛名？」

大愚道：「他是個年輕人，當今武林上，也藉藉無名，但他這次的事功，不但保留了少林派基業，而且也爲武林同道盡了心力，他的名字，將因此永留我們少林弟子的心目之中。」

青雲道長心中雖然不服，但口中卻不好出言反駁，輕輕……咳了一聲，道：「兩位大師這般稱讚於他，那自然是才氣縱橫的非凡之人。」

大道禪師接道：「他死而復生，念念不忘南北二怪兩位老前輩的安危。」

南北二怪之名，早已傳播江湖，大江南北，以至遠至關外的白山黑水的武林道上，年紀稍長的武林人物，大都聽說過他們的事跡。

青雲道長以一派掌門宗師之尊，對近百年江湖中事，無不知曉，當下聽得一怔，道：「怎麼，南北二怪兩位老前輩還活在世上嗎？」

大愚道：「除了那方施主外，南北二怪兩位老前輩對我們少林寺施恩最大……」

青雲道長道：「貧道對兩位心慕已久，不知現在何處？能否替貧道引見一下？」

大愚道：「阿彌陀佛，這個……」

南北二怪仍被困在天蠶絲網之中，以兩人的威名，大愚甚不願讓青雲道長見到兩人尷尬之相，但他又素來不說謊言，一時之間，想不出適當的措詞回答青雲道長，這個半天，仍然是這個不出個所以然來。

只聽一聲冷笑，遙遙傳了過來，道：「老黃和辛老怪，已被人困在天蠶絲網之中，不見也罷。」

另一個冷冰冰的聲音，緊接著傳過來，道：「那天蠶活結絲網，雖然厲害，但我和黃老怪，都已有過適應之能，一兩、天內，大概還可以撐得過去，倒是我那方兄弟的性命，卻是極爲緊要的。哼！他爲你們少林寺身受重傷，如若你們不能救了他的性命，等我脫出此網之後，要用你們整個少林和尙的心肝，奠祭他的亡靈。」

大愚接道：「兩位老前輩但請放心，雖然天劫難逃，但老衲總要盡到最大心力。」

青雲道長轉頭望去，只見數丈外一棵古樹下，白色絲網中網著兩人，那絲網已收縮成了四尺大小，網困兩人，想來極是難過。

只聽那先一個冷冰的聲音，重又響起，道：「牛鼻子老道，瞧什麼？那冥嶽妖婦的師父羅玄，也是你這般裝束，哼！我看到你們牛鼻子的衣服，心裡就有些生氣。」

青雲道長乃一派宗師的身分，幾時受過人這等羞辱，一口一個牛鼻子地亂罵，身後排列的弟子們，登時一個個怒形於色，但青雲道長卻是神態如常，毫無不悅之色。他淡淡一笑，道：「江湖之上，品流混雜，豈能只論衣冠取人？」

大愚禪師接道：「南北二怪兩位老前輩，生性素來高傲，道兄不要放在心上才好。」

青雲道長笑道：「老禪師只管放心，貧道對兩位老前輩心慕已久，言詞縱有傷到貧道之處，也不致放在心上。」

只聽另一聲冷笑，接道：「一群和尚，專愛談些不著邊際的事，我那方兄弟命在旦夕之間，你們不早些趕去相救，儘管談些無用的話。」

青雲道長微微一笑道：「咱們趕快去瞧瞧吧！貧道身上現帶有我們青城派療傷靈丹，不妨試試看，是否有助於他。」

大愚抬頭看看天色，已是五更過後黎明將至，估算那冥嶽嶽主，大概不會再來。當下低聲吩咐了幾個年長的弟子，要他代為主持羅漢陣，再派遣八個僧侶，保護南北二怪，一有動靜，立時飛報方丈室去，自己和大道禪師、青雲道長，趕往方丈室中，探望方兆南的傷勢。

青雲道長令隨來的十二個弟子，一齊留在羅漢陣外，一遇事故，立時幫同少林僧侶拒敵，單帶張雁一人，隨著大愚禪師，同往方丈室去。

穿過了幾重殿院，到了一處幽靜的跨院中。百竿修竹，滿地奇花，環繞著一座禪室。房門大開，裡面燈火通明。

大愚禪師回首肅容，合掌說道：「道兄請。」

青雲道長單掌立胸，欠身說道：「方外人不拘俗禮，貧道恭敬不如從命了。」大步直向方丈室走去。

轉眼瞧去，只見那鋪著黃緞的木榻上，仰臥著一個臉色蒼白的少年，雙目緊閉，僵挺地躺著，動也不動一下，兩個面色愁苦的僧侶，守在一側。

大愚禪師急步奔了過去，低聲問那兩個僧侶道：「方施主醒過沒有？」

左首一僧，合掌答道：「他曾二度氣絕，均爲大道師叔以本身真氣，推活他的穴道，使他得能斷氣復續……」

大愚禪師急急地接道：「你們大道師叔去後，他可曾復生過來？」

兩個和尚齊齊搖頭說道：「沒有，他未再睜動過一次眼睛，但也未斷氣。」

大愚禪師緩緩伸出手來，向他的前胸按去。

他的手微微顫動，顯然他內心還有無比的激動，而且緩慢，生怕一觸在方兆南前胸之後，會給他極深的驚懼和痛苦。

雖然他的手伸動很慢，但仍然觸到了方兆南的前胸之上。

只覺他的心臟跳動微弱，若似即將停止，不禁心頭大爲震動，眉頭一皺，低聲對青雲道長道：「道兄請過來瞧瞧吧！看看他是否有救。」

青雲道長自進了禪室之後，兩道目光一直盯注在方兆南的臉上，但他爲了保持一代宗師的身分，未得到大愚禪師相請之前，始終不肯過去。

直待聽到大愚相請，才緩步走近木榻。

他緩緩地放下手中拂塵，抓起方兆南的左腕，在他脈穴上按了一陣，低聲說道：「脈息微弱，內傷極重，能否救活，貧道無甚把握，先給他服下兩粒本門護心靈丹，使他暈迷神志復生片刻，再查詳情，看看是否有救。」

大愚合掌躬身說道：「望道兄能盡全力，挽救他一劫，少林寺所有弟子，都將感激不盡。」

青雲道長道：「大師放心，貧道絕不隱術自秘。」

探手入懷，摸出一個黑色的盒子，打開盒蓋，取出兩粒白色丹丸。

大愚禪師雙手齊出，輕輕撬開方兆南的牙關，青雲道長順勢把兩粒丹丸，投入到方兆南的口中。

金丹生玉液，瀝瀝下咽喉。

大愚禪師緩緩放開了雙手，忽然想起那暗中傳語的清脆口音的人來，回首低聲對兩個僧侶說道：「有人來過嗎？」

他這突然地一問，聽得那兩個僧侶微微一怔，才齊齊應道：「沒有。」

大愚禪師爲人沉穩，不再追問，但大道禪師卻被師兄一言，撩起了心中記憶，不自禁地脫口說道：「這就奇怪了。」

兩人一問一答，只聽得青雲道長莫名奇妙，目光在兩人臉上轉了一轉，欲言又止。

禪室中寂靜無聲，所有的人都把目光投注在方兆南的身上，青雲道長的臉色尤顯得凝重。
大愚禪師的諄諄相托之言，使青雲道長感到自己已負重甚大。
如若這兩粒護心丹，不能使方兆南暈迷的神志轉醒，不但覺得顏面難下，而且對青城一派的威名，也有著甚大的影響，因此他較別人尤爲關心。
時光在沉重的氣氛中溜走，窗外已現出了一片魚白，天色已經大亮了。
青雲道長輕輕地嘆息一聲，舉手一掌，拍在方兆南前胸的「玄機穴」上。
只聽方兆南長長呼一口氣，眼皮眨動了一下，緩緩睜開了雙目。
大愚禪師心頭一喜，道：「我佛有靈，方施主醒過來了。」
方兆南眼睛一陣眨動後，說道：「那冥嶽妖婦，退走了嗎？」
大愚道：「天已大亮，未見再來，想已離去。」
方兆南勉強一笑道：「南北二怪可好？」
大愚道：「他們雖被困在天蠶絲網之下，但一時之間，尙不致受到損傷，天亮之後，老衲自然設法破網，方施主但請放心。」
方兆南口齒啓動，似是還要說話，卻被青雲道長出言阻止，道：「方小英雄的元氣未復，不宜多用氣力說話，最好能忍耐一會兒。」
方兆南吃力地轉過臉來，兩道毫無神彩的目光，凝注在青雲道長臉上，瞧了半晌，聲音十分微弱地說道：「道長何人？」
青雲道長道：「貧道青雲……」
大愚禪師接口說道：「青雲道兄乃當今青城掌門人，精通醫術，才博天人，應老衲之請，來爲方施主治傷來了。」

青雲道長臉色凝重，肅然說道：「老禪師不用誇獎貧道，貧道只能盡我心力。」

大愚禪師聽得心頭一寒，默默不語，他已從青雲道長的口中，聽出了方兆南生機極小。

低頭看去，只見方兆南重又緊緊地閉上雙目。

青雲道長舉手一招，低聲對大愚禪師道：「老禪師請過這邊講話。」

大愚禪師轉過身子，和青雲並肩行出禪室。

他似是已從青雲道長凝重的臉色上，看出了方兆南凶多吉少，不待青雲道長開口，搶先說道：「他的傷勢，沒救了嗎？」

青雲道長嘆道：「貧道甚感慚愧，在我半生療傷的經驗之中，很少見到這等慘重的傷勢，他早該死去了，但他卻仍然活著……」

大愚禪師接道：「他在重傷之下，借重我們少林寺續命金丹之力，強提精神，又和強敵動手，一瓶金丹，被他在片刻之中服完。」

青雲道長道：「是了，也是靈丹的藥力尚未消失，他才能保持著一息不絕……」

他仰起頭，望著大亮的天色，接道：「貧道無能爲力了，縱然能夠療治好傷勢，不但一身武功盡將廢去，恐還將落個殘廢之身，而且這希望也不太大。」

大愚雙手合十，垂頭嘆道：「只有請道兄一盡人事了。」

青雲道長道：「據貧道相他脈息，預料難過午時，別說奇藥難求，縱然是有處可尋，時間上也趕不及了，大師已盡心力，無愧於人，不可因一人之死，影響我武林大局，尚望自惜身體，議拒強敵。」

大愚道：「冥嶽妖婦，不但武功高強，而且詭計多端，全身都是使人無法防備的歹毒暗器，一出手必有數十人應手而倒。」

言詞之間，似是對昨夜慘烈一戰，餘悸猶存。

青雲道長正容接道：「冥嶽妖婦雖然武功絕世，但如聯合當今各大門派，各出一、二精銳高手，合力圍殲，當不致再讓她橫行於江湖之上，由大師和貧道具名，柬邀天下九大門派，以及各方雄主，齊聚嵩山，共議拒敵之策，不知大師意下如何？」

大愚心中暗忖道：「我們少林寺羅漢陣何等威力，但仍然無法拒擋那冥嶽妖婦，縱然召集了九大門派中人，只怕也未必能勝強敵。」

但又不好出言反駁青雲道長，一時間，想不出適當措詞，只好沉吟不語。

青雲道長乃當今九大門派中，年歲最輕的掌門大師，年輕奮發，雄心正長，一看大愚禪師久久不言，正待開口勸說，忽然瞥見一個白衣飄飄，風華絕世的少女，緩步由花叢中走了過來，不禁微微一怔，沉聲喝道：「什麼人？」

那素衣少女似是渾然不覺一般，仍然緩步直行過來。

青雲道長乃一代宗師之尊，如何能受得此等冷落之氣，當下臉色一變，緩緩舉起左掌。

但他究竟是一派掌門之才，雖然年輕氣盛，但也不肯輕率，一面提聚真氣，運集劈空掌力，但卻蓄勢不發。

回頭對大愚禪師道：「大師可識得此女嗎？」

大愚道：「老衲不識……」忽然心中一動，急急接道：「道兄且慢出手，待老衲問明她的來歷之後再說！」

青雲道長劈空掌力，蓄勢不發，說道：「大師請問。」

大愚緩緩向前行了兩步，合掌說道：「女施主請了。」

那白衣女雖然生得美艷絕倫，容色如花，但那勻紅的嫩臉之上，如罩著一層寒霜般，另有一種冰冷之氣。

她冷稜的目光，輕輕一掠大愚禪師，應口道：「老禪師請了。」

口中答話，人並未停，話說完，人已到了禪室門口。

大愚道：「佛門淨地，禁律甚嚴，女施主不可擅闖，快請止步。」

白衣少女冷冷地答道：「不是爲了探看一人，你們請我也請不到，到處殿院佛像，有什麼好看的！」

身子一側，直向禪室之中闖去。

大愚僧袖一拂，道：「女施主自重，老衲不願無禮。」

說完，一股暗勁，直撞過去。

那素衣少女嬌軀一閃，橫跨兩步，讓避開去。

她冷冷說道：「快讓開路，我要看看他傷勢如何？」

大愚道：「女施主探望何人？」

白衣少女道：「方兆南。」

大愚道：「女施主是他的什麼人？」

白衣少女道：「未過門的妻子。」

在那時代中，男女間的禮防，十分嚴厲，所謂男女授受不親，這等之言，竟能從一個少女口中說出，而且臉不紅氣不喘，行似無事。

大愚楞了一楞，道：「姑娘貴姓？」

白衣少女道：「我姓梅，你這老和尚，囉囉嗦嗦地問不絕口，也不覺厭煩嗎？」

大愚忽覺得她的聲音，十分熟悉，似是在哪裡聽過。

當下退後兩步，讓開一條路，道：「本寺禁例，向不准女子進入二殿，更何論方丈室，但方施主對我們少林一派施恩如山，老衲願面壁一年，替妳擔待。」

白衣少女冷笑一聲，截住了大愚禪師之言，接道：「那冥嶽嶽主，也是女子之身，不知老禪師何以不把她拒擋寺門之外？」

詞鋒凌厲，有如柄利劍，刺入大愚禪師前胸，登時覺得臉上一熱，吶吶答不出話。

但這白衣少女幾句話，卻啓發了他的記憶，忽然想起了眼下的白衣姑娘，就是那暗中傳話之人。

心念一轉，登時合掌當胸，說道：「女施主可是剛才傳話於老衲的人嗎？」

白衣少女道：「是又怎樣？」

大愚禪師早已有心，問話之後，極留心地分辨她的聲音，果然和那暗中傳話的聲音，一般模樣，立時向旁側閃開一步，道：「女施主請。」

青雲道長早已把全身的功力，運集在右掌之上，只要那白衣少女再向前進一步，立時以雷霆萬鈞之勢，拍擊出手。

但見大愚禪師閃身讓路，神色間還十分恭謹，自是不好出手，不自禁地也向後退了一步。

那白衣少女冷傲異常，望也不望青雲道長一眼，旁若無人地大步直向室中走去。

室中所有人的目光，都投注在那白衣少女的身上，隨著她移動的身形轉動。

只見她緩步走近臥榻旁，低頭望著倒臥在榻上的方兆南一陣，輕輕一皺眉，緩緩伸出一隻手來，按在方兆南的頂門之上，良久之後，才放了下來。

她回顧了大愚禪師一眼，道：「他的傷很重嗎？」

大愚禪師道：「不錯，但這位青雲道兄告訴老衲，並非完全無救，只是方施主的一身武功，恐怕要遭廢去，今生今世，難再習武。」

他聽那白衣少女自稱是方兆南未過門的妻子，怕她聽得方兆南生望極少之後，大為悲傷放聲而哭，言詞之間，說得十分婉轉。

哪知白衣少女聽完之後，面上毫無表情，仍然是一派冷漠，既無歡愉之色，也無悲戚之容，冷冷地說道：「他是為救你們少林寺的劫難，受此重傷，如果他不幸死了，你們要怎麼辦？」

這一問，大出大愚意外，怔了一怔，道：「方施主對我們少林寺，可算得施恩如山，如若老衲之壽，能夠折算於他，老衲把以後的壽命盡皆奉贈，祈祝他長命百歲。」

大道禪師接道：「我們少林寺自開創門派迄今，從未受過人這等大恩，少林寺上下三代弟子，無不感銘五內。只要當今之世，能有救得方施主的方法，少林寺數百弟子，均將全力以赴。」

白衣少女冰冷的臉上，忽然泛現出一絲笑容，說道：「你們這般心意對他，他縱然死了，也可以瞑目九泉了。」

她冰涼的聲音，也忽然變得甜柔起來，聲音婉轉，如聞笙簧。

大愚禪師輕輕嘆息一聲，道：「但願我佛相護，能使方施主重傷痊癒。」

白衣少女忽然轉過身子，探手從懷中摸出一個白色絹包，異常小心地打開，一層又一層解下七、八層，取出一個白色的玉瓶。

她緩緩地打開瓶塞，登時有一股清香之氣，散布滿室。

青雲道長雙眉一聳，向那玉瓶之上望去。

目光一和那玉瓶相觸，全身一震，臉色大變。

大愚禪師看得十分奇怪，但卻不好出言追問，只好悶在心頭。

白衣少女目光一瞥青雲道長，雙手暗運勁力，玉瓶應手而碎，一粒赤紅色的丹丸，閃閃耀目，清香之氣，更是濃烈。

白衣少女右手用食中二指，捏著那紅色丹丸，左手輕輕捏開方兆南的牙關，把那粒紅色的丹丸，投入了方兆南的口中。

青雲道長望了那碎瓶一眼，說道：「敢問女英雄，這粒靈丹，可有個名字嗎？」

白衣少女又恢復那冷若冰霜的神情，答道：「你自己不會瞧嗎？」

青雲道長道：「貧道之見，這丹丸頗似大有來歷之物？」

白衣少女道：「自然是有來歷，平平常常的丹藥，豈能有起死回生之效？」

大愚心中一喜，合掌問道：「這麼說來，方施主有救了。」

白衣少女眼睛中奇光一閃，似是平靜的心潮中，忽然泛起了一陣波動，但她卻迅快地閉上了雙目，以掩飾內心流露出波動之情。

她緩緩說道：「我怎麼會知道，這丹藥又不是我煉的，他如若不該死，自然會藥到病除了。」

大愚禪師聽得微微一怔，暗道：「如若他不該死，不用服你那丹丸也會好轉。」但表面之上，卻是毫無怒意，他合掌誦道：「阿彌陀佛，但願我佛相佑。」

白衣少女霍然睜開雙目，冷冷看了大愚禪師一眼，說道：「你們都出去吧！我一個人守在這裡等他醒來。」

這一陣工夫，她又恢復了那冷若冰霜的神色。

大愚禪師怔了一怔，道：「這個不太方便吧？」

白衣少女道：「有什麼不方便，我是他的妻子，自是不用逃避孤男寡女之嫌。」

大愚道：「佛門清規森嚴，這方丈室又是敝寺首要重地……」

白衣少女秀眉一聳，微帶怒意地冷冷說道：「那就讓他死了算啦。」

嬌軀一轉，疾向室外奔去。

大愚禪師望了望臥在禪榻上的方兆南一眼，想到他對少林寺的幫助，不覺長長一嘆道：「女施主請留步。」

白衣少女已走到禪室門口，突然回過頭來，說道：「你是不是答應了？」

大愚道：「方施主對我們少林寺恩重如山，義薄雲天，如非他全力相助，只怕少林寺已化劫灰，老衲拚擔觸犯清規之罪，也替女施主擔待下來。」

白衣少女道：「答應了就快退出去。」

大愚苦笑一下，合掌對青雲道長說道：「道兄請到外面一息風塵。」
青雲道長探手由地上撿起那兩片被白衣少女捏碎的玉瓶，當先向外走去。
大道禪師和兩個守護病榻的僧侶等，魚貫地向外行去，大愚禪師走到最後。
只聽那白衣少女嬌脆、冷漠的聲音，傳入了耳際，道：「不用走遠了啦，就站在這禪室的左近，替我護法。」
大愚禪師回頭望去，那白衣少女已轉過身子。
她的冷漠神情使和她說話的人，都有著一種被輕蔑的感覺。
大愚見她轉過身子，也就不再多問，低聲對青雲道長，道：「道兄先請至精舍休息，貧僧等替她護法。」
青雲道長笑道：「那赤紅色的丹藥，頗似武林中傳說的一種奇藥……」
大愚道：「什麼藥？」
青雲道長道：「眼下貧道還未弄清楚，不敢信口開河，容貧道思索出一些眉目之後，再行奉告。」
大愚知他要保持一派掌門的身分，未了然全部真相之前，不肯輕言。
但見青雲道長微微一笑，接道：「這位女英雄，雖然有些冷傲不群，詞鋒又咄咄逼人，但她的氣度高華，絕世無倫，可能要以本身真氣，助她的丈夫，行開藥力。她的言行舉止，雖然大背經典，狂傲不拘小節，但終是一位大姑娘家，要她在眾目睽睽之下，以本身真氣救人，只怕難免有害羞之感。」
大愚笑道：「多謝道兄指點。」

他心中暗暗讚道：「當今九大門派之中的掌門人，以青雲道長年歲最輕，而且又是以幼代長，素不爲武林同道尊仰，但看他料事論斷，過人機智，和這等古道熱腸的俠心豪膽，他能得師父垂青，廢長立幼，以第四弟子的身分，接掌青城門戶，自非無因……」

忖思之間，人已到禪室門外。

金黃色的陽光，照射著庭院間爛漫奇花，昨夜的大劫，使大愚禪師有著一夜時光，恍如隔世之感。

他仰臉望著無際的藍天，長長吸一口氣，回頭低聲對大道禪師說道：「師弟請帶兩個弟子，守護禪室後窗邊。」

大道應了一聲，帶著兩個少林弟子，繞到禪室後面。

大愚道：「道兄可覺得老衲過於多慮嗎？這等光天化日，朗朗乾坤之下，哪裡還會有人膽敢深入此地？」

青雲道長道：「那位女英雄對人神情那等冷傲，絕不肯輕易求人，既然開口，自當愼重，貧道亦有小心爲上之感。」

話到此處，突聞那禪室之中，傳來了一陣嬌喘之聲。

大愚禪師一皺眉頭，閉上雙目。

青雲道長抬頭望著天上浮動的白雲，裝出十分悠閒之態。

兩人定力深厚，還無任何感覺，那站在青雲道長身後的張雁，卻已被那聲聲不絕的嬌喘之聲，鬧得心神不安。

俊臉上泛現出一片紅暈，目光亂轉，顯然不知如何排遣心中的煩躁。

一盞熱茶之久，那嬌喘之聲，才停下來。

禪室中傳來了那白衣少女微弱的聲音，道：「你們進來吧！」

張雁似是已被那白衣少女嬌喘之聲，鬧得神智有些迷亂，聽得那白衣少女呼叫之聲，當先向前一躍入室。

青雲道長雙眉一聳，臉上泛現出冷峻肅然之色，正待出言喝斥，卻被大愚禪師搖手阻止。

張雁的舉止，已有些失常，縱身入室，直躍榻側。

凝目望去，只見那白衣少女閉目坐在榻沿之上，頭上的汗水，還未完全乾去。

張雁輕輕咳了一聲，道：「姑娘辛苦了，這位方大俠的性命有救嗎？」

白衣少女雙目微一啟動，道：「誰知他會不會活？」

張雁聽得一楞，不知如何接口。

幸好大愚禪師、青雲道長等及時趕到榻前，張雁借機退到師父身後，垂下頭去。

大愚禪師低頭看去，只見方兆南的臉上，已泛升起一片紅潤之色，低聲對姑娘說道：「賴姑娘妙手回春，挽他一劫。」

白衣少女道：「他死活都不要緊，大不了我替他方家守個望門寡。」

她語氣的冰冷，聽得人心生寒意，雖是對自己的丈夫，言詞之間，也是毫無情意可言。

全室中默然下來，誰也想不出如何接那白衣少女的話。

只聽方兆南長長吁一口氣，緩緩地睜開了雙目，兩道眼神緩緩由大愚禪師等臉上掃過，目光一觸到那白衣少女時，全身忽然一顫，道：「梅姑娘。」
白衣少女舉起右手，理理鬢邊散髮，順勢拭去頭上的汗水，道：「幹什麼？」
方兆南道：「妳沒有死？」
白衣少女道：「你很希望我死嗎？死了你可以再找一個。」
這種夫妻間閨閣爭執，她居然在眾目所視之下，侃侃道來，而且神情之間，毫無羞怩之感。
大愚禪師只當方兆南神志初復，還有些糊糊塗塗，趕忙接口說道：「方施主，尊夫人探望你來了。」
方兆南喔了一聲，不知如何答覆。
大愚禪師接道：「尊夫人妙手起死，使施主脫了一劫。」
方兆南咳了兩聲，目光投注在那白衣少女臉上說道：「多謝姑娘相救。」
大愚禪師回頭望了青雲道長一眼，心中暗暗忖道：「怎麼他們夫婦之間，竟然用這等客氣的稱呼？」
他幼小出家，對男女間的事情，根本無法了解，聽那白衣少女說是方兆南的妻子，心中深信不疑。
青雲道長低聲說道：「貧道想告退片刻，一息奔走得勞累。」
大愚禪師若有所覺，啊了一聲，道：「老衲為道長帶路。」
回頭又對那白衣少女道：「老衲在方丈室外，派有兩個伶俐的小沙彌，方夫人如有需要，儘管吩咐他們。」

白衣少女對那夫人二字的稱呼，竟然坦然相受，點點頭，道：「知道了。」方兆南卻窘得滿臉通紅，但見那白衣少女面無愧色，自是不便否認，只好尷尬一笑，默然不言。

室中之人，魚貫相隨著大愚禪師，退了出去，眨眼之間，禪室中只餘下白衣少女和方兆南兩個人。

方兆南輕輕嘆一口氣，道：「妳怎麼能信口開河，說咱們已是夫婦呢？」

白衣少女冷冷地望了方兆南一眼，道：「寒水潭對月締盟，我已終身相許，今生今世為你妻，死為你們方家之鬼，為什麼怕人家知道呢？」

方兆南聽得怔了一怔，道：「就算寒水潭指月締盟，此心不移，但一無父母之命，二無媒妁之言，如何能在人前娓娓而談……」

白衣少女冷笑一聲，接道：「我父母早就死了，自然是由我作主。」

方兆南道：「就算咱們大背明教，私訂終身，但未行周公之禮，也是不能隨口亂說。」

白衣少女道：「為什麼不能說，我也已經是你的妻子了，你怕別人知道嗎？」

她微微一頓，又道：「我明白啦，你心中怕人家知道了，傳言江湖之上，不會再有女人喜歡你了，一個有婦之夫，自然不易再討女孩子的歡心……」

方兆南急急說道：「唉！妳胡說些什麼？」

白衣少女淡淡一笑，繼續說道：「這方面你儘管放心，我不是一個善妒的妻子，只要你有本領，不論你娶多少妻妾，我都不管，我們也不用常常見面，我只要保留下大妻子的名份，也就不會管束你的行動……」

她忽然微微一笑，接道：「你如有本領能建起一座宮廷，討上三宮六院，我也不管。」

她生平之中，很少露過笑容，但笑起來，有如百花盛放，媚態迷人。

方兆南輕輕嘆息一聲，道：「妳這般對我，我心中很感激……」

白衣少女道：「誰要你感激了，我們只要保持著夫妻之名就夠了。」

方兆南一皺眉頭，道：「寒水潭對月締盟，只不過一時情緒激動，難道妳還認真不成？」

白衣少女道：「怎麼？我還沒有過門，你就不想要我了？」

方兆南重傷初醒，體力未復，坐了一陣之後，突然感覺到一陣睏倦，不自主地向後躺去。

白衣少女突然伸出纖纖玉指，一拉棉被，墊在方兆南的身後。

太陽光從窗中照射進來，金黃色的陽光，映照著白衣少女勻紅的嫩臉，和她瑩若珊瑚的玉掌……

方兆南和她的目光相觸，忽然發覺這位一向冰冷的姑娘，目光中滿蘊著溫柔的情意，不覺微微一呆，情不自禁地伸出手去，抓住了那白衣少女的玉腕。

那等言詞放肆，行動乖張，我行我素，藐視經典的白衣少女，一被方兆南抓住手腕，嬌嫩的臉上，突然泛現出兩朵紅暈，摔脫了方兆南的手，道：「幹什麼，拉拉扯扯的多難看？」

方兆南突然覺得一種被羞辱的感覺，泛上了心頭，但感兩頰一熱，垂下了頭去，緊緊閉上雙目。

白衣少女望了方兆南一眼，心中升起了一縷不安，沉思了良久，低聲說道：「我已是你的妻子了，給你親熱親熱，原不妨事，但我心中卻最厭惡男女肌膚相親的舉動。」

她輕輕嘆了一口氣，接道：「我是無心這般對你，但我又無法忍受，你恨我，你可以好好打我一頓。」

這幾句話，說得情意深切，方兆南心中大受感動，霍然睜開雙目，不自禁地又抓住了那白衣少女的左手。

說也奇怪，那白衣少女一見方兆南五指伸來，臉色忽然一變，左手微微向後一拖，但她終於停止了掙動，讓他握住了左手。

方兆南嘆道：「妳對我有過數次的救命之恩。」

白衣少女接道：「我是你的妻子，自然應該救你。」

方兆南道：「承蒙這般垂顧……」

忽然發覺那白衣少女面色鐵青，全身也微微地有些顫抖，不禁心中一驚，道：「妳怎麼啦？」

他伸出左手，向那白衣少女的頂門之上摸去。

那白衣少女一咬牙，疾快地閉上雙目。

方兆南手指觸處，忽然覺得她面頰之上，一片冰涼，冷汗涔涔而出，心頭更是焦急，道：「妳病了，我叫人來給妳……」

白衣少女急急接道：「不要叫，你鬆開我的手，我就好了。」

方兆南心中雖感奇怪，但卻依言鬆開了握著她的左手。

白衣少女道：「右手也拿開吧！我快要暈倒了。」

方兆南收回雙手，呆呆地望著她。

只見她緩緩睜開雙目，鐵青的臉色，也逐漸地轉變成紅潤之色，長長呼了一口氣，正容說道：「不知何故，只要我一和男人肌膚相觸，心臟就似要停止跳動一般。你雖是我的丈夫，但也是一樣不能抓我，不論你碰到我身上什麼地方，我就有著一種喘不出氣的感覺。」

方兆南默然垂下頭去，心中暗暗忖道：「看她冷汗淋漓，臉色鐵青的神情，實非裝作，這倒是一件聞所未聞，見所未見的事情……」

白衣少女似是看出了方兆南的懷疑，無限溫柔地說道：「你心中定然不相信我的話，這件事實在是不可思議，連我也想不通道理何在……」

方兆南緩緩躺了下去，接道：「不要再談這種事了，妳不是被師父逼得跳入了火山中嗎？」

白衣少女點點頭道：「不錯啊！你怎麼知道呢？」

方兆南道：「妳那位師姐告訴我的。」

白衣少女道：「我立過重誓，不洩露所見之秘，而且也不能在這裡久停，我就要走了。」

方兆南輕輕嘆息一聲道：「妳要到哪裡去，不知咱們日後還有沒有見面的機會？」

白衣少女道：「梅絳雪今生今世永遠是你的妻子，自然是後會有期。」

方兆南淒涼一笑，默然不語。

梅絳雪冰冷的臉上，忽然綻開出一絲笑容，柔婉地說道：「我要慢慢的使自己變得溫順，你閉上眼睛吧！我要去了。」

方兆南心中一片紊亂，緩緩閉上了雙目，只覺一陣幽幽甜香撲上臉來，不自禁地一啓雙目。

只見梅絳雪粉臉緩移，迫向臉上依偎過來，但一見他雙目啓動，立時臉色大變，嚶的一聲驚呼，縱身而去。

她去勢奇快，白影一閃，人已飛出禪室。

當方兆南醒來時，禪室中已坐滿了人。

除了大愚禪師、大道禪師、南北二怪和青雲道長之外，還有一個黃袍道裝佩劍的白髯老人。

方兆南目光緩緩由群豪臉上掃過，淡淡地一笑，說道：「有勞大師掛念，傷勢已好多了。」

他微微一頓之後，目光凝注在南北二怪的臉上，接道：「辛大哥傷勢好了麼？」

南怪辛奇冷冷地望了青雲道長一眼，說道：「我服了這牛鼻子的藥物，傷勢已經好了甚多。」

青雲道長微微一笑，默然不言。

方兆南一挺而起，緩緩下榻，說道：「這兩位道長，氣度非凡，想來定是當今武林中的高人，大師快替我引見一下。」

大愚禪師指著青雲道長道：「這位道兄乃當今青城派掌門人，法號青雲。」接著大愚禪師轉身指著那黃袍道長，道：「這位道兄乃崑崙派掌門人天星道兄。」

方兆南一抱拳，道：「久聞二位大名，如雷貫耳，晚輩三生有幸，能得一睹風采。」

大愚禪師似是對方兆南有著無比的關懷，合掌對青雲、天星道長一禮，說道：「兩位道兄請往戒持院中一息風塵，容老衲素齋接風，方施主大傷初癒，咱們不宜讓他多費精神了。」

南怪辛奇突然插口，冷冷說道：「我要留在這禪室養息。」

大愚禪師呆了一呆，暗暗忖道：「這人怎地這般不懂道理？」

心中暗忖，口中卻微微一笑，答道：「兩位老前輩既要留在此處養息，老衲自當把方施主送往他處……」

方兆南微微一笑，接道：「老禪師不用多費心了，在下甚願和辛大哥同住一室。」

北怪黃煉瞪了大愚禪師一眼，道：「我和辛老怪和你們少林寺的舊債尚未清結，等辛老怪養好傷勢，咱們再算算舊帳。」

天星道長回頭望了望南、北二怪一眼，道：「貧道久聞南、北二怪，生性古怪，不辨是非，今日一見，此言果然不虛……」

黃煉右手一招，一縷指風，疾襲過去，口中大聲罵道：「牛鼻子膽子不小！」

天星道長左手迅速地拍出一掌，一股強猛掌風，橫飛而出，迎著黃煉點來指風一撞，兩方抵消，化成一陣旋風，飄飛起群豪衣袖。

大愚禪師低喧了一聲佛號，疾快地橫跨兩步站在兩人中間，說道：「兩位請賞給老衲一個薄面……」

黃煉怒道：「什麼薄面不薄面！」說著呼的一掌，拍了過去。

大愚禪師暗中運集功力，身子一橫，用後背擋住黃煉的掌勢，接道：「兩位老前輩，如若定要和少林寺為敵，清結舊帳，老衲絕不敢推辭，且等辛老前輩的傷勢養好之後再說！」

北怪黃煉臉色大變，雙目殺機閃動，顯然，他的怒火已到了無可忍耐的程度，如一爆發，勢必造成一場混戰之局不可。

方兆南急躍而起，攔在黃煉身前道：「老前輩暫請息怒，聽晚輩幾句話如何？」
那邊青雲道長，早已把天星道長請了出去。
大愚禪師緩步到禪室門口，合掌說道：「天星道長，乃崑崙派掌門身分，黃老前輩的身分名望，更是譽滿江湖，兩位爭執起來，實叫老衲左右爲難。」
黃煉餘怒未息地冷笑了一聲，道：「老和尚，你轉告那牛鼻子一聲，就說我要問候他們崑崙派，要他們盡出高手，明日中午，在少室峰頂相候。」
只聽一個清晰的聲音，遙遙飄傳過來，道：「明日午時，貧道只身一劍，在少室峰頂相候。」
原來北怪說話的聲音極高，被天星道長聽到，遙遙相應。
北怪黃煉大聲喝道：「老雜毛一言爲定，你如不肯赴約，當心我趕往崑崙山，拆了你們的道觀。」
大愚禪師臉色一變，長長嘆息一聲，轉身而去。
方兆南似是也感到事情已成定局，難再挽回，黯然一笑，緩走到木榻倒臥下去。
禪室中突然靜默下來，沉默延緩足足一盞熱茶工夫之久，南怪辛奇，才打破了沉寂說道：「方兄弟，你的傷勢能不能好？」
方兆南轉過臉道：「很難說，我服下了一顆丸丹，據說那是舉世無匹的靈藥……」
方兆南突然挺身坐了起來，肅然說道：「辛大哥、黃老前輩，恕我說幾句放肆之言，兩位的聲譽、名望，夠大了，可是你們這一生得到了什麼？舉手殺人，只不過逞一時豪勇，爭名鬥氣，終生在生死邊緣上生活……」

北怪黃煉冷哼一聲，罵道：「哼！年輕輕的，這般沒有出息。」

方兆南道：「大哥說得不錯，英雄無價，盛名累人，少林寺的僧侶們，爲了保護他們沿傳幾百年的聲譽，在明知無能抗拒強敵之後，寧願苦戰喋血，以身相殉。

「兩位爲了維護自已的盛名，一言不合，舉手就要殺人，不錯，南、北二怪的名頭是夠響亮了，大江南北，黑白兩道，只要聽到了你們的盛名，無不退避三舍，但你們得到了什麼？一生中沒有一個可信可托的朋友……」

黃煉忽然站了起來，大聲喝道：「你喋喋不休地囉嗦什麼？」

南怪辛奇冷冷地望了北怪一眼，道：「咱們一生之中，很少聽到過有人對咱們這般說話，你就耐心點聽下去吧……」

北怪黃煉無可奈何地坐了下來，說道：「你快些說完，老夫的耐性有限。」

方兆南微微一笑，緩緩說道：「老前輩和天星道長，只不過爲了一、兩句不合之言，便相約在少室峰頂上比武拚命，這等做法，爲了什麼？還不是盛名作祟？這些事，在兩位的一生之中，就已不知發生過數千百次，如若兩位都是藉藉無名之人，自不會動不動地就以性命相搏了。」

南怪辛奇回顧北怪黃煉一眼說道：「這些話，在咱們一生之中，好像從來未聽人說過，就拿咱們兩人說吧，常因一點口角，立時出手而鬥，這十年來，也沒有鬥個勝敗出來。

「奇怪的是，咱們日夕相處，形影不離，如若任何一人，真存必除對方之心，自是有足夠暗算對方的機會，可是我們從未這般做過，不知爲了何故？」

北怪黃煉一指辛奇道：「在我的心目之中，當今之世，你算得上是我的一個勁敵！」

辛奇冷笑一聲接道：「如若沒有北怪黃煉，老夫或可能享獨怪的盛名。」

黃煉道：「我時時刻刻都有殺你之心。」

辛奇道：「我也有著不殺你黃老怪，有著食不知味之感。」

方兆南長長地嘆了一口氣，又道：「以晚輩的看法，兩位雖然各自心存異志，在相處歲月之中，常做生死之搏，但在那不停地搏鬥之中，已產生了一種無法言喻的情感，惺惺相惜了。

「也許這情感，無法用言語傳達，也許兩位根本不肯承認，但是歲月的累積，使那彼此惜愛之情，早已在心目中生根了。」

黃煉突然把目光轉到辛奇的臉上，接道：「辛老怪，我心中有幾句隱秘之言，現在卻再也忍不住要說出來了。」

南怪辛奇冷笑一聲道：「你說吧！」

黃煉道：「在我們相處的歲月之中，彼此雖然都暗作戒備，但我仍有十次以上暗算你的機會，有三次我舉起了手掌，不知何故，竟然沒有下手。」

辛奇笑道：「那也不足爲奇，我何嘗不是如此，而且暗算你的心意和機會，恐將多過你一倍以上。」

黃煉道：「那我爲什麼白白放過了殺你的機會？」

辛奇道：「這我就不清楚了，數十年來，我也曾爲此事，夾纏不清，想不出原因何在。」

黃煉道：「難道在我的心底之下，當真存了相惜相愛之心？」

南怪辛奇道：「這個，大概有點對吧！」

方兆南接道：「兩位以冷傲孤僻馳名武林，縱然心底有了情感，生了惜愛，心中也不肯承認，更別說一暢心懷，告訴別人。」
北怪黃煉似已爲方兆南娓娓清論，啓開了茅塞，凝目沉思了片刻，道：「老夫一生之中，只想如何練成絕技，馳名天下，世無敵手，從未想到過此等之事。」
方兆南微微一笑道：「兩位的武功，已到了登峰造極之境，如想百尺竿頭，再進一步，只怕不是容易的事了……」
南怪辛奇接道：「你這話好像不錯，近年之中，我和黃老怪一直被囚居在那石室，每一時刻，我雖在運氣行功，想著將來離開那石室之後，定然將大大地震動武林一番，哪知事實上竟是大謬不然。」
話至此處，忽地黯然一嘆，豪氣頓消，一副英雄氣短的落寞之情。
方兆南急急說道：「大哥不用黯然神傷，須知你和黃老前輩的武功、盛名，已然傳播於武林之上，無數的習武之人，哪一個不是瘁盡了一生精力，但有幾個能有你們這般成就？
「這數月的時光，我學到了世間甚多不傳之密的武功，但在對敵搏鬥之間，卻無法把胸中所學，和那些招上的威力，完全發揮出來，使我深深體會到功力不到，雖有奇學，也無法克敵制勝……
「兩位的年歲，已到了人生衰退之境，面臨著一種體能極限，恕我大膽地說一句，兩位雖然再用十年苦功，也難使武功再有進境！」
辛奇道：「兄弟說得不錯，大哥老邁了！」
黃煉突然大聲喝道：「當世之中，尚有武功強過我們之人，難道他們都是天生異秉，得自天授不成？哼！不說明白，我就要將你立斃在我玄冰掌下。」

方兆南神色從容地說道：「武功一道，天賦、師承最爲重要，冠代才人，絕無僅有，兩位如想以羅玄爲例，只怕將遺憾終生。」

黃煉突然放下了舉起的手掌，接道：「老夫如早聞斯言，也不致把一生的心血，盡都枉費在刻意求武之上……」

他縱聲大笑了一陣，接道：「老夫這一生之中，除了辛老怪之外，沒交過一個朋友，碌碌一世中，只想求武林霸名，前塵似夢，殺孽如山，傷亡在我手下之人不知凡幾，想來不無愧咎……」

他回顧了南怪辛奇一眼，又道：「咱們數十年日夕相伴，但彼此一直未曾坦誠相處，各懷鬼胎，相互戒備……」

南怪辛奇哈哈大笑，道：「黃老怪，你終於想通了……」

一向冷僻古怪的南北二怪，竟然被方兆南一席話說得性情大變。

禪室中瀰漫著一種極爲安詳的氣氛，南北二怪，各自閉著雙目，運氣調息。

方兆南偷眼望去，安然一笑，閉目睡去。

不知過了多少時光，醒來時已是夕陽滿窗。

睜睛看去，只見大愚神師含笑地站在榻前，南北二怪則並肩站在窗前，眺望夕陽遠景。

大愚禪師低喧一聲佛號，道：「我佛保佑，方施主傷勢好轉了。」

方兆南投注了南北二怪的背影一眼，低聲說道：「天星道長，現在何處？」

一提到天星道長，大愚禪師臉上立時泛現出無比的憂苦神色，長長一嘆道：「老衲已爲他們崑崙派的人，單獨安置在一所清幽的跨院之中……」

方兆南接口說道：「晚輩久聞崑崙派的劍術，名列武林四大劍派之一，慕名甚久，渴求一談，只不知天星道長會不會延見晚輩？煩請老前輩轉告天星道長一聲，如肯接見晚輩，在下立刻就過去相訪。」

方兆南慢步下榻，舉手對大愚禪師一招，大步直向禪室外面走去。

大愚禪師急步跟了出去，問道：「方施主急急要見天星道長，可是爲了二怪兩位老前輩麼？」

方兆南道：「不錯，正是爲了此事，南北二怪相處了數十年，表面上兩人雖然各不相讓，其實友愛早生，情重生死，天星道長雖只和北怪相約，但事實上卻無異邀戰南北二怪。「晚輩求見天星道長，只想一盡心力，如能勸服於他，也可免去了這場約鬥，化干戈爲玉帛！」

大愚禪師一豎大拇指，說道：「老衲實在是服了你了，年紀輕輕，但已見老成持重的領袖才能，不出十年，江湖上又將見一脈武學宗師。」

方兆南微微一笑，道：「老禪師過獎了。」

說話之間，已到了一座幽靜跨院所在。

只見一個身佩長劍，身著道裝的年輕人，當門而立，一見大愚禪師，立時合掌一禮，低聲道：「老禪師！」

大愚禪師合十欠身問道：「令師在嗎？煩請通稟一聲，就說老衲求見。」

那道人應了一聲，急步而去。

片刻之後，帶著天星道長，一齊迎了出來。

大愚禪師合掌當胸說道：「老衲只通稟求見，怎敢讓道兄親迎？」

天星道長微微一笑，道：「大師有事，只需派人通知一聲，貧道自當趕往應命，怎敢勞佛駕親訪？」

方兆南一抱拳道：「老前輩。」

天星道長單掌立胸道：「不敢當，方大俠。」說完之後，隨即欠身讓開，帶路步入室內。

進入內室後，天星道長欠身讓座，笑問大愚禪師，道：「老禪師有何見教？」

大愚禪師道：「這位方施主抱傷求見，有事請教。」

方兆南搶先道：「晚輩久仰貴派的劍術，在武林獨樹一幟，渴慕已久，尤其老前輩乃一代宗師之才，習劍數十年，胸博極廣，所以晚輩想請教幾個問題。」

他這種單刀直入的問法，似已激起了天星道長的怒意，臉色一變，道：「貧道所知有限，或有回答不出之事，豈不讓方大俠失望麼？」

方兆南微微一笑，道：「崑崙、武當、青城、峨嵋並稱四大劍派，且都以正宗標榜，但不知哪一家才是正宗劍學？」

天星道長冷冷答道：「各有所長，各有其短，貧道何許人，豈敢妄論四大劍派的長短？而且學武之道，首重天賦，次重師承，雖然同出一師，亦有強弱之分，賢與不肖之別。」

請續看《絳雪玄霜》（四）

臥龍生武俠經典珍藏版 11

絳雪玄霜（三）

作者：臥龍生
發行人：陳曉林
出版所：風雲時代出版股份有限公司
地址：10576台北市民生東路五段178號7樓之3
電話：(02) 2756-0949　　傳真：(02) 2765-3799
執行主編：劉宇青
美術設計：許惠芳
行銷企劃：林安莉
業務總監：張瑋鳳
出版日期：臥龍生60週年珍藏版 2022年4月
ISBN ：978-986-5589-72-1
風雲書網：http://www.eastbooks.com.tw
官方部落格：http://eastbooks.pixnet.net/blog
Facebook：http://www.facebook.com/h7560949
E-mail：h7560949@ms15.hinet.net
劃撥帳號：12043291
戶名：風雲時代出版股份有限公司

風雲發行所：33373桃園市龜山區公西村2鄰復興街304巷96號
電話：(03) 318-1378　　傳真：(03) 318-1378
法律顧問：永然法律事務所 李永然律師
　　　　　北辰著作權事務所 蕭雄淋律師

行政院新聞局局版台業字第3595號 營利事業統一編號22759935

國家圖書館出版品預行編目資料

絳雪玄霜／臥龍生 著. -- 臺北市：風雲時代出版股份有限公司，2021.06- 冊；公分（臥龍生武俠經典珍藏版）

ISBN：978-986-5589-70-7（第1冊：平裝）
ISBN：978-986-5589-71-4（第2冊：平裝）
ISBN：978-986-5589-72-1（第3冊：平裝）
ISBN：978-986-5589-73-8（第4冊：平裝）

863.57　　110007330